MARK WATSON
ONZE

MARK WATSON
ONZE

Tradução
ALEXANDRE SOARES SILVA

Rai
EDITORA

Título original: *Eleven*
Copyright © 2010 Mark Watson
Copyright desta edição © 2011 Rai Editora

Todos os direitos reservados. Nenhuma parte desta publicação pode ser reproduzida, arquivada em sistema de armazenamento ou transmitida em qualquer formato ou por quaisquer meios: eletrônico, mecânico, fotocópias, gravação ou qualquer outro, sem o consentimento prévio.

COORDENAÇÃO EDITORIAL
Mayara Enohata
ASSISTÊNCIA EDITORIAL
Juliana Sayão
TRADUÇÃO
Alexandre Soares Silva
PREPARAÇÃO DE TEXTO
Ana Lucia Sant'Ana dos Santos
REVISÃO
Flávia Yacubian
CAPA, PROJETO GRÁFICO E DIAGRAMAÇÃO
Mateus Acioli/Balão Editorial
ASSESSORIA EDITORIAL E DE ARTES
Patricia Nascimento

CIP—BRASIL. CATALOGAÇÃO—NA—FONTE
SINDICATO NACIONAL DOS EDITORES DE LIVROS, RJ

W332o
WATSON, MARK, 1980—
ONZE / MARK WATSON ; TRADUÇÃO: ALEXANDRE SOARES SILVA.
— SÃO PAULO : RAI, 2011.

248P. : IL.
TRADUÇÃO DE: ELEVEN
ISBN 978-85-63672-89-6

1. ROMANCE INGLÊS. I. SILVA, ALEXANDRE SOARES. II. TÍTULO.

| 11-5306. | CDD: 823 | CDU: 821.111-3 |
| 18.08.11 | 24.08.11 | 028991 |

Direito de edição
RAI EDITORA
Avenida Iraí, 143 — conj. 61 — Moema
04082-000 — São Paulo — SP
Tel: 11 2384.5434
www.raieditora.com.br
contato@raieditora.com.br

para Kit

I

NOITE DE FEVEREIRO, fria de gelar os ossos. A neve bombardeia Londres. Os flocos dançam nos raios de neon das luzes da rua e formam cachecóis em torno dos carros parados.

Num estacionamento atrás de um prédio de concreto na zona oeste da cidade, uma raposa magra dá corridinhas à procura de um lugar quente, deixando as marcas de suas sedutoras patinhas para que, em poucas horas, as pessoas que acordam cedo se maravilhem com elas. Cinco andares acima, pelas janelas cada vez mais embaçadas de um estúdio de rádio, Xavier Ireland observa a raposa, que procura abrigo na sombra de um latão de lixo reciclável.

— Bom, eu, se fosse você, ficaria em casa mesmo, no quentinho — Xavier aconselha sua audiência invisível espalhada por Londres — e continuaria ligando. A seguir, a gente vai falar com um homem que casou três vezes... e se divorciou três vezes também.

— Ai! — contribui o colega apresentador e produtor, Murray, com seu jeito banal típico, girando um botão para começar a música seguinte.

— Está muito bonito lá fora — diz Xavier.

— Vai ser um ca—ca—ca—caos quando amanhecer — Murray gagueja.

Em 2003, Xavier estava trabalhando na estação de rádio como estagiário, fazendo chá, passando fios elétricos nas paredes, quando viu neve pela primeira vez. Tinha emigrado da Austrália havia só algumas semanas, trocado de nome — que antes era Chris Cotswold — e se jogado de cabeça na ideia de começar vida nova neste país distante, onde ele tinha vivido quando era bebê, mas nunca depois disso. Impressionava-se, naquela época e ainda agora, com o quanto os flocos de neve eram frágeis e com a quantidade necessária para cobrir uma rua. Mas, ao mesmo tempo, a paisagem pouco familiar e o excesso de frio o lembravam de que grande parte da Terra estava agora entre ele e a sua casa, ele e os seus amigos.

Com o tempo, Xavier foi promovido de estagiário a assistente e, eventualmente, as posições se trocaram, de modo que agora é Xavier quem faz o papel de conselheiro para o vasto e insone público do programa.

— Eu só queria saber o que é que eu tenho de errado — diz o ouvinte, um professor de cinquenta e dois anos, que vive sozinho na última rua de um conjunto habitacional em Hertfordshire.

São vinte para as duas da madrugada. A conexão incerta mutila algumas das suas frases. Murray passa os dedos pela garganta para sugerir que falem com o próximo ouvinte — este já está no ar há vinte minutos —, mas Xavier faz que não com a cabeça.

— Porque, sabe, eu sou uma boa pessoa — continua o professor deprimido, chamado Clive Donald, que depois dessa ligação vai tentar dormir o que for possível no resto da noite, antes de acordar, vestir um terno cinza e entrar no carro, em cujo banco de trás há trinta livros de matemática numa pasta velha. — Eu... dou dinheiro para uma organização, por exemplo. Tenho vários *hobbies*. Não tem nada de evidentemente esquisito comigo. Por que os meus casamentos não dão certo? Por que eu vivo cometendo erros?

— É muito fácil achar que é tudo culpa sua — Xavier diz a ele e a todos os outros ouvintes em suas casas espalhadas pela cidade. — Pode acreditar em mim, passei meses, anos até, revivendo os meus erros na memória. No final eu tive de me forçar a não pensar mais neles.

Finalmente, Clive, consolado o suficiente para pelo menos encontrar ânimo de ir para a cama, agradece a Xavier e se despede.

Murray aperta um botão.

— E agora as maravilhas das notícias e do trânsito — diz Xavier. — Volto em um segundo.

Murray vai para o corredor e abre uma porta de incêndio para fumar ao ar livre. A neve está caindo com uma ferocidade pouco britânica, como granizo ou geada, não com a bonita leveza de pluma que geralmente associamos à neve. Xavier toma um gole de café de uma caneca amarela com as palavras MANDACHUVA, e o desenho de um chefe caricatural fumando charuto embaixo. Ele ganhou a caneca de presente de Natal do Murray uns dois anos atrás, e na sua funcionalidade um pouquinho brega e no tamanho desajeitado, ela se parece um pouco com o produtor.

A poucos quilômetros dali, um trêmulo Big Ben — visível do estúdio de Xavier quando o tempo está mais limpo — ressoa duas vezes.

— Estas são as manchetes — lê uma mulher a quilômetros dali, sua voz, quase sem nenhuma expressão, aparecendo simultaneamente em estações afiliadas em todo o Reino Unido. — Em algumas horas o país acordará em meio à borrasca mais pesada dos últimos dez anos.

É um jeito estranho de dizer, Xavier pensa consigo, "o país acordará", como se a Inglaterra fosse um enorme e silencioso colégio interno sendo acordado pela sineta matinal. Só em Londres, como prova o sucesso das quatro horas de trabalho de Xavier, há uma comunidade gigantesca e invisível de pessoas acordadas à noite por vários motivos: plantão de trabalho, *hobbies* estranhos, culpa, medo, ou doença — ou, claro, simples entusiasmo pelo programa. Xavier olha de novo para a janela embaçada e imagina Londres, quieta e nevada, se estendendo por quilômetros lá fora. Tenta imaginar Clive Donald, o professor de matemática, pousando o fone devagar depois da ligação e pondo uma chaleira para ferver, por instinto tirando duas canecas do armário, e daí devolvendo uma. Pensa em todas as pessoas que costumam ligar para o programa: os caminhoneiros apertando números quando a conexão falha na estrada M1 saindo de Londres, as velhinhas sem ninguém mais para conversar. Daí, de forma nebulosa, ele pensa no meio milhão de londrinos em plantões noturnos, logo além do estacionamento com sua raposa furtiva, seus cantos silenciosos e, hoje, seu crescente rio de neve.

Um dos alunos de Clive Donald, Julius Brown, dezessete anos de idade e obesos cento e trinta quilos, chora discretamente em seu quarto. Apesar dos exercícios frequentes na academia, não parece que ele esteja conseguindo vencer a obesidade. Quando tinha quatorze anos teve de tomar remédio para epilepsia. Um dos efeitos colaterais foi um aumento de peso alarmante e embora nenhum médico consiga explicar direito, ele continua a expandir quase visivelmente cada vez que come. Cada dia na escola é cheio de insultos: as pessoas fazem sons de peido quando ele senta, gangues de garotas riem de um jeito misterioso quando ele passa perto no pátio. Ele está fazendo três cursos avançados no colégio, incluindo tecnologia da informação, e quer programar *software*, mas acha que vai terminar trabalhando ao telefone, ajudando gente mais magra que não consegue ligar computadores. Pressente a neve caindo lá fora mesmo sem erguer os olhos: estava muito frio quando pegou o ônibus para casa perto do restaurante em que trabalha algumas noites. Ele daria qualquer coisa para que a aula fosse cancelada hoje.

Outros estão pensando exatamente o contrário, como Jacqueline Carstairs, mãe de um menino que está um ano à frente de Julius na escola. Ela é jornalista *free-lance*, com um estilo de digitação rápido e agressivo como o de alguém tocando *rock* no piano. O marido aceitou levar Frankie, o filho deles, para a escola de manhã, para que ela possa ficar acordada até tarde para terminar um texto sobre vinho chileno. Se a escola funcionar, ela vai ter tempo para trabalhar sossegada durante o dia também. Com os ouvidos treinados de uma mãe experiente, ela capta o som, suave como um lenço de papel, quase indetectável, da neve caindo no plástico do lixo retornável lá fora. Escreve num sistema de busca o nome de um ator chileno, agora estabelecido na Inglaterra, que aparece na propaganda do vinho sobre o qual o seu texto fala.

A psicoterapeuta do ator, Dr. Maggie Reiss (pronunciado Ráis), está sentada na privada da sua casa em Notting Hill. Originalmente de Nova York, ela trabalha em Londres desde 1990, e já pode se orgulhar de uma longa lista de pacientes famosos do mundo do entretenimento, dos negócios e da moda. Dois anos atrás recebeu diagnóstico de síndrome do intestino irritável, que ela atribui às atitudes insensatas de muitos dos seus pacientes: as exigências, a arrogância, e até mesmo, às vezes, a agressividade. Sentada embaixo de uma gravura de Klimt, reprodução da original do MOMA, olha pela janela para os telhados e chaminés cada vez mais brancos. Ela se pergunta se alguém ainda usa chaminé hoje em dia, ou se elas são só decorativas, preservadas por Londres como parte do seu pacote renovado de excentricidades. A camisola de seda vermelha de Maggie forma um montinho no seu colo. Ela suspira e pensa em um dos seus pacientes mais nervosos, um político que — agora mesmo — faz parte do número de londrinos que estão cometendo adultério. Hoje ele foi especialmente difícil de lidar durante a sessão, fazendo ameaças absurdas de processá-la se ela quebrar o voto de confidencialidade. "Ele pode ir à merda", pensa Maggie, seu estômago revirando e reclamando. "Não quero me sentir assim. Não tô nem aí se ele morrer".

Umas poucas portas mais além da de Maggie, George Weir, um pedreiro aposentado, está realmente morrendo. Os dois acenaram com a cabeça um para o outro na rua várias vezes, mas nunca se falaram. Enquanto Xavier toma seu café cinco quilômetros mais a oeste, George está no meio de um ataque cardíaco, lutando desesperado pelo ar que, de repente, parece separado de sua boca por uma tela invisível. Ele se arrasta centímetro a centímetro na direção do telefone para chamar a filha, mas é tarde demais, e além disso ela não poderia fazer nada. Essa semana faz setenta anos que ele nasceu em Sunderland. Ele planejara ir ao clube de bocha amanhã, mas o clube não abrirá por causa do tempo, e na semana seguinte não vai abrir de novo em sinal de respeito a George.

Um dos últimos pensamentos de George Weir na Terra é a memória de ter de declinar um verbo do latim — *audere*, ousar — e, hesitando na metade, levar uma pancada de Mr. Partridge nos nós dos dedos. Mais de cinquenta anos depois é que lhe vem à mente como a declinação continua. Enquanto luta em vão para respirar, também se lembra de quando ficou sabendo que Mr. Partridge tinha morrido, uns vinte e cinco anos atrás, talvez, e de sentir uma certa satisfação pelo fato de que finalmente a geração de pedantes sádicos que infestava as escolas da sua infância estivesse morrendo. Mas agora o próprio George, inacreditavelmente, está morrendo, e será tão impiedosamente obliterado pelo tempo quanto Mr. Partridge e todos os outros.

"Jesus", ele pensa — apesar de nunca ter sido um homem religioso, ou emocional — , "Jesus Cristo, não me deixe acabar assim". Mas é assim. George vai entrar em parada cardíaca logo, e quando Xavier e Murray estiverem dirigindo para casa, ele estará esperando, a cabeça inclinada para trás e a boca aberta, que um dos vizinhos de Maggie o encontre. Daqui a poucos dias um carro funerário carregando o seu corpo seguirá pelo que ainda sobrar de neve até o cemitério de Abbey Park. Ele será visto por um segundo por Xavier na sala de sua casa, o qual, por enquanto, continua a olhar pela janela para essa teia de acontecimentos minúsculos e invisíveis.

— De volta ao ar em qua–qua–quarenta e cinco segundos — diz Murray, voltando a sentar em sua cadeira giratória e rodando devagar de um lado para o outro. Xavier, por uns instantes, pensa um pouco mais na sua primeira visão da neve, naquela noite cinco anos atrás, e às pressas volta a pensar no presente: o estúdio gelado e os ouvintes esperando por sua atenção.

Mais tarde, quando eles estão indo de carro para casa, pouco depois das quatro, a neve cobre as ruas numa camada grossa. Xavier, com seu corpo bem distribuído em seu um metro e noventa, está sentado no banco do passageiro, o casaco de couro apertado no corpo, os pés batendo no chão do carro para se aquecerem. Murray, gordinho de vasta cabeleira, está fazendo o carro avançar aos arranques, como se estivesse incitando um cavalo relutante.

— O programa foi bom hoje — diz Murray, anuindo com sua cabeçona de cabelos encaracolados. — Mas aquele cara com as três esposas foi uma chatice. Eu devia ter mandado o cara embora antes.

— Acho que a gente tinha que falar com ele. Ele parecia muito sozinho.

— Você é uma boa pessoa, Xavier.

— Não sei, não.

Há um silêncio um pouco pesado. Murray tosse para limpar a garganta. O *clic clic* disciplinado do limpador de para–brisa contribui para a impressão de que ele vai dizer alguma coisa importante.

— Que–que–que tal se a gente for num desses encontros relâmpagos? Amanhã à noite. É lá em Ca–Camden.

— O quê?

— Não conhece encontro relâmpago? Você vai de mesa em mesa falando com um monte de mulher. E daí...

ONZE

— Não, eu sei o que é. Estou tentando descobrir se você está falando sério.

Murray esfrega o nariz com a mão livre.

— É só porque no-no-nós dois estamos solteiros faz um te-tempo.

A gagueira de Murray costuma piorar em momentos de embaraço, como se sua voz fosse um velho disco rígido de computador tentando fazer o *download* de uma palavra de cada vez. "N" é geralmente a primeira letra a falhar.

— Eu estou contente assim sozinho, cara.

— *Eu* não.

O carro faz uma curva difícil numa esquina escorregadia, onde há uma caixa de correio cuja placa com os horários de coleta foi coberta por uma nova camada de neve.

— Não acho a minha situação ideal para um evento desse tipo. Não posso dizer que eu sou o Xavier do rádio. Imagina a minha vergonha se uma mulher lá for uma ouvinte.

— Dá o seu nome antigo. Apresente-se como Chris. Qual o problema com esse no-nome afinal?

— Bom, independentemente do nome que eu dê, elas ainda vão perguntar qual o meu trabalho.

— Inventa um emprego.

— Então quer dizer que você quer que eu encontre vinte e cinco mulheres que eu nunca vi na vida e minta para todas elas.

— Elas todas vão mentir também — diz Murray —, é o que as pessoas fa-fa-fazem para parecer mais atraentes.

Com cuidado, Murray liga a seta, embora não haja nenhum outro carro na rua, e desce aos safanões o morro íngreme em direção a Bayham Road, 11.

—Você acha mesmo que é desse jeito que você vai encontrar alguém? — pergunta Xavier. — Centenas de conversinhas rápidas num bar barulhento?

—Você tem uma ideia melhor?

Xavier suspira. Quase qualquer coisa seria uma ideia melhor. Devia ser óbvio para Murray que, com a gagueira, ele não é muito apto para um encontro de três minutos. Mas Xavier, naturalmente, não quer explicar isso para Murray.

— Ah, tudo bem. Vai ser bom poder riscar mais uma alternativa da lista, pelo menos.

Enquanto desce pelo caminho, os pés afundando surpreendentemente fundo nos montículos de neve como velas na cobertura de um bolo, Xavier olha pra trás e troca um aceno com Murray.

Numa festa com pessoas da rádio no Natal passado, uma produtora importante — baixa e gordinha, usando saltos gigantescos — tentou convencer Xavier a largar Murray e conseguir seu próprio *show*: algo que as pessoas tentam fazer desde que Xavier começou a construir uma reputação.

— Sabe, sem querer ofender, mas ele te atrapalha — ela gritou, inclinada para frente e soltando um bafo de bebida no rosto de Xavier. Era o tipo de mulher que berra com todo mundo, como se, sendo tão diminuta, estivesse acostumada a ter de se fazer entender a uma grande distância. — Ele te atrapalha, o... Qual o nome dele?

— Murray.

— Exatamente, lindo. — Ela agarrou o pulso de Xavier como se os dois fossem dançar, ou se beijar. Como não vai muito às festas da empresa, Xavier sempre fica surpreso com a intimidade inapropriada demonstrada pelas pessoas que têm algum poder no seu ramo. — Eu estava falando de você outro dia desses numa reunião. — Ela mencionou duas pessoas importantes. — Você devia começar a pensar em televisão, estou falando sério, você ia ficar ótimo na tela, ou, se você preferir rádio, tem todo tipo de outras coisas que você podia estar fazendo. Mas você precisa ficar desimpedido.

Xavier olhou desconfortável para Murray do outro lado da sala e o viu hesitando perto de um grupo de pessoas, tentando, sem muito sucesso, contribuir para a animada conversa.

— Vou pensar nisso.

— Mas pensa mesmo. — Ela colocou um cartão de visita em sua mão.

Ele pôs o cartão no bolso da calça, onde está desde então, no armário. Não contou sobre a conversa para Murray, é claro. Como sempre faz, quando esse tipo de coisa acontece, disse a si mesmo que era só conversa fiada.

Xavier observa Murray, com sua desajeitada persistência, forçar o carro, aos pulos e aos trancos, morro acima.

ONZE

Quando já está deitado na cama, na sala de espera entre pensamentos e sonhos, Xavier percebe que sua mente sempre volta para a conversa no carro, e se lembra do dia em que trocou o seu nome, duas semanas depois de chegar a Londres. O processo em si foi surpreendentemente pouco dramático, só uma questão de preencher formulários, levá-los a um escritório acinzentado em Essex e esperar a confirmação pelo correio uns dias depois. Mas as infinitas opções de nomes haviam sido assustadoras.

Escolheu as iniciais primeiro, XI. Várias coisas pareciam indicar nessa direção. Em primeiro lugar, XI era uma palavra pouco conhecida, mas válida, que ele usou para ganhar um torneio de *Scrabble* na mesma semana em que trocou o nome. Claro, as letras também significavam onze em algarismos romanos, e esse é um número ao qual ele sempre teve um inexplicável apego. Não ficou surpreso quando, afinal, terminou morando no número 11 da Bayham Road. Xavier era um dos poucos nomes começando com X em que conseguiu pensar; Ireland, o sobrenome que escolheu, também não tinha nenhuma importância específica. Mas, tomado como um todo, Xavier Ireland parecia soar bastante exótico, diferente, e, de algum modo, plausível.

Trocar o nome foi importante para ele porque o antigo, Chris Cotswold, havia tido um papel significativo na formação de todos os seus relacionamentos até então. Ele encontrou seus três melhores amigos, Bec, Matilda e Russell, porque o registro alfabético pôs seus sobrenomes juntos e em sequência no quinto ano da escola. Eles foram organizados em grupos e receberam a tarefa de representar uma das fábulas de Esopo. Chris, como ele era chamado, assumiu a liderança: colocou Bec, bem vestida mesmo aos nove anos, numa calça colante e sapatos vermelhos, no papel de raposa; Matilda, com os cabelos em tranças, no de carneiro; o gorducho Russell, no de barco em que eles atravessavam o rio. Quando mal tinham começado o ensaio, o nariz de Matilda começou a sangrar. Ele vai se lembrar para sempre do *ping ping* sinistro no chão de lajotas, e do rosto pequeno, calmo e sardento que havia se tornado um mapa feito de sangue escuro. Ela sentou, com a indiferença de uma criança de nove anos, as gotas escorrendo nariz abaixo como água de chuva nos vidros de uma janela.

Chris procurou nos bolsos algum pedaço de papel sujo oferecer.
— Vou lá avisar a Mrs. Hobson.
— Não faz isso, não. Parou.
— Não, eu não vou dedar você. Quis dizer que ela vai ajudar.
— Por favor, não conta pra ela.

Ela agarrou o cotovelo dele. Ele ficou onde estava. Os dois tinham acabado de dar o primeiro passo em direção ao primeiro beijo, num churrasco quinze anos depois.

O grupo concordou, com a eficiência taciturna que as crianças às vezes demonstram, em superar o atraso causado pelo sangramento trabalhando em dobro na apresentação. Naquela tarde Chris e Matilda, Russell e Bec andaram até a parada do ônibus à frente de todos, e ninguém ousou falar com eles. Chris estava tão contente que não conseguia dormir: fazia parte de um grupinho.

A Gangue dos Quatro, como eles foram chamados mais tarde por amigos em comum, tornou-se uma instituição. Bec era elegante e disciplinada; Matilda, sardenta e desarrumada, sempre de meia-calça propositalmente rasgada e camisetas muito grandes ou muito pequenas; Russell, lento e pensativo, sempre precisando da ajuda de Chris na lição de casa. Russell e Bec formaram um casal aos quatorze anos: o rosto gordinho de Russell passou a mostrar, dali para frente, a expressão fixa de um homem que encontrou uma mulher muito além das suas expectativas. Chris e Matilda demoraram mais um pouco. Insistiam que a amizade deles era muito valiosa para ser arriscada por um namoro. Mesmo assim, parecia uma questão de tempo, porque era o único final que parecia fazer sentido. Os quatro viajavam juntos nas férias, faziam trabalhos voluntários juntos e eram sempre convidados em grupo para festas e até casamentos, como se fossem uma só pessoa. Mal deixaram de se ver por mais de um dia de cada vez durante vinte anos.

Depois dessa breve concessão à nostalgia, Xavier consegue adormecer; mas, como é muito frequente, seus sonhos o arrastam de volta para Melbourne. Está no Jardim Botânico com a Gangue dos Quatro, além de Michael, que é o bebê de Bec e Russell. Michael dá uns passinhos inseguros perseguindo um pássaro de bico comprido, suas perninhas atrapalham uma à outra e ele desaba. Todo mundo ri, mas Michael começa a chorar de dor. Enquanto tudo isso acontece, Xavier não está completamente imerso no sonho: mesmo enquanto assiste a tudo, uma parte do seu cérebro sabe que isso não está realmente acontecendo, que jamais poderia acontecer de novo, e se esforça para emergir dele.

Xavier acaba sendo arrancado do sonho, e da época passada que ele representa, por pancadas insistentes na porta. Ele senta na cama. As pancadas param e depois voltam. Pelas cortinas fechadas vem uma luz branca mortiça, e ele se lembra da neve da noite anterior. Ainda com a camiseta e a cueca que usou para dormir, Xavier se arrasta até a porta e a abre com cautela.

A princípio parece não haver ninguém do lado de fora. Xavier olha para baixo e, na altura do seu joelho, há um garoto de três anos que, um pouco surpreso com o sucesso de suas pancadas na porta, está tentando decidir o que fazer. Xavier e Jamie — que vive no apartamento com jardim lá embaixo e que vai, um dia, descobrir anticorpos contra dois tipos de câncer, olham um para o outro.

Antes que um deles possa dizer qualquer coisa, a mãe de Jamie sobe as escadas e está no corredor.

— Vem cá, Jamie! JAMIE! — ela grita, e depois diz para Xavier: — Ah, me desculpa!

— Tudo bem — responde Xavier.

— Que história é essa de ir perturbar o moço? — ela reclama para o filho, que resiste energicamente às tentativas dela de agarrar sua mão. — Vamos pra casa.

Jamie grita alguma coisa sobre a neve.

— Tá, a gente vai brincar na neve depois que o pacote da mamãe chegar.

Jamie sacode a cabeça e bate num radiador com o seu pequeno punho: o pacote não é nem de longe uma desculpa que preste. Ele sai gemendo e escorregando como um cachorro preso numa coleira muito curta.

A mãe, que se chama Mel, faz uma careta para Xavier.

— Desculpa mesmo.

— Tudo bem — diz Xavier.

Eles se olham por alguns segundos, com embaraço. Mel tem vergonha porque essa é mais uma ocasião em que ela não conseguiu controlar o filho. Xavier se sente ridículo porque, embora Mel saiba que ele trabalha à noite, há algo de desmoralizador em levantar quando é visível que a outra pessoa já está acordada e vestida faz horas. Mel se sente uma péssima mãe porque Jamie não tem pai para brincar na neve, porque o casamento terminou em briga no ano passado, e ela ainda não parou de achar que todo mundo que sabe disso tem uma opinião negativa sobre ela. Depois que todos esses embaraços transcorreram em silêncio, os dois sorriem um para o outro timidamente, e Mel desaparece escada abaixo rebocando um relutante Jamie.

Jamie tem uma ficha corrida de mau comportamento que começou bem antes do marido de Mel ir embora, quase na mesma época daquela noite, que Xavier lembra bem, quando um táxi preto parou do lado de fora e o casal, que logo iria se separar, saltou triunfalmente dele carregando seu novo tesouro num moisés. Xavier, que tinha a noite de folga do trabalho — então devia ser sexta ou sábado —, ficou surpreso ao ver como um ser humano pode ser pequenininho e como aquela coisinha inerte, com unhas tão pequenas que quase não dava para ver, podia ter toda sua complexa vida já planejada à sua frente. Isso, claro, se é que a vida é mesmo planejada desde o início, o que Xavier frequentemente gosta de pensar que sim.

Quase desde aquela primeira noite, o novo morador da Bayham Road, 11, começou a chamar atenção. Quando Xavier voltava do programa às quatro e meia da manhã as luzes estavam sempre acesas no apartamento do térreo, e as silhuetas dos exaustos pais de primeira viagem tremulavam atrás das cortinas. Ele ouvia Keith, o marido, ir a passos de chumbo ao trabalho de manhã, e as discussões cansadas do casal no final da tarde. Mas o talento específico de Jamie, além de fazer barulho, era o da traquinagem. Ele comeu a página de rosto da recém-entregue lista telefônica, sentado no saguão de entrada. Seus dedos gorduchos mexeram num botão e remarcaram a eletricidade no zero, deixando perplexo o homem que veio fazer a leitura e, no final, causando uma multa para todos os moradores. Ele esperava de tocaia na escada e atacava os joelhos das visitas com golpes de furadeira de brinquedo ou de carrinho de bombeiro. E, o que é mais alarmante ainda, recentemente pegou o costume de sair correndo para fora sempre que a porta é aberta e começar a correr na direção da avenida movimentada que fica em frente à casa com seus três apartamentos, um em cima do outro.

Ele é seguido por toda parte pela mãe, sempre três segundos atrás, lutando para manter o último objeto fora de sua boca ou impedir sua caminhada para um novo perigo, e fazendo uma careta de desculpa para quem quer que esteja lá para testemunhar isso.

"Agora não vai dar pra voltar a dormir", pensa Xavier, embora tenha deitado faz tão pouco tempo. Ele ouve os gritos das crianças, um pouco mais velhas que Jamie, lá fora. A maioria das escolas da região está fechada. Não se ouve nada no apartamento de cima: Tamara, a funcionária da prefeitura que mora lá, geralmente já saiu a esta hora, seus saltos fazendo *clop clop clop* na escada. Mas, como mais da metade da população com emprego de Londres, hoje ela não sairá de casa. Hoje é um dia incomum.

A pia é um ninho de copos e pratos sujos, os armários contêm vários produtos alimentícios que já passaram do auge de suas carreiras. Xavier mora aqui de aluguel há quase cinco anos, e sob seus cuidados o apartamento, se não se deteriorou, pelo menos caiu numa espécie de torpor. "Talvez se eu tivesse uma namorada me esforçaria mais", Xavier pensa, e se lembra do encontro relâmpago marcado para esta noite. Enquanto põe a chaleira para ferver, ressente-se da capacidade de persuasão de Murray, ou o que quer que seja... puro desespero, talvez. O evento, como qualquer evento de solteiro, tem de antemão uma aura deprimente. Talvez seja cancelado por causa do tempo, mas ele duvida: "O tipo de gente com coragem de se inscrever num evento desses não vai se intimidar com o frio", ele pensa, "mesmo um frio desses".

No início da tarde Xavier sai do apartamento para fazer compras. O céu é só uma massa sem cor dependurada sobre Londres, adormecido, como se tivesse um pouco de vergonha pela explosão da noite anterior. As calçadas estão escorregadias com trechos de gelo entre manchas de lama pisoteadas e pastosas. O ar está frio ao toque, como talheres numa gaveta esquecida. Xavier deixa as mãos dentro das mangas do casaco. O dono da lojinha da esquina, um alegre e barrigudo indiano de meia-idade que vai morrer dali a três anos, põe as compras de Xavier numa sacola de plástico azul, antes que ele possa contar que trouxe uma sacola de casa. Não querendo parecer chato, Xavier não fala nada.

Descendo o morro no caminho de volta ele percebe uma confusão do outro lado da rua. De um amontoado de casacos pretos escapa um coro agressivo, as vozes cuidadosamente moduladas de garotos adolescentes, reunidos em volta do que parece ser um pacote de algum tipo no chão. Quando se aproxima, Xavier percebe que o pacote é, na verdade, outro garoto, sacudindo-se e estrebuchando enquanto cinco garotos derrubam neve, em turnos, em sua cabeça. O garoto no chão, que é um pouco menor do que os outros, dá um berro agudo e tenta ficar de pé, mas é sempre empurrado de volta por um dos meninos. Seus berros se transformam em soluços prolongados de sofrimento. Um dos rapazes maiores se afasta e se curva para pegar duas mãos cheias de neve, que ele amassa bem e derruba na cabeça da vítima garoto. Há uma gargalhada coletiva. O garoto parece agora uma tenda desmoronada aos pés dos agressores, coberto aqui e ali por pedaços de neve.

Xavier lança um olhar furtivo à sua volta: não há ninguém mais para intervir. Ele avança na direção do grupo. Como estão pegando mais neve, ninguém presta atenção nele.

Ele tosse, limpando a garganta.

— Vocês deviam parar com isso — diz ele, e sua voz, normalmente possante, soa hesitante e desafinada no ar gelado.

Dois garotos olham para cima. Xavier sente um arrepio correr pelas suas costas: eles são mais velhos e mais fortes do que pareciam do outro lado da rua, e ele não teria muita chance se todos o atacassem ao mesmo tempo.

— Sai fora — diz um dos meninos.

— Deixa ele em paz — retruca Xavier.

Agora todos estão olhando para ele.

— Senão você vai fazer o quê?

O líder, que lança esse desafio, tem um bigode de principiante, olhos cruéis e uma boca frouxa, desdenhosa.

Xavier hesita.

Um dos garotos finge que vai atacar, dando quatro ou cinco passos rápidos com o punho estendido. Xavier se encolhe e todos os outros riem. Ele já perdeu a paciência com essa situação e quer arranjar um jeito de sair dela. Tem mais de trinta, e esses meninos têm menos da metade da sua idade. Mesmo assim, ele pensa, irritado, "tenho medo deles".

— Vamos deixá-lo em paz — ele diz de novo, mas daí se vira e vai embora, seu rosto corando ao som das risadas zombeteiras e triunfais por cima do seu ombro.

Xavier anda o mais rápido que pode, sem olhar para trás para ver a continuação dos tormentos do menino. Ao alcançar a segurança do número 11 da Bayham Road, ele bate a porta, sacode a neve da barra das calças e sobe as escadas, passando direto pelo apartamento do térreo onde um programa de TV está servindo de babá para Jamie. "Vamos lá, gente, vamos lá, e vamos lá de novo!", Xavier ouve uma mulher cantar numa voz forçada e nervosa.

Durante a tarde ele pensa no ocorrido com desconforto, sentindo que poderia ter feito muito mais. Claro, também poderia ter feito muito menos: poderia ter ignorado a cena toda. Mas talvez isso até tivesse sido melhor do que aquela tentativa sem nenhuma firmeza. Ele imagina em qual estado o garoto chegou em casa e imediatamente rejeita a especulação. Ele convence o bocal de gás a acordar e põe uma panela de sopa no fogo.

Talvez tentando diminuir a culpa que sobrou do incidente, Xavier dedica uma parte da tarde a responder alguns *e-mails* de ouvintes. Ele sempre dá um endereço de *e-mail* no final do programa para as muitas pessoas que não conseguiram conversar com ele, e agora os seus deveres se estendem para bem além do *show*. Xavier sempre tenta se limitar a uma resposta pessoal por correspondente, para evitar se engajar numa longa troca de mensagens com pessoas que não conhece de verdade, simplesmente porque não tem tempo. Depois dessa, ele manda uma resposta padrão direcionando a pessoa para outras fontes de auxílio. Mais uma vez, talvez ele pudesse ajudar mais, mas, por outro lado, também poderia ignorar os *e-mails* completamente, se quisesse.

Segunda-feira é o dia mais pesado em termos de *e-mails*: a abundância de tempo livre do final de semana pode provocar algumas confissões perturbadoramente detalhadas, algumas descrições de solidão especialmente vívidas. Nesta tarde, a maior parte das mensagens é de natureza mais prática.

"Xavier, o que você faria se a sua mulher metesse na cabeça que vai usar biquíni, mas você quisesse dizer a ela (com gentileza) que o corpo dela já não permite mais essas coisas?"

"Preciso da sua ajuda. Estou devendo mais de 50 mil. Minha esposa não sabe, nem os meus filhos, nem ninguém."

Ele desafia a vítima do biquíni a decidir se, por acaso, não é a vaidade dele que está em risco e encoraja a vítima da dívida a contar tudo para a mulher.

Pessoas com problemas sempre procuraram Xavier instintivamente, ou ele é quem os atrai por algum tipo de magnetismo acidental. É o tipo de pessoa que sempre acaba ouvindo as reclamações do taxista ou assentindo com empatia às lamúrias de um estranho subitamente loquaz no elevador. Talvez ajude o fato de que as mulheres o achem bonito (frequentemente há algo sedutor em confissões, mesmo as muito embaraçosas), ou talvez seja só porque ele tem o raro dom de ficar calado. Seja como for, Xavier estava acostumado a ouvir as pessoas bem antes de que isso se tornasse o seu emprego. Na verdade o hábito se formou quando ele ainda era conhecido como Chris.

Uma vez, quando tinha vinte e poucos anos, Chris conversou com um completo estranho na rua durante uma hora. Era um início de noite de outubro e Melbourne estava se preparando para o longo verão à frente. O ar estava delicioso, com uma mera sugestão de calor, e o céu era de um azul que empalidecia aos poucos, com uma ainda mais pálida lua pendurada preguiçosamente sobre ele. O braço de Chris estava em volta das costas de Matilda: não eram oficialmente, ainda, um casal, e estavam num período delicioso de toques afetuosos, apelidos e piadinhas entre eles. Podia sentir o fecho do sutiã dela através da velha camiseta do Nirvana. Na esquina da Brunswick com a Johnston, os três amigos foram para um lado e Chris para o outro, para esperar o bonde.

Na parada havia um mendigo já velho, usando um boné de beisebol e segurando uma lata de cerveja na mão. Chris disse "oi" educadamente e os dois ficaram calados alguns minutos, vendo os bondes passarem sacolejando do outro lado da rua. Uma garota estava colando cartazes de uma banda de *rock* num muro de tijolos atrás deles. Chris pensou em Matilda, que tinha participado de uma competição de salto de trampolim no dia anterior. Cada vez que ela saltava na direção do céu, ele se imaginava dando um pulo e a pegando em pleno ar. O velho começou a cantar baixinho para si mesmo, olhando amigavelmente para Chris. Parecia alcoólatra, mas inofensivo: alguém que tinha bebido tanto na vida que nem conseguia mais ficar bêbado, mas também nunca iria parecer inteiramente sóbrio.

Piscou para Chris.

— Foi bom o seu dia?

— Não foi ruim. Fui só ver um filme.

— Um filme! — O velho deu risada. — Sabe quanto tempo faz que eu não vejo um filme? — Limpou a boca com as costas da mão. — Uns vinte anos, eu acho.

Sem saber o que dizer, Chris perguntou:

— Mas e o... e o seu dia como foi?

— Cê sabe — disse o homem, — vou fazer oitenta no mês que vem. É muita coisa, né?

— É uma boa idade — Chris concordou.

— Quando você chega na minha idade, tem um monte de coisa em que você não quer pensar. Então eu faço o seguinte, tem tipo um cofre na minha cabeça onde eu ponho essas coisas. Dá pra entender o que eu estou falando?

Pegou desajeitadamente num cigarro enquanto a outra mão, tremendo, tentava tirar um isqueiro velho do bolso do casaco. Chris pegou o cigarro e acendeu para ele.

— Eu só falo assim pra mim mesmo: isso aí está dentro do cofre — o homem continuou. — E eu nunca me deixo entrar lá dentro. Está trancado. Nem eu posso entrar. Não sei nem onde está a chave.

Sorriu para Chris, mostrando dentes surpreendentemente bons.

Bondes passavam chiando. Na hora seguinte, o homem contou para Chris que sua mulher havia morrido jovem e o seu irmão, soldado do Exército Australiano e Neozelandês, havia morrido em combate em 1944.

Seus filhos, ambos, o haviam decepcionado: um poderia ter sido jogador de *rugby*, mas era muito preguiçoso, e o outro foi para a França e se meteu com, nas palavras do homem, "sabe né, drogas e arte". O negócio que ele tinha, uma mercearia, foi sufocado até a morte durante duas décadas pela chegada de cadeias de bancas, lojas de conveniência e esse tipo de coisa. O homem percebeu, ao entrar nos quarenta, que gostava de rapazes mais jovens e que nunca seria capaz de satisfazer essa vontade. Nos anos setenta ele roubou algum dinheiro, para melhorar os negócios, e quando isso foi descoberto, mais de dez anos depois, quem foi para a cadeia foi um dos seus melhores amigos. E assim por diante.

— É, quase tudo deu errado mesmo — o velho concluiu com um dos seus sorrisos cheios de dentes. — E eu sei que isso tudo aconteceu. Pois eu não acabei de te contar? Mas eu não penso nisso. Eu não vou no cofre. Dá pra entender isso aí?

Chris perguntou:

— E você nunca vai abrir o... cofre? Sei lá, pra se livrar disso de uma vez?

O velho acendeu outro cigarro, tossiu e sorriu.

— Quando eu souber que estou morrendo — ele disse, — talvez na última hora, daí eu abro e dou uma boa pensada em tudo, e daí eu vou dizer: Bom, agora acabou, do que é que eu tinha medo?

Quando o bonde seguinte apareceu, o velho, seus olhos de repente úmidos e submissos, agarrou a manga de Chris e pediu um dólar. Chris deu uma nota de dez dólares e subiu no bonde.

Quanto mais a amizade dos quatro envelhecia e complicava, mais ele era requisitado como líder não oficial do grupo, seu membro mais capaz. Muitas vezes era Russell que precisava de ajuda: ele não conseguia manter um emprego, nem mesmo um em que tinha de se vestir de cenoura e dis‑ tribuir os folhetos de uma casa de sucos, então nunca tinha dinheiro; Bec não conseguia engravidar. A amizade de vinte anos entre Chris e Russell era, em muitos sentidos, uma boa preparação para trabalhar com Murray: homens parecidos, igualmente acima do peso, desajeitados, inspirando boa vontade e um certo prenúncio de desgraça, como esportistas pelos quais todos torcem mas, na verdade, têm certeza de que vão perder.

ONZE

Um dia, na cama, Matilda garantiu que, nos quinze anos de amizade platônica deles, nada a havia feito querer arrancar as roupas de Chris com mais vontade do que esse seu lado — ela não conseguiu pensar numa palavra melhor — prestativo.

— Ah vai, você fica excitada por eu ser legal com as pessoas?

— Por você ser legal sempre. Isso é muito esquisito?

— Quer dizer que eu nem precisava ter feito todas aquelas coisas pra te impressionar, todas as roupas que eu comprei, eu tentando achar graça em *Uma linda mulher*? Eu podia só ficar ajudando velhinhas a atravessar a rua até você ir pra cama comigo?

Ela riu.

— Por favor, não destrua a minha ilusão.

Xavier olha pela janela para o triste início de noite. Os carros, ainda aconchegados na neve, parecem animais parados num campo congelado. Um casal de meia-idade, usando idênticas capas de chuva vermelhas que parecem muito finas para esse tempo, se apoia um no outro para andar, avançando lentamente pela calçada escorregadia. Xavier se pergunta se alguma das mulheres no encontro relâmpago vai notar essa gentileza supostamente atraente dele, e, por falar nisso, se ainda é gentil. Deseja que não tivesse concordado em ir com Murray, e se pergunta se não há chance de que o evento seja cancelado.

Mas o evento acabou não sendo, como ele sabia que não ia ser, afetado pelo tempo ruim. Seis ou sete pessoas não vieram, mas outros tantos mais vieram para ocupar seus lugares, graças à escassez de outras atrações no centro de Londres nesta noite de borrasca: os cinemas e os restaurantes estão fechados por causa da falta de funcionários. O lugar é um clube noturno com sofás de veludo molhado e luz mortiça. Um quadrado de mesas ocupa a área que seria normalmente a pista de dança.

Murray atacou os densos cachos do seu cabelo encaracolado com punhados de gel aplicados sem habilidade alguma. Ele usa uma camisa de um vermelho vivo: poças escuras já estão se acumulando debaixo dos braços. Parece aliviado de ver Xavier. Os participantes ficam se acotovelando desajeitados perto do bar até que o apresentador do evento, um negro bonito de terno, começa a falar num microfone sem fio.

— Muito bem, pessoal. Cada um de vocês recebeu um número. — Murray é 4; Xavier, 8, não 11, como gostaria. — Em um minuto vou pedir que vocês achem a mesa que tem o número de vocês. Logo a primeira paquera de vocês vai sentar na mesa também. Cada vez que soar este sinalzinho aqui — ele toca o que soa como uma buzina arrancada de um carro —, os homens devem se mover para a mesa seguinte. No final da noite vocês anotam o número de quem vocês querem ver de novo, e a gente marca o encontro pra vocês. Quem é que tá afim?

Se o apresentador estava esperando rugidos de aprovação por causa desse discurso feito às pressas, ele ficou desapontado: os participantes só olham para os próprios pés ou murmuram entre si.

— Boa sorte — diz Xavier para Murray, dando uma palmada em suas costas cheinhas.

Na próxima hora e meia eles dão a volta na sala sob o comando da buzina, que às vezes interrompe a conversa, mas que na maior parte do tempo é um alívio necessário. Cada vez que ela soa há um arrastar coletivo de cadeiras, um movimento em massa de pessoas embaraçadas e uma parada em mesas diferentes. Tudo parece um pouco uma série de transações combinadas de antemão, um exercício planejado, mais do que uma troca de emoções: o que, provavelmente, agora que Xavier pensa nisso, é o que atrai as pessoas.

4: — Mas e aí, quais os seus... *hobbies* e divertimentos, e tal?
Xavier: — Eu jogo *Scrabble*.
4: — *Scrabble*?
Xavier: — É, em competições. *Scrabble* competitivo.
4: — Tem competições pra *Scrabble*?
Xavier: — Tem, é...
4: — Não é só ver quem sabe as palavras mais compridas?
Xavier: — Não necessariamente. Tem bastante tática no meio. Por exemplo, você pode...
4: — Não estou *tão* interessada assim.
Xavier: — Ah.

9: — Você trabalha em quê?

Xavier: — Eu trabalho com, hmm, crítica de cinema.

9: — Que ótimo. De que filmes você gosta?

Xavier: — Hmm...

9: — Você viu os filmes do Harry Potter?

Xavier: — Não.

9: — Ah, mas devia. Mas, conta, você tem sotaque de australiano, que nem eu, né?

Xavier: — É, eu sou de Melbourne. Mas vivo aqui agora.

9: — Por que você quis ir embora? Prefere morar aqui?

Xavier: — É uma história meio comprida. Aconteceu uma coisa e não dava mais pra eu viver lá.

9: — Nossa. Mas, enfim, você também não acha que as pessoas aqui são muito fechadas?

12: — Eu sou faxineira profissional. Trabalho duas vezes por semana numa cadeia de hotéis. E aceito trabalhos avulsos pra vários tipos de clientes corporativos. E também faço visitas semanais para particulares. Cobro doze libras por hora. O que é bastante para uma faxineira. Mas sou uma faxineira excelente. Ai, desculpa, não paro de falar. Se me deixar, não fecho a boca. Especialmente com alguém que eu não conheço ainda.

Xavier: — Eu estou precisando de uma faxineira. Meu apartamento está uma bagunça.

12: — Eu posso ir no sábado.

Xavier: — Está bom. Te mando uma mensagem com o endereço.

12: — Ótimo.

Xavier: — Bom, a gente devia continuar com a, hmm...

12: — Acho que a buzina já vai tocar.

22: — Sua voz não me soa estranha. Por que é que eu conheço a sua voz?

Xavier: — Acho que não conhece.

22: — Você trabalha na TV ou algo assim?

Xavier: — Não.

22: — Ah. Pra ser sincera, na verdade eu tenho namorado. Só vim pra ajudar uma amiga.

Xavier: — Eu também.

22: — É mesmo? Qual deles?

Xavier: — Aquele ali. De camisa vermelha. Cabelo encaracolado.

22: — Ah tá. Eu tive um bom papo com ele. Mas ele fica gaguejando, né...

Xavier: — Eu sei.

Há um alívio evidente no ar quando os últimos "encontros" acabam e o evento vira uma noite convencional de solteiros, a área em volta do bar acolhendo versões menos constrangidas das conversas que aconteceram nas mesas. Um DJ começa a tocar *remixes* de clássicos dos anos sessenta, ocasionalmente interrompidos pelo apresentador do evento, que encoraja todo mundo a "cair na pista". Xavier encontra Murray, cuja camisa está agora desabotoada na parte de cima. Seu cabelo se separou em dois grandes grupos, partes dele ainda mantidas em linha pelo gel, outras partes saltando em surtos de rebelião.

— E agora... as delícias deste bar carésimo — diz Murray.

— Como foi tudo? — Xavier pergunta.

— Nã–nã–não foi ruim. Teve umas du... duas que pareceram interessadas. Vamos ver. E você?

— Bom, arrumei uma faxineira. Então a noite não foi completamente inútil.

Já são dez horas e eles vão ao ar à meia–noite. Xavier sai para arranjar um táxi enquanto Murray faz fila no bar cheio para conseguir uma bebida. Não vai ser a primeira vez que eles fazem o *show* sob a influência moderada do álcool. Na calçada, Xavier ainda consegue ouvir o tom grave das pancadas da música lá dentro. Pensa nas quatro horas de estúdio que o esperam e depois revê sem muita atenção os acontecimentos do dia. A cena com os garotos na neve ainda o incomoda, mas ele diz a si mesmo para ser homem e parar de pensar nisso. Não dá para ele ficar protegendo todo mundo em Londres. Além do que, isso já faz parte do passado.

II

ÀS VEZES XAVIER não quer ir dormir quando Murray o deixa em casa, às quatro e meia da manhã. Senta na sala na frente dos filmes de guerra obscuros que passam de madrugada, ou liga nos canais de notícias 24 horas e fica encarando a faixa de manchetes passando sem parar na parte de baixo da tela, com suas mensagens telegráficas: ECONOMIA "FICARÁ PIOR", PRESIDENTE FAZ VISITA SURPRESA AO IRAQUE, HOMENAGENS A ANTIGO NOBEL. Ele observa os enérgicos âncoras norte-americanos devorarem vorazmente cada pedacinho de notícia e conversarem com os repórteres locais que habitam cada zona de guerra no mundo. Quando Xavier tenta visualizar a Faixa de Gaza ou o Afeganistão, é sempre um formigueiro de repórteres e equipes de filmagem lutando por uma visão do conflito.

Às vezes ele liga o computador e trabalha em seu escritório. O programa de rádio paga o suficiente para custear o aluguel do apartamento, que é baixo e em todos esses anos que ele vive aqui nunca subiu: a senhoria é casada com um milionário e mal se incomoda de cobrar o dinheiro. Mais para se manter ocupado que outra coisa, Xavier manda críticas de filmes para várias publicações de Londres e escreve colunas semanais para uma rede nacional de estraga-prazeres.

O hábito de estar acordado a horas peculiares começou como um método para diminuir a estranheza de estar tão longe de casa. Tinha aceitado o estágio na estação de rádio porque, por algum motivo, era reconfortante saber que Bec, Russell e Matilda estavam acordados, lá em Melbourne, ao mesmo tempo que ele: isso fazia a separação menos dolorida. Estava pensando nisso quando fez os comentários que firmaram seu lugar oficial no novo *show*.

Um ouvinte estava reclamando da dificuldade de se adaptar a Londres, da sensação de que todo mundo estava eternamente cuidando da própria vida.

Xavier, que só tinha que ficar sentado e dizer o mínimo possível, não resistiu e acabou falando:

— Passei por essa experiência também. Mudei pra cá recentemente e tenho me sentido bastante sozinho. Mas, sabe, ninguém em Londres realmente se sente adaptado.

E completou:

— Meu pai costumava dizer: "Não esquece, filho, ninguém no mundo sabe mesmo o que está fazendo. Todo mundo está só se virando".

— Pa-pa-palavras de sabedoria! — disse Murray, brincando, mas os *e-mails* que receberam mostraram que os ouvintes tiveram a mesma opinião. Logo, as pessoas que telefonavam pediam para falar especificamente com Xavier. Sem nunca terem falado no assunto, os dois foram aos poucos trocando de lugar, até que era Xavier que sentava na cadeira da direita, na frente do grande microfone verde, e Murray que mexia nos controles.

Xavier se acostumou com os sons específicos da noite: as explosões inarticuladas de Jamie no andar de baixo e o *shhhhhh* gentil e quase imediato de Mel; o ranger de quando Tamara ou o namorado vão ao banheiro e voltam. De vez em quando há sons mais sugestivos vindo do andar de cima, soluços ou rápidos gritos de raiva ou pancadas e batidas, que ele assume que sejam do casal fazendo sexo. E também há os sons do próprio prédio: ele range, suspira e chacoalha quando o aquecimento central quebra e volta à vida de novo, quando suas fibras se contraem e expandem minimamente de acordo com o aquecimento ou esfriamento do ar, como se fosse uma pessoa velha e um pouco gagá dizendo coisas para si mesma à medida que a noite passa.

E há também os sons que vêm de fora, de todas os londrinos acordados no final da noite e início da manhã: um ou outro bêbado berrando enquanto se arrasta pela rua, o ronronar dos primeiros veículos — táxis levando homens de negócio para Heathrow, talvez, ou caminhões de entrega abastecendo as muitas mercearias da região com a verdura da moda. Às sete e meia, o alarme agudo e insistente de Tamara a força para fora da cama, o chuveiro jorra, seus saltos fazem *clop clop* no assoalho. No andar de baixo os pedidos de Jamie adquirem um tom mais determinado, ganhando confiança com a luz lá fora. Ouve-se barulho de coisas quebrando quando ele joga algo no chão e Mel corre pra lá e pra cá, tentando limitar o estrago. As ruas lá fora se enchem de pessoas carrancudas saindo das estações de metrô, ônibus aceleram na rua principal, lotados de pessoas que evitam olhar nos olhos umas das outras, e a tagarelice maníaca dos apresentadores matinais — que chegaram no trabalho logo depois que Xavier saiu — escoa dos rádios em toda a cidade. Uma vez que seu prédio se esvaziou e as ruas entraram no seu ritmo mais lento da metade da manhã, Xavier, como aqueles outros notívagos, os que têm problemas sentimentais, digestivos ou de consciência, finalmente vai dormir.

Telefonando para o programa naquela noite, para aparecer num novo segmento chamado Pela Primeira Vez, está uma senhora de Walthamstow.

É assim que ela se apresenta:

— Eu me chamo Íris e sou uma senhora de Walthamstow.

Xavier e Murray trocam sorrisos.

— Posso só dizer, em primeiro lugar, o quanto gosto do seu programa? Eu o descobri por acaso.

— Obrigado, Íris — diz Xavier —, e o que é que a senhora está fazendo, assim, tão tarde da noite?

É uma espécie de piada recorrente no *Linha da Madrugada*. Xavier sempre parecer surpreso que seus ouvintes estejam acordados, manifestando uma preocupação paternal com a falta de horas apropriadas de sono deles.

— Ah, bom — diz Íris a quinze quilômetros de distância no telefone —, eu estava lendo *Declínio e queda do Império Romano*.

— E em que página você chegou?

— Estou na página 300 — diz Íris —, e até agora...

— Não conta a história! — Xavier a interrompe. — Eu não quero saber como termina!

Íris dá uma risadinha — esse é exatamente o tipo de piada que o seu público adora — e Murray buzina de satisfação.

— E agora, que "primeira vez" a senhora vai contar pra gente?

— Então, eu queria contar da primeira vez que vi o amor da minha vida.

— Perfeito. Quando foi isso, Íris?

— Foi em 1950. Eu o atendi em uma loja, uma vendinha, descendo aqui a rua, quer dizer, né, já não existe mais a venda, é uma pizzaria agora. Eu tinha... bom, cinquenta e oito anos atrás, então eu tinha dezenove anos. O nome dele era Tony. Eu tive que arrumar coragem pra perguntar o nome dele na terceira vez que ele veio, ele comprou couve-de-bruxelas. Mas na primeira vez eu não falei com ele. Ele ficou só me olhando colocar as verduras num saco de papel. Daí, quando ele foi pagar, derrubou as moedas no balcão — eu lembro que eu me perguntei se ele não estava nervoso, sabe, se ele não estava interessado em mim. E nós dois nos abaixamos pra pegar as moedas ao mesmo tempo e a gente bateu as cabeças! Pimba!

— Au! — diz Murray.

— E no final a senhora convidou ele para um encontro — pergunta Xavier —, ou foi ele quem convidou?

— Ah, não, Jesus amado, a gente nunca saiu num encontro. — Íris ri. — A gente se viu várias vezes e eu conversei com ele, e ele era muito engraçado, um cavalheiro de verdade. Uma vez ele entrou usando um chapéu *trilby* só pra me fazer rir. E outra vez ele perguntou como é que eu estava, e eu disse que estava morrendo por uma xícara de chá. Meia-hora depois lá me aparece ele com uma xícara que ele tinha feito em casa e carregado pela rua toda! Tinha até um biscoito!

"Mas daí, depois de uns três meses, ele se mudou daqui — deve ter arranjado um emprego em algum lugar, eu acho — e nunca voltou."

Há uma pausa de um segundo.

— Mas eu achei que você tinha dito que ele foi o amor da sua vida? — Xavier pergunta.

— Bom, é, ele foi, eu acho — diz Íris, pensativa. — Porque, quer dizer, eu pensei nele tantas vezes, eu nunca me esqueci dele. E, no fim das contas, claro, eu casei com um homem que era muito correto, nós passamos vinte e oito anos juntos, e daí ele faleceu. Mesmo assim, eu nunca abandonei a ideia de que talvez o homem da minha vida tenha sido esse outro, Tony, o tempo todo. Mas daí... — Íris continua.

Murray está fazendo careta com o gesto de "corta a conversa", que Xavier rebate com uma mão.

— Daí, no ano passado, eu o vi andando na rua, o Tony. Andando na rua com uma bengala. Deu pra reconhecer na hora! Ainda com uma bela cabeleira, só que agora branca. Eu fui e disse olá e me apresentei, e ele ainda se lembrava de mim. Ele disse que se mudou pra Leeds em 1951, e casou, teve filhos, e que eles mudaram de volta pra Londres alguns anos depois. A esposa dele tem o mal de Alzheimer, e ele só tinha dado uma saidinha pra comprar algumas coisas pra ela. A gente apertou a mão e foi isso. — Ela tosse. — Mas foi bom poder vê-lo de novo.

Xavier pisca e tosse, limpando a garganta.

— E a senhora não descobriu onde ele mora, ou...?

— Bom! — responde Íris, numa voz animada, mas um tanto tensa. — Isso tudo foi mais de cinquenta anos atrás!

— Mas a senhora não está ansiosa para estabelecer a amizade de novo?

—Ah, bom, na minha idade! — diz Íris.

— Bobagem. Se a senhora tem tempo de ler *Declínio e queda do Império Romano...*

— É, talvez você tenha razão — ela concede, divertida com a ideia.

— Bom, vamos fazer um apelo então no *Linha da Madrugada* desta noite — diz Xavier. — Tony, se o senhor estiver ouvindo, a Íris quer vê-lo de novo. Pelo menos pra uma xícara de chá e um biscoito.

— Obrigada, Xavier, obrigada mesmo — agradece Íris. — Mas agora, escuta, eu já tomei muito do seu tempo. Parabéns pelo bom trabalho aí no *show* de vocês!

— Mantenha a gente informado, Íris, e volte a telefonar para cá logo. Aqui é a *Linha da Madrugada*. Estes são Simon e Garfunkel.

— Dois pelo preço de um! — completa Murray, que fez essa piadinha várias vezes.

Ficam sentados em silêncio durante meio verso de "Mrs. Robinson", olhando para o estacionamento. Embora o ar ainda esteja gelado lá fora, a neve foi retirada pela passagem contínua dos carros e só uns montes isolados sobrevivem, nas áreas de sombra, para continuar a luta.

— Imagina ter isso na sua cabeça durante cinquenta anos — diz Xavier.

— Ou ela pode estar alucinando — sugere Murray.

Xavier olha para ele e suspira.

— Ei — Murray pergunta —, te-te-te-teve algum *feedback* nos seus *e-mails* sobre o... sobre o encontro relâmpago?

— *Feedback*?

— É, sabe? Alguém entrou em contato? Alguma das...? Das garotas?

— Ah. Eu nem vi.

Isso é verdade. Xavier praticamente já esqueceu a noite sórdida em Camden. Ele realmente deu um endereço de *e-mail* para que quem estivesse interessada pudesse entrar em contato, mas é um em que ele quase nunca entra.

— Mas eu marquei uma hora com a faxineira — acrescenta. — E você?

Murray puxa o cabelo e ergue uma sobrancelha numa tentativa de mostrar indiferença.

— Não. Por enquanto na-nada.

— E você mandou *e-mail* pra alguma delas?

— Nove mulheres.

— Nove das vinte e cinco?

— Você tem que manter as portas abertas. — Murray encolhe os ombros. — Mas elas ainda na-na-não entraram em contato comigo também.

A música de Simon e Garfunkel chega no seu último refrão. Depois disso, virá a propaganda. Murray faz a mímica de beber num copo e, após Xavier assentir com a cabeça, sai e põe a chaleira no fogo.

Xavier senta rápido na cadeira de Murray, na frente do computador, e abre a conta de *e-mail* em questão. Meio enterrada entre ofertas de dinheiro de graça obviamente fraudulentas, ele encontra uma mensagem. É de uma garota, a australiana com quem ele falou naquela noite. Ela diz que o achou bonito e pergunta se ele quer *pegar um filminho*.

Ele já recebeu mensagens mais ardentes das suas ouvintes, mas mesmo assim Xavier sente um prazer momentâneo em ser cortejado. A memória que tem dela é imperfeita: era bem baixa, com cabelo pintado de preto, dentes muito brancos, ele lembra, e uma saia curta. As palavras que ela escolheu fazem soar um vago alarme: Xavier desconfia um pouco de pessoas que dizem que vão *pegar* um filme, como se eles fossem objetos atraentes flutuando na brisa, descartáveis como pedacinhos de confete. E, enfim, a mensagem é de quatro dias atrás. No fim das contas, ele não tem certeza se vai ligar para a australiana, mas é bom ser convidado.

Enquanto Xavier lê a mensagem pela segunda vez, Murray entra de novo, abrindo a porta com o pé e se espremendo todo contorcido para passar no espaço disponível, com um café em cada mão.

— Te peguei olhando os *e-mails*! Sabia que você na—não podia estar com essa indiferença toda.

— Eu confesso — admite Xavier, e vai mencionar o *e-mail*, mas algo na aparência sempre amarfanhada de Murray o detém. É fácil imaginá-lo em casa, abrindo a caixa de mensagens com um otimismo inquebrantável que, no fundo, ele sabe que não tem fundamento.

— Sem sorte hoje — diz Xavier, fechando rápido a página. — Nenhuma resposta.

— Eu a mesma coisa — diz Murray. — Qu—qual o problema com a gente?

— Será que é o fato da gente estar acordado quando todo mundo está dormindo?

Xavier vê um carro solitário fazendo uma espiral para sair do estacionamento, provavelmente dirigido por um vigia aliviado por ter parado de fazer a ronda em corredores cheios de ar encanado durante seis horas.

— Mas eu só disse para umas duas mulheres que eu trabalho no rádio. Não queria que elas fizessem um escândalo por eu ser meio ff—ffamoso.

— Ou vai ver nós somos dois homens feios pra caramba — diz Xavier, e se sente culpado com a gratidão e a cumplicidade na gargalhada de Murray.

No final da tarde seguinte, Xavier está saindo de casa para ir à loja de conveniência da esquina quando vê Tamara, do andar de cima, vindo na direção contrária. Ele só sabe o nome por ter visto as cartas dela, que ficam no saguão de entrada do prédio. Xavier sempre pega as cartas de Mel e as deixa na porta dela, e faz o mesmo com as de Tamara. Ela se mudou para lá só uns poucos meses atrás, e a maior parte das conversas entre eles têm sido como esta que acontece agora:

— Oi!
— Olá...
— Só dando uma passadinha na loja?
— É.
— Eu podia ter comprado alguma coisa pra você — diz Tamara rispidamente, como se tivesse ocorrido uma lamentável falha logística.
— Ah, tudo bem. Essa caminhada me faz bem — diz Xavier.
— Vai fazer alguma coisa divertida hoje?
— Trabalhar — ele diz.

Embora já tenham tido várias versões dessa conversa, ela nunca pergunta em que ele trabalha, o que Xavier acha bom. Ele não tem certeza de porquê exatamente ele não gosta que as pessoas saibam que ele é o Xavier Ireland do rádio. Alguém como Tamara, funcionária da prefeitura, de quase trinta anos, que vai para a cama às dez e tem um namorado, provavelmente nunca ouviu falar dele. Mas também, e daí se tivesse? No entanto, há algo no anonimato do programa que ele aprecia: algo importante sobre manter a separação entre as pessoas que sintonizam seu *show* e aquelas que conseguem ouvir a sua escolha de programas de TV, ou a água do seu banho escapando pelo ralo.

— Mas e você?
— Vou ficar em casa mesmo e ter uma noite tranquila — responde Tamara. — TV e um banho. Muito frio pra fazer mais alguma coisa!
— Está frio *mesmo* — concorda Xavier.

É por aqui que a conversa geralmente morre.

— Bom, boa noite pra você!
— E pra você também!

E ele prossegue morro acima, enquanto os saltos de Tamara a carregam até o número 11 da Bayham Road.

Naquela noite, vendo um programa de debates na TV, Xavier sente uma obscura, mas palpável, solidão roendo-o levemente por dentro. Ele se pega sonhando acordado com Matilda cozinhando, nua, exceto por um par de botas, numa das muitas tardes quentes e sonolentas no apartamento deles em Melbourne. Tão confortável nua como vestida, ela o deixava louco quando andava pelo apartamento sem outra cobertura que não o véu de sardas nos seus ombros enquanto recebia ligações do trabalho. Ele amava ser o único a saber. "Aqui é a Matilda", ela dizia no seu tom mais profissional, como se o cliente fosse a única coisa que lhe importava, e ao mesmo tempo olhando para ele tão impassível que *ele* se sentia pelado. "Em que posso ajudar?"

É difícil parar com esses sonhos acordados depois que já começaram, e mais tarde, naquela noite, um pouco para sua surpresa, Xavier se vê ligando para a garota australiana que mandou o *e-mail*. A ligação estava quase caindo na caixa-postal quando ela atendeu, claramente em um bar cheio:

— É a Gemma falando.

Ela soa feliz de falar com ele. Eles fazem um plano. Xavier tem de resenhar um filme romeno, que vai passar amanhã à noite num cineclube minúsculo na rua Wardour, para uma revista importante de cinema. Não é exatamente o tipo de filme que você escolheria para um encontro, mas supostamente é uma comédia, e Gemma parece empolgada.

— Então a gente se encontra às oito do lado de fora do cinema?
— Perfeito!

Xavier ainda não tem certeza, mesmo quando a conversa termina, de porquê ele fez isso. Geralmente ele vai sozinho nessas sessões de imprensa, ou leva o Murray, que chega atrasado e faz muito barulho para comer pipoca. Mas enfim, agora está feito. Ele não foi em nenhum encontro nos últimos quatro meses. Você precisa se esforçar um pouco às vezes, ele diz para si mesmo. Mesmo se você acha que não está querendo um romance, devia estar aberto à possibilidade. É esse o conselho que ele daria no programa. Mas ele não segue, necessariamente, os seus próprios conselhos com a mesma seriedade com que todo mundo segue.

Na noite de sexta — uma de suas noites de folga — Xavier se prepara para sair com Gemma. Veste um paletó com *jeans* e uma camisa preta. Talvez seja um pouco formal demais, mas acha que o conjunto fica bem.

Ele se olha no espelho do banheiro. É, inegavelmente, bastante bonito — alto, de olhos azuis —, um fato que ele aceita sem que isso tenha o menor impacto no seu ânimo: boa aparência, como dinheiro, fama, habilidade sexual etc., são muito mais interessantes para quem não tem do que para quem tem. Ele não faz a barba há quatro dias. Xavier tem um aparentemente imutável ar de saúde, um benefício residual da sua vida ao ar livre nos subúrbios da Austrália. Seus dedos são delicados e muito compridos, como os de um pianista, o que aliás ele foi por um tempo na escola, nas aulas junto com Russell. Desistiu discretamente depois de perceber que Russell sofria com a comparação entre os dois. "Não tenho coordenação nem pra ficar sentado no banco", reclamava Russell, "quanto mais pra tocar a escala".

    Mel sorri para ele na janela enquanto se afasta, e move um bracinho roliço e temporariamente cooperativo de Jamie numa despedida. Xavier anda quinze minutos até o metrô e pega a linha norte até Leicester Square.

    Mais ou menos ao mesmo tempo, Jacqueline Carstairs, a jornalista, está saindo de casa em Hamstead para fazer a crítica de um restaurante. Espera pelo ônibus na esquina. Estava tudo certo para ela jantar com uma amiga — seu marido está viajando para jogar golfe, e ela arranjou uma babá para Frankie, seu filho, embora, como já tem treze anos, ele odeie esse termo —, mas a amiga cancelou, por mensagem de celular, uma hora atrás. Ela fica parada em pé no ponto de ônibus, numa noite que parece ameaçar chuva, mas não cumpre, e deseja que estivesse vestida para uma noite quente ou para uma noite fria: ela tentou se preparar para as duas possibilidades com um vestido e um pulôver que não combinam um com o outro, e o conjunto todo parece excessivo, quente e desajeitado. A bateria do seu celular está com pouca carga, ela esqueceu de recarregar antes de sair, e isso também a incomoda. Mas a causa real do seu mau-humor, que ela consegue sentir pairando em algum lugar perto dela como um intérprete excessivamente zeloso traduzindo cada pensamento em arrependimento, é o que aconteceu com Frankie na semana passada.

    Ela estava em casa pesquisando para um artigo quando recebeu um telefonema do diretor da escola.

ONZE

— A senhora é a mãe de Frankie Carstairs?

Por um momento a pergunta lançou agulhas de medo em cada ponto exposto de sua pele.

— Sou. Por quê? O que foi? O que aconteceu?

— Bom, é... ele foi vítima de... de um pouco de *bullying*, só isso. Infelizmente um grupo de meninos maltratou o Frankie na neve. Na verdade fora do terreno da escola, mas, mesmo assim, estamos lidando com...

— Como assim "maltrataram"?

— Empurraram um pouco, e, bom, nós o mandamos para o pronto--socorro.

— Pronto-socorro! — Jacqueline sentiu as agulhas espetando-a de novo. — Ele está bem? — Ela se ressentiu de ter de perguntar uma coisa assim para um estranho completo.

— Está ótimo. Como eu dizia, o assunto está sendo investigado aqui no nosso lado.

— Espero que esteja *mesmo* sendo investigado — foi tudo o que ela pôde dizer, petulantemente — ou eu vou...

— Eu asseguro à senhora — disse o diretor com confiança, já tendo previsto isso e treinado o discurso —, estamos tratando do assunto com toda a seriedade possível.

Quando ela chegou ao hospital, Frankie estava recebendo o primeiro de seis pontos.

— Não é nada, não tem importância — resmungou ele. — Não tem importância... — ele ficou repetindo no banco traseiro do Volvo, sentado acabrunhado ao lado do *A-Z da Inglaterra*, olhando pela janela.

—Você sabe que, se estão te perturbando, você sempre deve dizer para alguém...

— Não tem importância, mãe.

Mas claro que tinha. Ele se trancou no banheiro por uma hora naquela noite, não desceu para jantar e mais tarde, na mesma semana, fingiu que estava doente para não ir à escola. Jacqueline ficou cada vez mais envergonhada de si mesma à medida que os dias passavam. Ela não tinha desejado, naquele dia nevado, que a escola funcionasse para que ela tivesse umas horinhas a mais de sossego — muito embora aos treze anos Frankie já fosse perfeitamente capaz de se manter ocupado? E ela não vem ultimamente pedindo que seu marido faça mais do que a metade dos seus deveres de pai, alegando pressão no trabalho? Que tipo de mãe está tão decidida a escrever 2.500 palavras sobre vinho chileno que seu filho acaba chegando em casa com o rosto cortado? Que tipo de mãe tem um prêmio da União dos Escritores na chaminé, com um trecho de jornal elogiando sua *lucidez de prosa e pensamento*, mas não consegue decidir o que dizer para seu filho deprimido quando ele se senta à mesa da cozinha e fica brincando com uma garfada de ervilhas? E está escapulindo agora para resenhar um restaurante no Soho — chamado Chico's, pelo amor de Deus, ela já odeia o restaurante de antemão — enquanto seu filho fica entrincheirado no quarto? Que tipo de mãe não sabe o que está acontecendo na cabeça do filho?

A crítica arrasadora do restaurante já foi, em alguns sentidos, escrita, por mais duro que o *chef* esteja trabalhando agora na sua *coquelet* com verduras *au jus*. Foi escrita quando Xavier não conseguiu salvar Frankie de ser espancado na neve.

Os dentes de Gemma são muito brancos, como azulejos de banheiro expostos numa loja. "Ela é bonita", pensa Xavier, do mesmo modo como a apresentadora de um programa de Natal na TV é bonita: aparência saudável, sorriso simétrico, fria. Está trabalhando aqui e ali em Londres este ano. Ela diz bastante "mas então".

— Mas então, é divertido isso, criticar filme?
— É, eu só faço duas vezes por semana — diz Xavier —, com a, hmm, as outras coisas.
— O que foi mesmo que você disse que fazia?
— Trabalho numa estação de rádio.
— Que ótimo! Há quanto tempo?
— Eu meio que caí nesse ambiente quando vim pra cá.
— O que você fazia na Austrália?

Xavier olha para os sapatos.

— Eu meio que, bom, várias coisas. E você? Quando você voltar para a Austrália, quer dizer? O que você quer fazer?

— Ah, você sabe né, eu vou provavelmente procurar alguma coisa em, tipo assim, um bar e ver o que aparece. Quer dizer, meu sonho é fazer alguma coisa com *design* de moda, mas você sabe, acho que isso nunca vai acontecer!

Ela ri, como se a provável futilidade do seu sonho não fosse motivo para se preocupar. Xavier sente um aperto interno de desconforto. Eles não combinam. Por um segundo ele quer dar uma desculpa e desaparecer dali.

— Mas então, este lugar é ótimo — diz Gemma, olhando em todas as direções do barzinho do cinema, seus pôsteres emoldurados de filmes estrangeiros, com uma precaução impressionada como a de um turista examinando tapetes caros demais numa feira. A mente de Xavier volta inevitavelmente para o Cine Zodiac em Melbourne, com sua pompa colonial, suas cortinas de veludo vermelho cobrindo a tela, dois enormes balcões semicirculares sobre a plateia, e seu fanático projecionista, que às vezes saía e dava uma palestra improvisada sobre o filme antes de ele começar.

Esta noite Xavier e Gemma estão entre as pouquíssimas pessoas que vieram ao cinema. Quando as luzes se apagam, Gemma põe a mão na de Xavier. Ele sente uma palpitação instantânea, como a de uma bandeira recebendo a brisa, e quase se ressente da facilidade com que isso acontece.

— Não tem *trailer*! — ela sussurra surpreendida, quando o certificado do Instituto Britânico de Classificação aparece triunfalmente na tela, a introdução tradicional que, em um par de décadas, vai parecer tão nostálgica e antiquada quanto os subtítulos de um filme mudo parecem hoje.

O filme se chama *O homem não existente*, e é sobre um homem que de repente percebe que sua família e seus amigos estão agindo como se estivesse morto. Xavier imagina que seja uma metáfora política, algo a ver com o modo com que um ser humano se define em uma sociedade que desencoraja a individualidade.

Lá pela metade, quando está começando a gostar da premissa, Gemma passa a comentar sobre o filme numa série de sussurros indiscretos.

— Essa parte é deprimente! Achei que era comédia! — E daí, logo depois: — Qual foi o sentido *dessa* cena?

Mais uma vez Xavier sente na pele o peso desconfortável da incompatibilidade. Ela não tem culpa de ele não suportar nenhum tipo de conversa no cinema. Não tem como saber que ele, uma vez, no Cine Zodiac, depois que vários *ssshhhh* não surtiram efeito, levantou-se e reclamou de um casal que ficava fazendo comentários irônicos para impressionar um ao outro.

— Por que é que vocês não vão tomar uma cerveja? — berrou — Isto aqui é um cinema, porra!

Houve uma leva de aplausos e risadas dos outros frequentadores.

O casal realmente saiu antes do fim do filme, e os três amigos formaram uma linha de defesa em volta de Xavier na saída, para o caso de os desordeiros estarem esperando em algum lugar com mais pessoas. Mas a única pessoa que eles encontraram foi o projecionista, que apertou a mão de Xavier e ofereceu entrada de graça durante o resto do ano.

Isso foi há oito anos, hoje em dia Xavier não enfrenta mais ninguém, nem mesmo a garota com quem marcou encontro, por pior que este encontro esteja sendo. Gemma levanta-se e sai assim que a última imagem dá lugar aos créditos, devolvendo à bolsa o celular no qual ficou mexendo durante os vinte minutos finais.

— Mas e aí, o que você vai dizer na crítica? — ela pergunta enquanto saem para o ar cortante e começam a caminhar com dificuldade pela rua Wardour, onde bêbados fazem fila em caixas automáticos, ou cambaleiam para fora de lojas de *kebab* com nacos de carne do tamanho de caixas de panetone que deixam marcas de gordura nos papéis brancos de embrulho, ou se jogam nos capôs dos táxis como pessoas no mar se jogam em boias salva-vidas.

— Bom — diz Xavier —, achei a ideia interessante, mas talvez um tanto clichê...

— Um tanto o quê?

— Um tanto, hmm...

— Foi muito deprimente — diz Gemma.

Onde a rua Wardour cruza com a Oxford, dois homens carregam uma garota que está vomitando nos seus sapatos.

—Vamos pro seu apartamento? — pergunta Gemma.

Não muito longe, Jacqueline Carstairs está chegando ao fim de uma noite insatisfatória no Chico's. Claro, nem poderia ter sido satisfatória, já que

ONZE

o ataque de bolas de neve sofrido pelo filho foi um componente mais importante que a comida, o serviço, a decoração ou qualquer outra parte da experiência. Mas o restaurante também não fez muito para ajudar. Na chegada, Jacqueline, teve de esperar dez minutos na parte estreita da sala, onde foi constantemente esbarrada pelos garçons que carregavam jarras de sangria, porque o gerente não encontrava a reserva dela. Quando finalmente sentou-se, ficou ao lado de uma mesa de executivos fanfarrões que comemoravam o aniversário de alguém e ela se sentiu muito consciente da própria solidão naquela mesa. Mentalmente xingou Roz por desmarcar com ela. E daí a espera pelos pimentões recheados de queijo de cabra, seguidos do *coquelet*, foi longa e irritante, e a comida em si não justificava isso: era até boa, porém mais bem executada do que excitante.

Mesmo assim, enquanto ela bebe o café preto e começa a compor a crítica em sua mente — *o sucesso do Chico's só deixa mais clara a falta de restaurantes espanhóis de primeira classe na cidade* —, tem consciência de que não vai ser realmente uma crítica da comida do restaurante, mas de sua própria mente. Ela corre os olhos pelo restaurante, que caiu ao nível de um pardieiro, e sente um nojo súbito dos executivos corpulentos digerindo *paella*, o tilintar dos talheres, as mulheres pouco vestidas dando gritinhos enquanto bebem seus licores pós-refeição, a passada anônima do cartão na máquina, removendo dinheiro invisível, a comida e a bebida girando em torno de corpos excessivamente alimentados, os garçons indicando a direção do banheiro para homens flatulentos com uma inclinação mínima da cabeça. Ela pensa muitas vezes no rosto ferido de Frankie e depois, com um desagrado quase violento, das frases idiotamente bombásticas de algumas de suas críticas.

> *Um restaurante como este, inevitavelmente, mata e morre pelos seus pratos principais, de frutos do mar.*
> *Esse restaurante é um dos órgãos vitais de Notting Hill.*
> *A pretensão pseudoclássica dá o golpe de misericórdia a este pouco impressionante estabelecimento.*

Quem diabos se interessa por comida? Por que permitem que ela escreva essas bobagens, como se fosse um assunto de grande importância se a brema-do-mar foi cozinhada pelo tempo exatamente certo, ou como se a qualidade das pinturas na parede de um café em Shoreditch fosse uma questão moral, e não uma frivolidade? Jacqueline faz em vão um gesto para pedir a conta. Uma gerente qualquer vestida de prostituta de luxo passa por ela, quase batendo em Jacqueline com seu braço estabanado, dando gargalhadas enquanto faz uma pantomima só compreensível para as pessoas na sua mesa, e se joga contra a porta do banheiro das mulheres.

Quando a conta chegar em sua pretensiosa bandejinha de prata, Jacqueline já compôs na cabeça o primeiro e devastador parágrafo da crítica que aparecerá no *Evening Standard* da próxima semana, uma crítica injusta do restaurante Chico's, que por azar atravessou o seu caminho na hora errada. Mas, justa ou injusta, ela vai aparecer no jornal, em preto e branco.

Vendo seu apartamento pelos olhos de sua hóspede, Xavier percebe todo tipo de pequena sordidez. Na época em que tinha acabado de se mudar, era muito disciplinado com as tarefas domésticas, como parte da nova etapa de energia e positividade que queria começar ao vir para a Inglaterra. Mas sua firmeza se dissipou. Algumas canecas não passaram nem perto da pia há muitos meses. Há teias de aranha nos cantos da cozinha, a lata de lixo precisa ser esvaziada e exala um vago cheiro de podridão. Sem contar os armários habitados por comestíveis semiaposentados. Xavier sabe que há uma toalha embolada no chão do banheiro e a privada está razoavelmente limpa, no máximo. Mesmo a sala, onde eles sentam com uma garrafa de vinho, está empoeirada e cheia de cartas abertas, mas não lidas. O sofá faz anos que precisa ser trocado.

Eles progridem no vinho, da maneira metódica das pessoas que sabem que sexo é uma possibilidade iminente. Gemma vasculha seu estoque limitado de assuntos e os dois se esforçam bravamente para manter fluindo o seu lado da conversa, mas ambos se sentem gratos pela distração provida pelo grito furioso vindo lá de baixo, quando Jamie, que dormiu em cima do braço, acorda e tem a impressão de que ele não está mais ali. Poucos segundos depois pode-se ouvir Mel se deslocando na casa.

Xavier faz uma careta.

—Você não gosta de criança? — Gemma tenta adivinhar.

— Desculpa?

— Perguntei se você não gosta de criança.

A pergunta pega Xavier pela garganta e o deixa preso por alguns segundos. Ele vê, como se estivesse ali na sala com eles, o filho de Bec e Russell, Michael, com três semanas de vida, num macacãozinho minúsculo, parecendo o filhote de um animal da floresta.

— Hmm...

— É só porque parecia que você estava pensando: "Ai meu Deus, moleque dos infernos".

— Ah. — Xavier se recupera e a quase visão desaparece. — Não, não, eu só... eu só tenho um pouco de pena da mulher que vive aqui embaixo. Ela é mãe solteira e o menino é bem agitado. Mas eu gosto de criança.

— Deve ser um inferno ser mãe solteira.

Xavier concorda.

— Eu não estou nem um pouco pronta pra fazer algo assim — diz Gemma.

"Isso é provavelmente uma boa notícia", pensa Xavier.

Quando eles chegam ao quarto, Gemma tira a roupa de Xavier com a facilidade de quem tem prática e, depois, faz que ele tire a roupa dela. Xavier sente o mesmo de quando ela tocou nele pela primeira vez no cinema: um tipo de excitação relutante. Ela é uma amante enérgica, morde seu ombro e arranha suas costas, e ele, envolvido naquilo tudo, começa a relaxar. Por um curto espaço de tempo ele se esquece de si mesmo e de tudo, e é só uma pessoa fazendo sexo com outra pessoa, como centenas de pessoas espalhadas pela cidade a esta hora — como Roz, a amiga de Jacqueline Carstairs, que cancelou o jantar para ir para a cama com o homem que ela conheceu semana passada na aula de salsa, ou como a filha do lojista indiano e o namorado dela, que estão prestes a noivar. Para essas pessoas parece, durante alguns minutos, que não há nada mais no mundo que valha a pena fazer. Quando acaba, Xavier e Gemma ficam ali deitados no silêncio, ouvindo barulhos variados: o chacoalhar de um caminhão na rua principal lá fora, uma conversa acalorada competindo com a tevê no andar de cima.

Xavier vai ao banheiro e quando volta, para sua surpresa, Gemma está sentada, parcialmente vestida, na beira da cama.

Ela coloca o *top* por sobre a cabeça e olha, friamente mas sem aspereza, para Xavier.

— Acho que é melhor eu ir.

— Hein? Por quê?

Ela encolhe os ombros.

— Ah, você sabe...

— Eu fiz alguma coisa errada? Desculpa, eu às vezes sou um pouco...

Gemma abre os braços num gesto desanimado, desconsolado.

— Não, não, foi ótimo, mas você sabe. — Ela sacode a cabeça com vigor, e ele não tem certeza se é para expressar alguma coisa ou arranjar o cabelo. — A gente não tem muito em comum.

— Bom, talvez não, mas...

— Eu tive uma noite ótima, mas, você sabe, nós dois só queríamos fazer sexo. Não somos almas gêmeas nem nada disso. Então, eu não acredito muito nessa coisa de passar a noite junto e passar por aqueles momentos embaraçosos no café da manhã. Então... enfim, é melhor terminar por aqui.

Ele começa a tentar argumentar, por polidez, e daí percebe que está aliviado. Veste-se e desce as escadas com Gemma até a porta, como se tivesse acabado de mostrar o apartamento para uma compradora em potencial. Pergunta se quer que chame um táxi, mas quase na mesma hora ela vê um parado no farol, a cinquenta metros, e estende o braço com a confiança de alguém que os taxistas raramente ignoram.

— Foi realmente uma boa noite — diz Xavier, e agora que está acabando de modo tão abrupto ele realmente começa a pensar no encontro com alguma afeição.

Ele beija Gemma no rosto. Ela desliza agilmente para o banco de trás do carro.

Embora meia hora atrás ela segurasse o pênis dele na mão, esta é a última vez que eles irão se ver. Ela voltará para a Austrália em oito meses, irá para a cama com mais dez pessoas, e daí encontrará um ortodontista chamado Brendon e se casará com ele. Terá dois filhos e, depois que eles crescerem, irá trabalhar meio período numa clínica de bronzeamento artificial. Ela e o ortodontista passarão a aposentadoria na Tasmânia e morrerão com poucas semanas de diferença. Xavier observa o carro ir embora, uma mancha no escuro, e volta para seu apartamento.

Só depois de ficar acordado nos lençóis desarrumados por um par de horas é que Xavier sente de verdade o vazio característico, familiar a todos que têm encontros de uma só noite com alguma frequência — o choque da transição de estranhos para amantes e de novo para estranhos. Desde que se mudou para a Inglaterra, a maioria das relações sexuais de Xavier foram assim, embora seja incomum que o final do envolvimento seja declarado tão abruptamente no final. Havia a garota do bar do Instituto Britânico de Filmes que tratava os genitais dele como se fossem louça suja que precisa ir para a pia, com firmeza, mas sem sentimento, e até sussurrando um "Desculpa, querido" quando fazia um gesto desajeitado. Havia a agente de viagens que Murray apresentou numa festa: nenhum dos dois conseguiu relaxar de verdade durante o sexo, e depois admitiram que ambos estavam pensando no Murray, e daí se sentiram culpados.

Havia saído com outras também, mas tudo tinha sido parecido com o que Gemma disse: nem sombra de conexão de almas ou algo assim dramático; nem mesmo uma conexão física que durasse mais que alguns momentos. A impressão final e dominante era a de não terem causado nenhum impacto mais forte, um no outro, do que se tivessem compartilhado um vagão de trem. Ele sabe que ele mesmo é o culpado dessa incompletude: mantém-se reservado e recusa-se a estar completamente presente. Essa é a mesma linha de ação que ele vem adotando nos outros aspectos da vida. Sabe que o que causa isso é uma reverência pelos tempos passados em Melbourne, uma recusa subconsciente em admitir que tudo aquilo realmente acabou, e sabe também que cinco anos é muito tempo para se manter tão obstinadamente desengajado da própria vida. Se estivesse aconselhando um ouvinte no programa de rádio, sem dúvida falaria sobre "seguir em frente", "viver o agora", "preferir o presente ao passado", e um bom número de pessoas em toda a cidade ouviria sua voz saindo do rádio e assentiriam com a cabeça.

Porém, é bem mais fácil saber essas coisas do que agir de acordo, e quando dorme, Xavier se vê preso na memória mais revisitada de seu passado.

Era um churrasco na casa dos pais de Bec. Russell, grande e de ombros largos, numa camiseta folgada demais, estava perto da churrasqueira. Bec, alta, delicada, numa saia floral *vintage* de cor cinza, ia de lá para cá entre as crianças, erguendo uma torre de tijolos com uma, carregando outra até o alto do muro para que pudesse olhar o quintal do vizinho.

Russell a observava com os olhos tristes.

— Ela é tão boa com crianças. Sempre foi. Mesmo quando ela era criança.

Era verdade: com treze anos Bec liderava Matilda em brincadeiras nas quais as duas tinham uma creche, ou eram chefes de bandeirantes. Com sua autoridade natural, ela se intrometia em brigas de meninos ligeiramente menores, dominava os surpresos agressores e consolava os mais fracos. Só pensava em formar uma família desde que eram adolescentes. Isso parecia muito esquisito para o grupo na faixa de idade deles, cheio de aspirantes a astros de rock, viajantes internacionais e nômades dedicados. Mas a maioria dos gostos de Bec eram esquisitos: na escola, todos a olhavam estranho porque ela comia salame e uvas passas no lugar de chocolate, usava saias compridas mesmo no auge do verão e fazia ioga. Mais que qualquer outra pessoa que Chris tivesse encontrado, Bec parecia já saber exatamente o que ela queria e não se importar com o que o resto do mundo achava dos seus desejos.

Russell deu um gole na cerveja.

— Ela ia ficar arrasada se a gente não pudesse ter uma, cara.

Chris deu um tapinha nas costas dele.

— Claro que vocês vão ter.

— Já se passaram três anos, porra.

— Demora muito mais que isso, às vezes.

— Mas é só o que eu... você sabe. Típica coisa que eu faço. — A língua de Russell passou nervosamente nos seus grossos lábios.

— Besteira. É tudo acaso, não tem nada a ver com você.

Chris tentou não pensar na viagem de acampamento do último verão, quando ele e Matilda ficaram rindo dos barulhos ridículos que vinham da outra tenda.

— Estou achando que não vai ser esta noite — ele havia sussurrado. —Vamos fazer um bebê e dar pra eles?

ONZE

Ela riu: eles ainda não eram oficialmente um casal. Tinham feito tantas piadas sobre o fracasso de Russell em engravidar Bec, e só agora estava ficando óbvio que não se tratava de uma piada para eles.

— Eu só fico pensando se por acaso não estou fazendo errado.

— Como você poderia fazer errado? Colocando uma camisinha sem querer?

Russell olhou para o chão.

— Dizem que é mais... que é mais fácil se ela tiver um orgasmo. Acho que ela normalmente não tem.

Chris desarrumou o cabelo de Russell.

— Falam muita coisa. É tudo bobagem. Quando tiver que acontecer, acontece, cara. Não acho que vai demorar.

Caminhou até o outro lado do quintal, onde Matilda segurava um copo de bebida e olhava para o céu. Ela agarrou o cotovelo dele e apontou.

— Ei. Olha.

No céu sem nuvens e de um azul quase exagerado um avião, zumbindo enquanto fazia um pequeno arco, havia começado a deixar uma pluma branca de rastro. A letra "c" ficou suspensa no claro ar acima de Melbourne.

— Vai formar o seu nome! — disse Matilda, sacudindo o braço de Chris de brincadeira.

Ele riu.

— Ah, porque começa com "c" tem que ser *Chris*? Por que diabos alguém escreveria *Chris* no céu?

— E por que alguém escreveria qualquer coisa no céu?

— Bom, é uma propaganda ou algo assim.

— Você é tão pouco romântico. Quanto você aposta que não vai ser *Chris*?

— A menos que você tenha encomendado isso, aposto o que você quiser.

— Combinado. — Matilda pegou a mão de Chris e apertou. — Se formar *Chris* você vai ter que fazer o que eu mandar. Se não formar, eu faço o que você mandar.

O piloto deslizou horizontalmente no ar, juntando duas linhas verticais como os postes de um gol de *rugby*, e Matilda gritou de alegria.

— CH!

—Você jura que não encomendou isso?

Matilda sorriu.

— Onde eu ia arranjar dinheiro pra pagar esses caras? Onde é que se encontra firma que faz isso?

Atrás deles, Russell e Bec estavam de mãos dadas, ouviam-se risadas por causa de uma cerveja que tombou e gritos vindo de dentro da casa, por conta do jogo de *rugby* que estava acontecendo. O final da tarde estava fresco e bem humorado e todos os outros ignoravam o minúsculo drama aéreo.

A letra seguinte foi R. Depois I.

— Isso é a melhor coisa que já aconteceu na história do universo — disse Matilda, erguendo o copo para o celebrado escritor celeste centenas de metros acima deles.

— Ainda pode ser propaganda.

— Seu cretino. — Ela deu uns soquinhos de leve no braço dele.

Quando o avião começou a espiral que estava, à primeira vista, obviamente destinada a se tornar um "S", os dois começaram a rir, euforicamente, do jeito que poderiam ter rido dez ou doze anos antes, quando rir do mundo ainda parecia uma ideia em que ninguém havia pensado antes deles.

— O que é que você vai me mandar fazer? — perguntou Chris.

Ela pôs um dedo nos lábios dele. Ele ficou rígido.

Quando o piloto completou sua curva na última e leve inclinação do S, Matilda segurou o rosto de Chris nas duas mãos e disse baixinho:

— Me beija.

— O quê?

— Eu disse "me beija". Não como amigo. Me beija direito.

Chris olhou para ela, seus olhos, enormes e vulneráveis como se tivesse sido pega em flagrante fazendo algo errado, seu cabelo em tranças desiguais. Olhou para a camisa de velho que ela estava usando e seus *jeans* folgados, e as bonitas constelações de pintas que pareciam ter respingado de um pincel em seus braços, seu pescoço e nariz. Percebeu que estava tremendo. Eles se conheciam havia quinze anos. Ela deixou as mãos caírem ao lado do corpo e o encarou de volta.

Bem acima deles o piloto fez outra curva, e ali no chão estavam os dois involuntariamente para vê-lo completar a nova letra: "T".

— Cristo! — disseram ambos.

Olharam, de mãos dadas, durante três longos minutos, enquanto o longínquo calígrafo terminava sua mensagem: CHRIST LIVES [Cristo vive]. Depois da tensão do primeiro "S", o segundo foi um anticlímax. Chris imaginou o piloto aterrissando o avião, tirando com dificuldade suas pernas do assento apertado e olhando para trás, para os já diluídos rastros do seu trabalho.

— Bom — disse Matilda erguendo as sobrancelhas —, então parece que eu vou ter que fazer o que você mandar.

Ele a agarrou e a beijou — os dois se beijaram ali no alpendre, e de repente todos estavam olhando. Começaram aplausos e assobios, e todos os amigos deles dizendo que isso devia ter acontecido muitos anos antes.

Quando Xavier acorda, demora alguns momentos, como sempre, para perceber que Matilda não está ali, que ela está em Sidney com o noivo, e mais alguns momentos para se lembrar do que aconteceu na noite anterior.

Ele se levanta, pensando em qualquer coisa para dispersar o sonho: o ar bastante deprimido de Murray na última semana, a cozinha, que precisa mesmo de uma boa limpeza, a força com que Gemma fincou as unhas nas suas costas ontem à noite, a discussão entre Tamara e o namorado lá em cima — ou ele sonhou isso também? São onze e meia. Ele vai ao banheiro. A toalha amarfanhada ainda está lá no canto, como um mendigo numa porta.

Liga o chuveiro, que vai do quente ao frio a seu bel-prazer, o que sempre acontece no início, como um artista inseguro no palco precisando encontrar seu ritmo. Quando está prestes a entrar na banheira, a campainha toca. Ele recolhe o pé com um pequeno suspiro e fica ouvindo. Há uma campainha externa para cada apartamento. A de Xavier e a de Tamara só dizem *primeiro andar* e *segundo andar*, respectivamente: a de Mel, que antes dizia SR. E SRA.CARPENTER, agora diz desafiadoramente

JAMIE E MEL. Mel, claro, normalmente acaba atendendo a porta para todo mundo, já que está no térreo, e Xavier consegue ouvir Jamie correndo excitado quando ela sai para o saguão de entrada lá embaixo. "Deve ser uma entrega de pacote ou algo do tipo", pensa, "a Mel vai assinar, e eu posso ficar por aqui. Ou algum religioso, e nesse caso a Mel vai dizer que não estou". Mas, para sua surpresa, depois de uma conversa — ele ouve uma voz feminina de sotaque pronunciado falando com a Mel —, ouvem-se passos na escada. Ele põe a cueca de novo (o chuveiro, ofendido, continua a correr quando ele sai do banheiro) e veste um conjunto destrambelhado de roupas, como uma amostra temporária numa loja, quando atende a porta.

Uma mulher está parada na entrada de seu apartamento carregando um enorme saco de roupas sujas pintado de xadrez amarelo e azul. Seus cabelos vão até os ombros e são tão loiros que quase parecem brancos. Seus seios são grandes e pendulares, e se fazem notar mesmo com o casaco de chuva disforme que ela usa. Tem uma coleção de pintas pálidas que o fazem lembrar Matilda e o sonho recém-terminado.

— Eu vim fazer a limpeza — ela diz.

— Ah! — exclama Xavier. — Sim, sim, quer dizer...

— Você esqueceu que eu vinha? Meu nome é Pippa, provavelmente esqueceu também, com aquela confusão toda naquela noite, foi uma bagunça, não foi? E aquele DJ horrível no final, que cilada!

Quando entra, Pippa continua falando, e Xavier dá um passo para trás como um lutador de boxe se defendendo.

— Foi meio perda de tempo, não foi? Muito rápido pra conhecer alguém, mas também o que é que dava pra esperar, é o tipo de encontro social que as pessoas querem, né.

Ela tem mais ou menos a mesma idade dele, o que Xavier acha um pouco embaraçoso: por algum motivo parece muito luxuoso ter uma empregada que poderia ter estudado na mesma sala de aula que ele. Ela tem um sotaque de Newcastle que arranca as consoantes do final das palavras, e às vezes as sequestra também do meio. Mesmo depois de alguns anos na Inglaterra, Xavier nunca deixou de se impressionar com a quantidade de sotaques que ouve no programa. Pippa está parada junto à porta da cozinha,

ONZE

lançando o que ele imagina que seja um olhar de avaliação profissional ao apartamento malcuidado.

— É, pra ser honesto, eu, hmm, esqueci que você vinha, então o apartamento está, uh, bagunçado mesmo.

— Bom, é pra isso que você contratou uma faxineira! — diz Pippa com vivacidade. —Você não vai pro hospital se está bem, vai?

Ele sente que essa é uma frase que ela já usou antes, todo mundo, provavelmente, pede desculpas pelo estado da casa.

— Por onde você quer que eu comece? — ela pergunta.

Xavier se lembra do chuveiro ligado.

— Bom, eu estava no banheiro, pra falar a verdade, então talvez não seja bom começar por lá...

Pippa dá uma gargalhada, como se essa fosse uma piada muito mais suja do que realmente é. Ela já está tirando do saco um arsenal de *sprays*, latas, detergentes e ceras de polimento.

— Garanto que não vai ser nada que eu já não tenha vistoantes! Fazendo limpeza em hotel, você vê de tudo!

— Imagino.

— Umas semanas atrás — ela continua, a anedota prendendo Xavier quando ele tenta sair da sala —, eu tive que limpar um quarto em que uma banda de *rock* tinha ficado. Depois do *show* eles fizeram uma festa que durou a noite toda, com bebida, droga, tinha umas quarenta pessoas lá, a maioria garotas, claro, essa gente ridícula que corre atrás de astros de *rock* como se tivesse alguma coisa gloriosa em ficar rebolando com cabelo comprido e tocando guitarra... ("Essa mulher nunca para pra respirar quando fala?", Xavier se pergunta.) Eu chego no dia seguinte — às duas, viu, eles saem do quarto duas horas atrasados pra atrapalhar mesmo, e você nem imagina. Tinha poças de vômito. Embalagem de camisinha. Garrafa pra todo lado, mas pra todo lado *mesmo*. Eles estragaram a mesa. Tinha cocô no chão do banheiro — sabe, se você chegou tão perto da privada, por que não senta nela logo de uma vez e usa? E rabiscaram os folhetos de informação do hotel.

Ela fala como se essa fosse a pior ofensa de todas.

— Desenharam um pênis no folheto. E *daí*, óbvio, eu desço lá pra reclamar... (Essa palavra, ao invés de ser encurtada pelo sotaque, é prolongada por um tempo considerável, *re*-CLAA-*má*.) E você sabe o que falaram pra mim? Você que é a faxineira! Sua obrigação é limpar o quarto!

— Mas você não limpou, né?

— Limpei. — Ela revira os olhos por um segundo. — Não posso perder o contrato. Mas vou dizer pra você, fiquei o tempo todo imaginando que estava dando uns socos na cara do gerente, pode acreditar.

Ela encara Xavier.

"Eu acredito", ele pensa.

— Mas enfim, vou fechar a matraca, é só me ignorar, eu com cliente novo sou terrível. Vou limpar isso aqui tudo.

Xavier tem uma ideia.

— Você podia... Você pode começar pelo escritório? — Ele aponta para a salinha à esquerda da porta principal. — É que eu vou trabalhar lá de manhã... de tarde, quer dizer.

— Pode deixar comigo, querido — diz Pippa.

Ela junta o material de limpeza com um único movimento, acomodando uma quantidade aparentemente impossível de carregar em cada mão. Xavier faz uma espécie de gesto de gratidão, encolhendo o corpo, e se recolhe afinal ao banheiro, onde um bocado de água — finalmente — quente, como ele percebe com culpa, já se escoou.

Em pé no chuveiro, Xavier se sente aliviado por ter pedido que ela começasse pelo escritório: ele vai poder se trancar lá e escrever a crítica do filme romeno, sem se tornar a audiência de um possível fluxo de consciência de duas horas. Ou vai demorar mais do que isso? Não consegue se lembrar se combinaram uma duração específica para a visita de Pippa. Ele supõe que ela continue até terminar tudo, mas se é assim, quanto tempo *isso* leva? Passa pela sua cabeça, embora seja pouco provável, claro, que a mulher seja maluca: ele só acha que ela é uma faxineira porque ela disse. E se ela sair por aí fazendo isso sempre que alguém for imprudente a ponto de deixá-la entrar? Há muitas pessoas desequilibradas por aí. "Não seja idiota", Xavier diz a si mesmo, ela também pode pensar que você é maluco, olha o estado da sua cozinha.

Quando Xavier volta ao escritório, percebe que ele foi limpo rápida e minunciosamente, livros espalhados foram devolvidos às prateleiras ou organizados em pilhas nos cantos, o *laptop* está pronto para o trabalho na mesa, em vez mofando no chão — e, ele percebe depois de alguns momentos de desorientação, as superfícies estão limpas de pó pela primeira vez desde que ele se mudou para lá. Pippa abriu as cortinas, descobrindo um início de tarde nublado e agradável. Jamie está no jardim brincando com um carro de bombeiros de brinquedo, fazendo bem alto o barulho de uma sirene.

— Está ótimo! — ele quase grita para a cozinha, onde Pippa começou uma batalha mais séria; mas ele muda de ideia — parecia condescendência, e, além disso, o gesto poderia incentivar outra das suas respostas prolixas. Ele liga o computador e tenta começar a escrever a crítica de *O homem inexistente*.

Nas próximas duas horas Xavier progride pouco: sua lembrança do filme está contaminada pela agitação perturbadora de sua companhia e é estranho trabalhar com mais alguém em casa. Pippa pode ser ouvida batendo em objetos com escovas e pedaços de pano, e vaporizando purificadores de ar como um policial espalhando gás lacrimogêneo. Quando ela vai para o quarto ele sente outra série de preocupações, ao imaginá-la atacando seus travesseiros amassados, dobrando, arrumando e arranjando, ou passando por cima das suas cuecas caídas no chão ou (mais provável) jogando tudo no cesto de roupa suja. Uma ou duas vezes ele vai inspecionar um cômodo em silêncio enquanto Pippa está em outro, e o resultado é impressionante. A cozinha ostenta um brilho quase doloroso, como se fosse um paciente ainda fraco da operação recente: as superfícies se parecem, pelo menos de longe, com as bancadas de trabalho vazias à mostra em lojas de móveis. O banheiro também parece um menino desalinhado que foi ajeitado para sair numa fotografia da escola, ressabiado e fazendo caretas nas suas roupas novas. A atmosfera geral do apartamento é saudável e brilhante, mas há uma sensação de exaustão, como se os objetos inanimados estivessem em choque por causa do tratamento que receberam.

Pippa parece tão agitada quanto sempre quando ele oferece uma xícara de chá ao final das suas duas horas e meia de trabalho. Ela usa uma camiseta preta e comprida que comemora algum evento atlético para jovens.

— Está tudo ótimo — diz Xavier, desajeitado, enquanto Pippa, agachada nas ancas fortes, esfrega alguma sujeirinha no rodapé.

— Só fiz o essencial — ela diz. — Semana que vem farei melhor.

"Então vai haver uma semana que vem?", pensa Xavier, o qual — se é que pensou nisso — achou que tinha combinado para ela vir uma só vez.

— Você tem um aspirador, querido?

— Sim, bom, não. A moradora de baixo tem. Geralmente eu pego o dela emprestado.

A sentença exagera a sua familiaridade com o aspirador de Mel: faz provavelmente um ano desde a última vez que ele pegou o aspirador emprestado.

— Eu encontrei com ela, quer que eu dê uma descidinha pra pedir?

É nesse momento que Xavier percebe que não tem dinheiro em casa.

— Eu vou pegar — ele diz —, mas também vou ter que ir e, uh, pegar dinheiro pra você, pra poder pagar. Não consigo me lembrar da quantia...

— Bom, eu cobro doze libras por hora. Então, duas horas e meia, digamos trinta? Tudo bem?

— Sim, claro, claro que tudo bem — diz Xavier, pouco à vontade com o assunto, com a lembrança de que está pagando alguém para fazer suas tarefas domésticas. — Volto em dez minutos.

A loja da esquina tem um caixa automático, que cobra £1,75 por cada saque, o tipo de impertinência moderna da qual os ouvintes reclamam no programa.

— Então tá perfeito — diz Pippa, levantando. É alta, só poucos centímetros mais baixa que Xavier. Ela seca as mãos na camiseta. — É que tem gente, sabe, que quando chega na hora de pagar fica meio esquisita e começa a falar umas coisas do tipo "Ah, eu não falei que ia pagar isso!". Ou fica olhando como se você fosse uma ladra ou algo assim, folgada, só porque está pedindo dinheiro. Tem uma mulher para quem eu faço limpeza em Hammersmith, tá, e pra início de conversa eu levo uma hora e quinze minutos pra chegar lá, e essa mulher é uma instrutora de pilates, tá bom, e isso quer dizer...

Xavier ouve Mel chamar Jamie para interromper sua carreira de bombeiro, e percebe uma via de escape.

— Ei, olha — ele diz —, essa aí é a Mel entrando, então eu vou... eu vou só dar uma descida pra pedir o aspirador.

ONZE

— Legal. — Pippa ainda está mexendo nas coisas, espanando a borda da fruteira, que contém uma única laranja. — Não se incomoda comigo não, moço. Eu falo que ninguém aguenta.

Mais uma vez Xavier tem de lembrar a si mesmo que ela tem a sua idade, talvez até um pouco menos. Essa mulher excêntrica, forte, tagarela, que fala um pouquinho como uma velha. Ele faz outro gesto vago de desculpas e escapa pela porta.

Enquanto ouve o zunir das entranhas do caixa automático se preparando para cuspir o dinheiro, Xavier se sente bastante cansado. Mas o apartamento, ele se recorda, está magnífico. Seu ânimo melhora quando pensa em voltar e ter um dia inteiro para si mesmo na sua casa rejuvenescida. Talvez fosse uma boa ideia, afinal, se Pippa viesse uma vez por semana — se é que ele tem alguma escolha no assunto. "Mas, da próxima vez", pensa Xavier enquanto vira a esquina e entra na rua Bayham, "talvez seja melhor não estar em casa".

III

COMBINARAM A PRÓXIMA data numa conversa rápida de telefone, na qual Pippa encontra uma brecha para falar sobre o novo presidente norte-americano, a operação da irmã e uma conversa que ela ouviu esta semana: Mulher um — Você jura que ninguém vai ficar sabendo? Mulher dois — Relaxa, não tem ninguém aqui além da faxineira. Mulher um — Mas e se ela for uma faxineira cheia de contatos? Daí, risadinhas.

— E do que elas estavam falando? — pergunta Xavier, interessado contra a sua vontade, como na história dela sobre a banda de *rock*.

— Eu não fiquei ouvindo. Elas que se fodam, desculpa o vocabulário. Não vou dar a satisfação pra elas de serem ouvidas por alguém que elas acham que não entende o que elas estão falando.

Depois de uma pausa, continua:

— Por sinal, descobri que uma delas tem dermatite. Mas, enfim, estou aqui tagarelando, mas vejo você no final de semana, querido.

— Espero ansiosamente — diz Xavier, vagamente.

Ele participará de um torneio de *Scrabble* no sábado e terá de deixar as chaves em algum lugar para que Pippa entre, mas explicar isso pelo telefone pode abrir espaço para mais dez minutos de conversa, o que é uma perspectiva cansativa. Ele decide enviar uma mensagem de texto explicando sua ausência quando o dia estiver mais próximo.

Na manhã de segunda, Xavier acorda cedo com o barulho de Jamie correndo para cima e para baixo na escada, berrando algo sobre ursos.

Ele decide dar uma volta, sentindo-se descansado apesar de só ter dormido quatro horas. Pode ser sua imaginação, mas a cama parece mais confortável depois que ela conheceu Pippa. Quando chega ao saguão encontra Mel segurando o filho, e do lado de fora do apartamento dela, os dois fazem sua tradicional troca de sorrisos embaraçados. Xavier se pergunta o que ela acha de ele ter uma faxineira. Mel se pergunta se ele percebeu o mau estado do aspirador; ela não tem dinheiro para comprar outro. Xavier acha que ela talvez o tenha ouvido fazendo sexo com Gemma na semana passada; Mel se sente culpada, como sempre, por ele ter sido acordado por Jamie.

— Como vão as coisas?

Mel transforma uma careta num sorriso pouco convincente.

— Ele está terrível. O carro quebrou, e ele queria ir no... mas, enfim. E com você?

— Tudo ótimo.

O telefone no apartamento de Mel começa a tocar, oferecendo a ambos um descanso para o esforço de conversar. Vendo a expressão que o som traz ao rosto dela, a expressão de alguém perpetuamente lidando com mais tarefas do que consegue lidar, ele sente um desejo passageiro de entrar no apartamento, atender ao telefone e livrá-la de um pequeno problema simplesmente pegando um recado. Talvez houvesse outras coisas em que ele poderia ajudar enquanto estava por ali. A ideia imediatamente parece presunçosa e tola. Ele não está no programa de rádio; seu mandato para ajudar pessoas não se estende a meter o nariz na vida dos vizinhos. Ele não sabe nada sobre ela. É quase certo que iria parecer muito condescendente e poderia acabar fazendo mais mal do que bem.

Bem quando Mel parece prestes a ir atender o telefone, uma porta é fechada com estrondo dois andares acima, e ouvem-se passos pesados sobre suas cabeças. Mel e Xavier seguem os passos com os olhos. Um homem entra no campo de visão, descendo estrepitosamente a escada tão rápido que Xavier tem medo que ele vá tropeçar. É o namorado de Tamara, um homem baixo, visitante frequente do número 11 da Bayham Road, e alguém com quem ambos trocam algumas palavras de vez em quando. Hoje nenhuma palavra é trocada. Ele força passagem entre Mel e Xavier, quase esbarrando em Jamie, sem dizer nada a nenhum dos três. Bate a porta da frente atrás de si com tanta força que ela volta a abrir, e Mel se apressa a fechá-la antes que Jamie aproveite para correr pra fora.

— Nossa! — diz Xavier.

— Alguma briga, vai ver — arrisca Mel.

E provavelmente foi só isso mesmo, mas havia algo na urgência com que o homem saiu, e a ameaça nos seus olhos quando olhou para eles fez que os dois se separassem, sentindo-se desconfortáveis.

No resto da semana Xavier não vê mais Tamara, embora ele ouça, como sempre, seu chuveiro ligando na hora de sempre, e seu *clop clop clop* na saída do apartamento. Mas quase se esquece do incidente, distraído por outro enigma: o comportamento anormalmente deprimido de Murray.

Nos anos em que trabalharam juntos, a variedade dos estados de espírito de Murray testemunhada por Xavier havia sido bem pequena, indo do eufórico (muito frequente) para o animado (seu estado normal) e só baixando até o que se poderia chamar de "pensativo". No decorrer do longo espaço de tempo que passaram juntos no estúdio ou fora dele, Xavier tem visto Murray lidando com dificuldades — a morte da mãe alguns anos atrás, por exemplo — sem parecer manter nenhuma tristeza por muito tempo. Podia-se dizer que a animação de Murray é seu maior talento: suas risadas fáceis fizeram que Xavier conseguisse suportar algumas longas horas no estúdio, mesmo se os fãs de Xavier o encaram como uma chateação.

Mas Murray tem estado muito silencioso a semana toda, no carro, indo e voltando do estúdio, e mesmo durante o *show*. Na segunda, quando Murray geralmente contrabalança com seu bom humor o desânimo de início de semana dos ouvintes, ele mal consegue dizer uma frase. A terça não é muito melhor, e Xavier começa a pensar que algo está preocupando o amigo. O gaguejo, sempre um sinal de turbulência interna, ocorre várias vezes: enquanto eles conversam, durante a pausa para notícias das duas horas da manhã, Murray leva quase meio minuto para completar a frase "mudei de ideia completamente". Isso, por sua vez, o desencoraja a participar do *show*, e o programa da terça é tão sem graça que Xavier quase sente vergonha de pensar que pessoas estão ouvindo.

Naquela noite, a caminho de casa, Xavier arrisca perguntar, quando eles descem o morro para o número 11 da Bayham Road:

— Tudo bem, Murray?

— Claro. O q–q–que pode estar errado?

Xavier pensa em convidá-lo para uma bebida, mas não vai adiante com o plano, da mesma maneira que não foi adiante com o plano de atender ao telefone de Mel no início da semana.

Só na tarde de quinta-feira Xavier se lembra dessa conversa e pensa na pergunta aparentemente banal, "o que pode estar errado"? Na verdade, há tantas coisas, na vida de qualquer um e a qualquer momento, que pode estar errado... Esse é um dos motivos pelos quais Xavier se sente em casa no programa, onde ele pode experimentar os problemas dos outros por cinco minutos, como se estivesse num encontro relâmpago dos conselheiros profissionais, e depois mandar todos de volta para casa com os seus melhores votos. Fora desse formato de cinco minutos, os problemas são muito menos resolvíveis, acabam tendo cláusulas e senões, mudam de forma como tinta na água. "É melhor não se envolver", pensa, "do que ficar se metendo, cutucando um cachorro adormecido se você não tem ideia de como lidar com ele quando ele acordar". É claro, isso pode ser só mais uma desculpa que Xavier usa para justificar a quantidade de boas ações que ele deixa de fazer ultimamente.

Nessa noite eles recebem mais uma chamada do professor de matemática com seus três casamentos fracassados: a frase é dele, embora Xavier o tente convencer de que as coisas não são assim, e acabe soando — até para si mesmo — assustadoramente parecido com um terapeuta, e não com o locutor persuasivo que prefere ser.

— Imagino que seja prejudicial falar desses três casamentos como fracassos, Clive. — Eles agora se tratam pelos primeiros nomes; Clive virou um participante frequente. — Porque, se você encarar as coisas assim, está a um passo de tratar vinte ou trinta anos da sua vida como um fracasso.

— Bom, talvez tenham sido.

Murray está prestes a dizer algo, mas Xavier, não confiando na capacidade de navegação do colega nessas águas perigosas, fala primeiro.

— Não acho que seja certo dizer isso, Clive. Eu com certeza já me senti assim antes, mas isso não leva a nada.

Na próxima pausa para propaganda, Murray, brincando com o canto de uma folha de papel, diz baixinho:

— Um amigo meu viu você com uma garota, outra noite dessas.
— Uma garota?
— É, num encontro.
— Ah. Sim. Uma australiana. A levei pra ver um filme. Não foi muito bom.
— E vocês... e vo—vo—vocês...
— Se a gente foi pra cama? Bom, a gente fez sexo. Não chegamos a passar a noite juntos. Ela saiu no meio da noite. Como eu disse, não foi muito bom.
— Era alguém que vo—vo—você já conhecia? Da Austrália?
Xavier sorri.
— Não. A Austrália é minúscula, mas por algum motivo a gente nunca tinha se visto.
Mas Murray, estranhamente, parece irritado com a piada.
— Bom, mas como eu vou saber quem você conhece na Austrália? Você nunca fala na—na—nada sobre o que aconteceu antes de vir pra cá. Você sempre mu—mu—muda de assunto.
Xavier pousa uma caneca com os dizeres PODEROSO CHEFÃO e olha para o amigo. Um par de fones de ouvido gigantes está todo torto na cabeça de Murray, o direito mais baixo que o esquerdo.
— Tudo bem, cara? Qual o problema?
Murray esfrega a borda do papel entre os dedos.
— Vo—vo—você disse que ninguém tinha entrado em contato. Lá do encontro relâmpago.
— Bom, ninguém tinha até aquele momento.
— Eu só estou estranhando que você saiu nu—nu—num encontro e não disse na—na—nada.
Xavier fica surpreso por estar na defensiva desse jeito; de novo, isso tudo não é típico de Murray, esse tipo de censura polida, e as pequenas explosões de gagueira sugerem que o próprio Murray sabe disso.
— Desculpa, cara. Eu meio que nem lembrava disso. Como eu falei, acabou rápido. Nem vamos nos ver mais nem nada disso.
— Não precisa pedir de—desculpa. Eu só não ando muito... ei, no ar em vinte segundos.

E antes de Muray poder se explicar — se é que ele ia fazer isso —, eles estão de volta no ar.

No caminho de casa Murray fala sobre a carreira promissora do tenista Andy Murray — seu quase xará — e sobre um novo plano de encher Londres de carros elétricos, e parece, considerando tudo, o velho Murray de sempre.

Depois de deixar as chaves num vaso de flores e o dinheiro no apartamento, e informar Pippa por mensagem de texto, Xavier parte na manhã de sábado para o torneio de *Scrabble*. Esses eventos, uma ocorrência mensal na vida de Xavier desde sua primeira semana em Londres, acontecem numa igreja em Islington, posta para alugar por seus administradores, que precisam de £ 40 mil para consertar um telhado que abriga um número cada vez menor de fiéis. Os torneios de *Scrabble* estão abertos ao público em geral, na teoria, mas são sempre as mesmas vinte e tantas pessoas que aparecem, e o vencedor (que ganha £ 150 em dinheiro) é quase sempre um senhor do Sri Lanka chamado Vijay. Xavier quase sempre fica em segundo.

Pelo menos metade dos jogadores não tem nenhuma chance de ganhar a competição, mas gosta de participar mesmo assim. São pessoas de todos os tipos. Uma é contadora e joga para evitar passar o sábado com o marido, outro é professor, há um cirurgião plástico. Vem também um casal jovem muito atraente cujos interesses incluem andar de caiaque (Xavier sabe disso porque o homem uma vez usou a palavra CAIAQUE contra ele, valendo 16 pontos; foi uma má jogada, mas o amor do homem pela palavra foi mais forte que sua tática). Há também um cantor *pop* que foi famoso e teve um grande sucesso em 1987, e agora ganha a vida fazendo *shows* em clubes especializados em *kitsch*. Ninguém nunca fala no assunto, ou em nenhum assunto profissional: uma das funções do grupo de *Scrabble* é o de proporcionar uma fuga da rotina da semana.

Só uma folha A4 na porta da igreja anuncia a competição de *Scrabble*: não é o tipo de evento que faz força para conseguir mais participantes. Xavier aperta a mão de Vijay, dos caiaqueiros e do homem completamente careca que organiza os torneios. Ele paga o preço de admissão: o careca coloca o dinheiro num *tupperware*. Em pouco tempo, Xavier só está pensando em *Scrabble*.

ONZE

Há duas maneiras principais de jogar *Scrabble*.

A primeira é a maneira em que noventa por cento das pessoas jogam, no Natal, quando a velha caixa verde é desenterrada do sótão, ou quando uma reunião de família dura mais que todas as lembranças reunidas, ou quando um dia chuvoso destrói um churrasco. Consiste, muito simplesmente, em colocar uma palavra na outra em ângulos de noventa graus: o E de um LORDE horizontal se torna a base de um LIVRE vertical, que se ramifica em LENTO, e por aí vai, uma sucessão de palavrinhas de 10 ou 15 pontos, os jogadores somando seus pontos casualmente, até que um avança um pouco no placar ao se deparar, quase sem querer, com uma palavra tripla. Esse é o método geralmente conhecido de jogar *Scrabble*, mais um exercício colaborativo em construção de palavras do que uma competição. Se você jogar desse modo contra um bom jogador, vai perder todas as vezes, como Murray descobriu quando desafiou Xavier uma vez em um hotel e perdeu cinco vezes em seguida.

Xavier, como um bom jogador, compreende o segundo método de jogar, que é o de encarar o jogo como uma batalha de estratégia, não de vocabulário. As maneiras principais de ganhar no *Scrabble* são: conseguir fazer pelo menos um bingo (um bônus de 50 pontos por usar todas as sete letras de uma vez), e extrair de X, Z, Q e J tantos pontos quanto possível — esses são os pesos pesados do tabuleiro de *Scrabble*, o jogo como uma espécie de universo de cabeça para baixo no qual as letras menos úteis do alfabeto se transformam nas mais preciosas. Um jogador que escolhe uma palavra bonita como PERENE e ganha 12 pontos sempre vai perder para o jogador que escolhe JÁ ou EX ou HÃ numa tripla e consegue 50. O que nos leva à chave mestra do jogo: as palavras de duas letras. Um verdadeiro jogador de *Scrabble* conhece todas, que são cinquenta, mais ou menos, incluindo RÁ (o deus egípcio do sol), QI (uma palavra da filosofia chinesa, que significa força vital, energia) e XI, definida com simplicidade pelo dicionário de *Scrabble* como, além de uma exclamação de surpresa desagradável, uma letra grega, e em si mesma, potencialmente, uma vencedora de partida.

A tarde vai passando da maneira esperada. Embora quase todos os jogadores estejam pelo menos conscientes das palavras de duas letras, não são muitos os que conseguem ter a velocidade de Xavier: em *Scrabble* competitivo você só tem um minuto para jogar antes que o relógio eletrônico o interrompa com uma série acusatória de bipes. A outra arma de Xavier é sua afinidade com palavras de sete letras, como ZAROLHO (61 pontos, com bônus), que é um dos golpes com que ele derruba um adversário no segundo jogo; outros são massacrados por VECTRIZ e LHANURA. À medida que o tempo passa Xavier observa seu principal adversário, Vijay, avançando na competição com impiedade semelhante, no outro lado da sala. Às cinco e meia os dois sentam juntos para a final. Os habituais £ 150 estão em jogo. Os jogadores derrotados, com poucas exceções, formam um círculo em volta do tabuleiro para acompanhar a final: o duelo Xavier–Vijay é tão parte da tarde quanto o próprio envolvimento deles nos jogos anteriores.

A final é uma partida de melhor de três. Xavier e Vijay se analisam por sobre o tabuleiro, com a afeição de velhos rivais. No primeiro jogo Xavier tem mais sorte: uma ficha em branco e uma letra "S" permitem que ele faça um SINODAL cedo na partida e ganhe um bônus de 50 pontos. Vijay, depois de algum tempo, consegue um bingo em retaliação, mas tarde demais. Quando apertam as mãos, Xavier está um jogo na frente, e precisa de mais um para a vitória completa.

A segunda partida é muito mais defensiva. Vijay tem uma leve vantagem com um "J" que apareceu cedo e ele o transforma em 40 pontos, e agora começa a completar todo o espaço valioso. Xavier é forçado a encaixar palavras curtas aqui e ali, incapaz de fazer bingo porque a estratégia de Vijay congestiona partes diferentes do tabuleiro até não haver mais espaço. Xavier se mexe na cadeira, sentindo calor, em parte por causa da pressão do jogo, e em parte por causa do sistema de aquecimento rudimentar da igreja: o organizador careca exagera, provocando um mormaço úmido ao invés do frio desencorajador pelo qual as igrejas inglesas são conhecidas.

A multidão em volta do tabuleiro mantém um silêncio atento. Quando o celular do ex–astro *pop* começa a tocar, ele sai para atender. Sirenes de bombeiro e ambulância soam lá fora: houve um acidente de carro causado por alguém que acelerou enquanto descia a ladeira paralela à Bayham Road. Vijay termina o asfixiamento das perspectivas de Xavier e o jogo é dele. Como é comum com esses dois jogadores, vão precisar da terceira partida para desempatar.

Há um intervalo para todo mundo "esticar as pernas", como o organizador careca sempre diz. Os espectadores conversam em voz baixa — porque embora não exista necessidade para silêncio durante o intervalo, uma certa solenidade sempre parece cercar os últimos estágios da competição. Xavier e Vijay continuam junto ao tabuleiro, conversando amigavelmente.

— Como vão os estudos? — Xavier sabe que Vijay pesquisa algo relacionado a inteligência artificial na University College.

— Frustrantes, como sempre.

Vijay está na casa dos quarenta, tem um sorriso de menino e sempre usa camisas *jeans*. É o tipo de pessoa que sempre vai estar ligado a instituições acadêmicas.

— E como vão as coisas com você? — pergunta Vijay.

— Não posso reclamar, obrigado.

Isso é o máximo que eles sabem da vida um do outro, e é exatamente o que querem.

No terceiro jogo Xavier começa na frente, e ainda tem uma vantagem confortável com trinta peças sobrando. Mas daí Vijay começa a trocar suas peças.

A qualquer momento antes da parte final do jogo o jogador de *Scrabble* pode trocar de uma a todas as suas sete peças por outras novas, em troca de abrir mão de sua vez de jogar. Tudo mundo sabe disso, mas a maioria dos jogadores ocasionais e mesmo alguns dos craques só fazem isso quando realmente não sabem o que fazer com suas letras (só vogais ou só consoantes, talvez), considerando a perda da vez de jogar como um preço alto demais para pagar. Mesmo Xavier só faz isso como último recurso, no lugar de encarar a manobra como um modo de avançar ambiciosamente na direção de um mundo novo. Vijay, por outro lado, nem pensa duas vezes. Essa é a diferença principal nos seus modos de ver o jogo.

Enquanto a partida decisiva avança, Vijay corre o risco aparentemente imprudente de trocar suas peças várias e várias vezes. Ele sempre gasta os primeiros quarenta e cinco dos seus sessenta segundos observando o tabuleiro, as sobrancelhas bem baixas por sobre os olhos, e daí, com o leve erguer de uma das sobrancelhas, acena com a cabeça para o organizador careca, que lhe dá a sacola de veludo.

—Trocando duas — diz Vijay, e põe a mão na sacola à procura de duas peças.

Qualquer jogador se sente perturbado quando o seu oponente abre mão da vez. Só resta a Xavier se concentrar em aumentar sua vantagem no jogo, trancando o tabuleiro tão precisamente quanto puder, e torcer para que Vijay ou esteja blefando, ou se encaminhando para um beco sem saída. Por um tempo esse parece ser mesmo o caso. Xavier ganha 20 pontos, 23, mais 20, enquanto Vijay continua trocando, examinando as letras novas com olhos que não entregam nada, mexendo em cada peça meditativamente com as pontas dos dedos quando as retira da sacola. Alguns dos espectadores mais analíticos ficam atrás de um jogador, depois do outro, em turnos, para examinar os guardadores de peças de ambos, como espectadores de tênis viram a cabeça de um lado para o outro. Xavier desconfia que Vijay tem o "X", ou o "J", nenhum dos quais apareceu ainda, e está esperando até ter uma palavra de sete letras que os inclua. Isso vai ser difícil até para ele. Xavier continua juntando palavras simples até que sua vantagem consista em impressionantes 70 pontos. Quando Vijay escolhe trocar de novo, há uma corrente de risadinhas incrédulas, embora todo mundo já o tenha visto jogar desse jeito.

Mas bem quando Xavier começa a acreditar que vai conseguir atravessar a linha de chegada, Vijay forma com serenidade a palavra JAMAXIM, juntando ao "M" de MOLHO e esparramando como uma faixa de óleo tóxico através de uma casa de valor triplo que Xavier achava inacessível. Assim como o "J" e o "X" envolvidos e o bônus de 50 pontos, ela vale arrasadores 122 pontos. Há uma pausa coletiva e depois um aplauso. Vijay não sorri, não comemora nem conta vantagem; recebe os aplausos com um ligeiro aceno de cabeça. Xavier sente um momentâneo desapontamento atingir-lhe a barriga. O jogo praticamente acabou. As pessoas aplaudem de novo quando Vijay confirma a vitória e o organizador careca lhe paga os £150 em notas de 10 e 20.

— Bom jogo — diz Xavier.

— Eu estava começando a temer que a minha tática fosse muito ambiciosa — Vijay admite, embolsando os espólios.

ONZE

Ele veste um casaco por cima da camisa *jeans* e convida todo mundo para beber no *pub*, o que ele sempre faz, apesar de não tomar bebida alcoólica. Quando Xavier vence, também oferece uma bebida.

Eles vão para o *pub* Coroa e Âncora. Alguns discutem os resultados do *rugby* do dia. O casal de caiaqueiros lidera uma conversa sobre a Bulgária como destino de viagem ou um bom lugar para investir em propriedades. Como de costume, toda a conversa é geral e superficial. Esse é um dos motivos pelos quais Xavier se sente à vontade nesse grupo; mesmo se, como é perfeitamente possível, um ou dois reconheçam sua voz do rádio, é difícil que o assunto seja tocado.

Depois da bebida todo mundo decide que já é hora de ir, e por volta das oito da noite Xavier entra no ônibus número 19. Ele pega um *Evening Standard* amassado, que está circulando entre os passageiros desde o dia anterior, quando alguém que foi às compras o deixou no banco. Com um vago interesse lê a primeira coisa que chama sua atenção: uma crítica muito negativa de um restaurante da cidade, chamado Chico's.

A crítica maldosa tem um impacto sobre todo mundo que trabalha no Chico's, do ofendido *chef* até Julius Brown, o adolescente obeso que, por cinco libras por hora, lava os pratos na cozinha cheia de gente.

Julius sai para o trabalho às sete da noite; leva uma hora para chegar e mais de um ônibus. Ele lava pratos até uma da manhã. Queria um emprego mais perto de casa, mas cada vez que entra num lugar para pedir o formulário de requisição de emprego, vê o olhar de desaprovação do gerente, que repara em sua obesidade. Ele tentou empregos nas áreas de tecnologia da informação, suporte técnico, *telemarketing*, em lugares onde ninguém o vê; mas esses trabalhos, por serem bem pagos, são concorridos, e como Julius ainda está na escola, não pode trabalhar em período integral.

O dia já estava cansativo para Julius mesmo antes de ele chegar ao trabalho. Conseguiu ficar duas horas inteiras na academia: uma hora na esteira, dando passadas cheias de energia ao som do gemer contínuo da máquina, com o suor descolorindo sua camiseta cinza, juntando-se atrás dos joelhos, na dobra dos braços, na parte baixa das costas. Ele ignorou os olhares das pessoas que corriam com o dobro da velocidade nas esteiras ao lado. Depois fez dois circuitos com pesos, um programa de supinos, e terminou com uma série de exercícios de alongamento. Sentindo-se como se os seus membros estivessem cheios de areia molhada, arrastou-se até o vestiário e esperou para entrar em um dos chuveiros privados, pois não queria tomar banho nos chuveiros escancarados à vista, com seu corpo flácido exposto aos olhares críticos dos maníacos por exercício que formam a maior parte dos usuários frequentes das academias. Ele se pesou; nenhuma diferença desde a semana passada.

Na saída, uma funcionária o avisou que ele precisava fazer o pagamento do mês seguinte em sua próxima vinda. Ela parece achar graça cada vez que ele aparece. Quando andava na rua, Julius viu uma garota bonita de sua classe de matemática na escola, chamada Amy, com óculos de aro de tartaruga, conversando com outra garota do lado de fora do cinema: ele abaixou os olhos ao passar. Ouviu as risadas delas atrás de si.

Quando chega na cozinha, Julius é avisado, pelo seu supervisor, Boris, um ucraniano que ganha quase nada a mais que ele, de que o gerente do restaurante está "num humor dos infernos". Há ainda mais gritaria do que de costume. O *chef*, mal-humorado, dá broncas furiosas nos garçons por não compreender pedidos confusos. "Que porra que tá escrito aqui? Isso aqui é um dois ou um três? Puta que pariu!". O *sous-chef*, com braços de polvo, freneticamente joga verduras em uma frigideira, tenta acomodar espetos de carne em outra, inspeciona uma bandeja de doces caramelizados e sacode a cabeça, dizendo palavrões. Dentro e em volta das pias enormes, uma montanha de pratos sujos já está se formando.

— Vai ser uma noite daquelas, cara — prevê Boris, desanimado.

Ele está poupando dinheiro para mandar para sua vasta família na Ucrânia, sonhando um dia trazê-los para a Inglaterra e mostrar como as pessoas em Londres comem.

Ao chegar em casa Xavier logo se sente perturbado: algo não está certo. Com mais leveza que de costume e sem nenhum motivo específico para essa precaução, sobe as escadas ("E vamos lá, vamos lá, vamos lá mais uma vez", exorta a mulher na TV da casa de Mel) e entra no apartamento. A apreensão dura alguns momentos, enquanto joga o casaco na cama e vai para a cozinha. E só aí percebe: não é que algo esteja errado, mas algo está diferente. O apartamento passou por mais um tratamento brutal de Pippa. Ele havia esquecido que ela estaria lá à tarde.

Mesmo considerando que o apartamento ainda estava em muito bom estado por causa das melhoras que ela havia feito na semana anterior, sua aparência melhorou ainda mais dessa vez. As escadas que levam ao apartamento foram limpas com aspirador; o carpete gasto passou a ter um certo molejo de carpete novo sob seus pés. O escritório não tem nada fora de ordem, tudo está em seu lugar exato. A coberta da cama está lisa como a superfície de um lago e, debaixo dela, os lençóis são como papel novo. Gradualmente, mais sinais dos esforços de Pippa vão aparecendo. Há um vaso de flores na mesa da cozinha. O vaso, que foi esfregado com força, estava guardado num armário desde que Xavier se mudou; as flores ela deve ter trazido. Há um sabonete na pia do banheiro; e de novo, a menos que ela o tenha encontrado em algum canto que Xavier nunca descobriu, ele tem a impressão de que ela mesma o trouxe. Quando olha dentro dos armários, vê que quase toda a comida foi jogada fora.

É aí que Xavier encontra um bilhete escrito à mão por Pippa. Ela usou um bloco de notas do escritório e as letras são grandes, cheias de volteios, voluptuosas — de alguma forma parecidas com ela.

Tomei a liberdade de jogar fora um monte de comida. Estava tudo com a validade vencida.

No decorrer da próxima hora, Xavier encontrou outros bilhetes.

Você precisa comprar mais canecas. Tem umas duas que não dá pra salvar, nem mesmo eu consigo.

Você precisa comprar uma escova de banheiro!

Eu não tenho certeza se é da minha conta, mas estou ouvindo uns barulhos esquisitos no andar de cima enquanto estou aqui trabalhando. Uma discussão muito feia, eu achei, julgando pelo barulho. Mas você deve conhecer eles melhor do que eu.

> *Tem uns produtos que eu queria usar da próxima vez, pra eu poder limpar melhor. Vou mandar os nomes pelo celular, se você concordar. As flores foram baratas, £4, você pode me pagar da próxima vez se concordar que elas ficaram bem. O sabonete é presente meu.*

Só horas depois, quando vai para a cama — num horário normal desta vez, perto de meia-noite —, é que Xavier descobre o último bilhete dentro de uma dobra do edredom.

> *Desculpa se é muita maluquice deixar esses bilhetes todos. Só agora percebi que pode parecer que eu sou doida. Mas, enfim, vejo você da próxima vez, se você não chamar a polícia.*

Xavier sorri.

Ele lembra das duas ocasiões em que viu Pippa, no agora quase esquecido encontro relâmpago e na semana anterior. Tenta visualizar o rosto dela, mas tem mais sucesso lembrando do cabelo muito loiro e dos seios imponentes. Pergunta-se se fazer brincadeiras sobre ser maluco não seria exatamente o tipo de coisa que alguém faria se *fosse* maluco. É perturbador pensar que ela tem o número do celular dele e está até falando em mandar mensagem de texto. Ela parece o tipo de pessoa que pode telefonar no meio da noite sem nenhuma justificativa. Claro, Xavier geralmente está acordado no meio da noite, mas mesmo assim soa estranho.

Ele pensa durante um tempo no torneio de *Scrabble*, perguntando-se se não teria ganhado caso tivesse sido mais ousado e feito o que Vijay fez, arriscando uma pontuação maior, ao contrário de tentar ganhar um ponto aqui, outro acolá e vencer por cansaço. Ou era destino que sempre fosse o dia de Vijay, e isso estava de alguma forma determinado num plano universal? Mas, se existe um plano, por que ele levou Xavier até lá? Tudo o que aconteceu antes teria sido uma série de pistas falsas? Antes de se entregar a esse tipo de introspecção, o que Xavier sempre orienta seus ouvintes a não fazer, pega o jornal que trouxe do ônibus e tenta se interessar por outra coisa. Ainda está aberto na página de restaurantes. *O sucesso do Chico's*, diz o jornal, *só deixa mais clara a falta de restaurantes espanhóis de primeira classe na cidade.*

ONZE

Em algum momento entre meia-noite e uma da manhã na cozinha cheia de vapor do Chico's, o exausto Julius Brown passa pela estranha experiência de dormir várias vezes em pé, só por uns segundos, antes de acordar com um susto. Em cada intervalo de sonho vê uma imagem de menos de um segundo, como o caco de um sonho que se partiu, como uma única imagem arrancada de milhões que formam um filme. Ele é enorme, e dá passos maiores do que prédios. Daí acorda. Está de volta à academia, andando o mais rápido que pode, mas de algum modo sabe que a esteira está prestes a acelerar e lançá-lo para fora. Daí acorda. Está sentado diante de um computador, com alguém esperando que ele o conserte, mas não consegue descobrir como mudar o idioma da máquina para o inglês. Acorda de novo, com um prato ainda na mão, escorrendo sabão e água. Boris, o supervisor, o está segurando pelo braço.

— E aí, cara, cansado?

Julius faz que sim com a cabeça.

— Eu também. — Boris faz uma careta. — Trabalhei na oficina mecânica essa tarde e agora estou trabalhando aqui, e depois vou estar de volta à oficina amanhã de manhã.

Mais ao fundo do prédio — os fundos de um restaurante são como o espaço sob as escadas numa casa eduardiana, um lugar onde a vida dos empregados transcorre — o dono do Chico's, Andrew Ryan, está sentado na sala de jantar principal. O guitarrista de flamenco que toca nas noites de sábado já encapou o instrumento e foi para sua casa em Hackney com um envelope cheio de dinheiro. Fregueses com a barriga cheia de carne, alho e óleo foram embora de táxi. Andrew Ryan está bebendo *whisky*. Com um gesto, manda Pascal, o garçom-chefe da noite, encher seu copo *tequilero* de novo.

Andrew Ryan, de quarenta e oito anos, queimado de sol e com o corpo modelado pela ioga, está bravo. "Essa porra dessa crítica era só o que eu precisava", ele pensa. "Essa puta dessa Carstairs. Foi a mesma coisa com a porcaria de peça em que investi no West End, que acabou ficando uma merda, e agora Dubai está perdendo dinheiro à revelia, meu Deus, e também tem a Hayley custando uma perna e um braço com essas viagens. Ano de folga o meu cu", pensa Andrew Ryan. "Ninguém com menos de vinte e cinco parece querer trabalhar hoje em dia. Por que é que tudo que eu fiz este ano não deu certo?", ele se pergunta, bebendo o *whisky* e levantando sem muita firmeza para dar algumas voltas na sala.

— Você sabe, em Kiev, faz um frio terrível — diz Boris, enchendo mais uma gaveta barulhenta da máquina de lavar louça. — Este frio aqui não é nada. Tem um cara em Kiev, ele vai, mija na rua, está bêbado né, e está tão frio que o pau dele gruda na...

As pálpebras de Julius parecem queijo derretido. Mais uma vez ele se vê numa cena muito rápida para ser compreendida; tem a vaga noção de que está sendo perseguido na escola, tarde da noite, por alguém, talvez Liam Rollin, que o chama de "Sumô" e imita o som de pum cada vez que ele passa.

— Ei, cara, cuidado aí.

Julius volta para a cozinha com um choque. Um prato cai de suas mãos e se quebra no chão duro, com um eco que lembra o barulho de osso se espatifando.

— Cara, é melhor acordar de vez — o supervisor repreende Julius.

— Desculpa.

Julius está de quatro, recolhendo os pedaços cortantes, quando uma figura aparece na porta. As orelhas de Julius queimam. Ele ouve passos lentos e irregulares avançando em sua direção; Boris começa uma série de respirações curtas e cheias de pânico.

— Mas que porra está acontecendo aqui? — pergunta Andrew Ryan, firmando-se com um braço apoiado no muro, a quatro passos de Julius.

Julius, sentindo a camisa grudada nas costas, olha para cima, para o dono do restaurante, que ele só viu uma vez em todo o seu tempo que trabalha lá.

— Desculpa — ele murmura. — Peço desculpas.

— Você está achando que é tudo uma brincadeira? — pergunta Andrew Ryan, olhando com desprezo para a volumosa criatura aos seus pés. "Como é que esse gordo escroto conseguiu um emprego na minha empresa?", — ele se pergunta.

— Não — murmura Julius, pegando os estilhaços, sem olhar para cima.

ONZE

— Alguém ainda estranha — Andrew Ryan esbraveja, suas entranhas encharcadas de uma raiva viscosa, sem alvo —, alguém ainda estranha que a gente receba uma crítica ruim quando temos um bando de palhaços... uns idiotas na cozinha?

Nenhum dos seus subordinados, parados como se estivessem numa corte marcial, arrisca uma resposta.

— Sério, tem alguém neste lugar capaz de fazer a porra do serviço direito?

Também não vai haver resposta para isso. A raiva de Andrew Ryan requer uma vítima. Ele aponta um dedo cheirando a nicotina para Julius.

— Qual o seu nome?

— É Julius — Julius informa em tom baixo.

— É o quê? Júlia?

— Julius.

— A quanto tempo você trabalha aqui, Julius?

— Oito meses.

— Olha pra mim quando eu falo, seu monstrinho! Quanto tempo?

— Oito meses.

— Alguma chance de me chamar de "senhor", já que parece que eu sou o proprietário deste estabelecimento?

Andrew Ryan se lembrará disso vinte anos depois, em um quarto de hotel em Hong Kong — não tendo pensado uma única vez no ocorrido em todo esse tempo —, e vai refletir surpreso que sua versão mais jovem era, às vezes, um completo filho da puta, por causa da bebida e das drogas. Na velhice será muito mais gentil. Vai se perguntar o que terá acontecido com o coitado daquele menino. Mas isso só dali a vinte anos. Por enquanto, seu único instinto é o de um valentão.

— Senhor.

— Escuta, Julius — diz Andrew Ryan. — Quanto eu te pago pra você ficar estraçalhando a louça aqui?

— Cinco libras por hora.

Ryan acena com a cabeça, põe a mão no bolso, tira uma nota gasta de £20 e joga no chão na frente de Julius.

— Toma aí. Tem até um extra.

Julius olha para cima, sem entender.

— E não volta mais. Está despedido.

— Perdão, senhor!

— Está despedido. Vou falar com o seu gerente. Seus serviços não são mais necessários.

Andrew Ryan põe as mãos na cintura e sacode a cabeça com jeito imponente. Procura no bolso uma barra de chiclete. Julius tenta engolir a saliva. Sua garganta está seca. Ele se sente tão cansado que poderia cair no chão deixando as roupas em pé.

— Por favor, não me mande embora.

Ryan, que já estava se virando para ir embora, olha para trás à contragosto.

— O quê?

— Eu preciso do dinheiro.

— Não consigo ouvir.

Julius engole a seco de novo. Sente como se o seu pomo de adão fosse uma bola de bilhar.

— Eu preciso do dinheiro, senhor.

— O dinheiro! — Andrew zomba. — Quer saber uma coisa, Julius, todo mundo precisa de dinheiro. Alguns de nós trabalhamos duro pelo nosso dinheiro, só pra vir uma puta qualquer e falar mal da gente no jornal depois que a gente se arrebentou de trabalhar nesta porra pra por o restaurante funcionando. A vida é difícil, né?

Andrew Ryan tem uma vaga consciência de que está falando como se estivesse num filme da máfia, ou num desses filmes dos anos 1980 com executivos de suspensórios. Olha pela última vez a forma adiposa e abjeta em sua cozinha, o jovem ansioso de quem irá se esquecer na manhã seguinte para só voltar a lembrar após duas décadas, e sai pisando forte.

Julius Brown perdeu seu emprego de meio período porque Andrew Ryan se embebedou e perdeu o controle, porque Jacqueline Carstairs escreveu uma crítica cruel do restaurante, porque o filho dela foi espancado num dia de neve algumas semanas atrás, porque Xavier fracassou em sua tentativa de interferir e ajudar. Mas como Julius ou qualquer outro sabe, ele só foi despedido por deixar um prato cair no chão.

IV

NA MANHÃ DE DOMINGO Xavier ficou na cama, pensando em outra manhã de domingo, quase seis anos atrás, quando Bec entrou na maternidade do Hospital St. Vincent.

Chris e Matilda passaram sete horas num café na mesma rua do hospital e almoçaram, tomaram lanche, jantaram, e nenhuma notícia. Tentaram falar sobre outros assuntos; um por um, todos foram acabando.

— Nem *eu* ficaria tanto tempo aqui quanto vocês — disse o dono do lugar —, e isto aqui é meu.

Mas quando o sol começou a projetar sombras compridas em Melbourne, Russell apareceu ao longe, correndo, braços se agitando, parecendo um búfalo em disparada inabalável colina abaixo.

— Meu Deus — disse Chris.

— Porra — disse Matilda — espero que esteja tudo...

— Garoto — disse Russell, respirando pesado, a camisa escura e encharcada de suor, o rosto brilhando. — É um garoto, é um garoto. Ela teve um garoto.

Eles o agarraram, os três pularam ali mesmo no chão de linóleo quadriculado, perto da mesa plástica com seus últimos cafés não terminados, observados com indulgência pelo proprietário que, dono de um café ao lado de um hospital por quinze anos, já tinha visto de tudo: notícias de nascimentos exatamente como esse; os rostos traumatizados e inertes dos recém-enlutados.

Ele ofereceu uma garrafa de champanhe barato de cortesia.

— Vocês já gastaram tanto que eu posso sair de férias.

A mão de Russell tremia tanto que Chris teve dificuldade em encher o copo dele. A Gangue dos Quatro era agora composta por cinco. Chris pôs o braço em volta da cintura de Matilda e eles ergueram os copos em um brinde, já se sentindo bêbados.

O vento traz o som triste e indistinto dos sinos de igreja tocando a quase um quilômetro dali, e Xavier se apega à memória, quase fisicamente, antes de a deixar ir.

Não longe dali, o adolescente obeso Julius Brown dorme até perto de uma da tarde, momentaneamente interrompido apenas pelo som de sua mãe, Simone, ao sair para seu turno no supermercado. No domingo ela trabalha das dez às quatro. Divide o tempo entre o balcão de frios e o caixa. É assim que ela colocou as informações em seu currículo mais recente, como se estivesse falando de residências de verão e inverno em diferentes hemisférios. Quando ouve a porta estremecer depois de batida, o que causa por pouco tempo uma série de latidos dos pastores-alemães do vizinho, entediados e famintos por drama, Julius retorna alegremente à inconsciência.

Por volta de uma hora Julius se senta na cama, vê dez minutos de um documentário sobre parques eólicos, liga o computador e daí, sem olhar para ele, deita de lado de novo e puxa as cobertas sobre a cabeça.

Às quatro e meia Simone volta do trabalho. Correu tudo bem no dia, fora uma conversa desagradável com uma freguesa cuja ideia de "três fatias grossas de presunto" era diferente da dela.

— Você ficou na cama esse tempo todo?

— Estou doente.

Julius tosse, até que convincentemente. Ele sente como se um enorme peso de papéis invisível o estivesse pressionando contra a cama.

— Como foi o trabalho ontem à noite?

Ele nem tinha pensado nisso até agora.

— Fui despedido.

— O quê?

ONZE

Simone Brown dá um passo para dentro do quarto e observa o volume formado pelo filho, como o de um bicho hibernando na toca. Ela está usando a malha azul obrigatória do supermercado e, por baixo dela, uma camiseta que diz NOSSOS PREÇOS ESTÃO LOUCOS COMO AS LEBRES DE MARÇO. O gerente de *marketing* queria que as caixas usassem orelhas de lebre durante o mês, mas sua sugestão foi rejeitada.

— Fui despedido.
— Ah, Julius.
— Eu não fiz nada.
— Alguma coisa você fez.
— Deixei cair um prato e ele quebrou.
— Eles despediram você por isso?
— É.

Simone ouve patas arranhando em súplica o lado de dentro da porta do vizinho, os cachorros implorando com seus latidos irritados para sair e o vizinho — um carteiro aposentado — mandando-lhes calarem a boca.

— Eles não iriam despedir você só por isso.
— Mas despediram.
—Você deve ter dito alguma coisa.
— Eu não falei nada.

Simone olha sem saber o que fazer para o que pode ser visto do filho.

— Tem roupa pra lavar?
— Eu mesmo lavo. Pode deixar.

Um vento insolente dá as boas-vindas a Julius nessa manhã de segunda-feira e joga chuva em seu rosto quando ele anda até o ponto de ônibus. Debaixo do teto do ponto só há espaço para mais ou menos metade das pessoas pálidas que estão lá esperando o 436. Julius se pergunta porque os números são tão altos: é capaz de apostar que não há tantas linhas de ônibus em Londres. Ele percebe que duas mulheres estão falando sobre ele e suspeita que estão irritadas por ele ocupar tanto espaço debaixo do abrigo. Julius arrasta os pés até a chuva e as duas mulheres tomam o seu lugar.

O ônibus está úmido, lotado e agitado, como uma mala cheia de roupas molhadas depois de um péssimo feriado. Os já apertados passageiros de pé observam sem entusiasmo a fila de recém-chegados passando o cartão no sensor. A motorista ouve o *bip bip* baixo do sensor, que faz que ela se lembre de algum aparelho num hospital. Antes ela trabalhava num departamento de hematologia, mas foi seduzida por uma campanha do Serviço de Transporte de Londres para atrair mais mulheres para a carreira. Foi o pior erro de sua vida.

 O ônibus vai explodindo em arranques e paradas bruscas. Cada pisada nos freios joga os passageiros uns contra os outros. Estão presos atrás de um ônibus que está voltando para a garagem; na frente está escrito: DESCULPE, NÃO ESTOU A SERVIÇO. Quando conseguem passar, Julius vê a palavra DESCULPE e imagina que o ônibus está se desculpando por detê-los. Enquanto pensa isso, a motorista tem de frear, e Julius é jogado contra uma mulher negra pequenininha que está carregando sacolas de compras. Ela geme sob o peso dele; um estranho a segura pelo braço e olha acusadoramente para Julius. Algumas pessoas se entreolham, achando graça. O tamanho de Julius é uma piada visual, é como se simplesmente por aparecer em público ele estivesse fazendo uma pegadinha num programa de câmera escondida. Ele nota que Amy, a garota bonita de óculos, está num dos bancos do fundo, rindo com um grupo de amigas. Julius sente muito calor.

 Na aula de matemática, Julius está consciente dela o tempo todo, especialmente quando Liam Rollin faz uma de suas imitações de som de pum quando ele se senta: uma piada que Rollin vem fazendo há quase quatro anos sem se cansar. Logo que soa o sinal do almoço, Julius caminha na direção do portão da escola, esperando evitar os bandos de meninos do seu ano com suas gravatas tortas. Carregando a mochila da escola em suas largas costas, ele ignora as frases engraçadinhas que lançam quando passa. "Aonde é que tá indo com essa pressa, Brown? No McDonald's?" Ele ouve alguém falar sobre o tamanho do seu traseiro enquanto vai abrindo caminho. Quando Julius chega ao portão, de cabeça baixa, quase esbarra em Clive Donald, seu professor de matemática, que também anda com a cabeça baixa; os dois fortuitos colegas em melancolia murmuram pedidos de desculpa.

 Ainda está chovendo. Das lojas de *fast-food* vem um ataque de aromas deliciosos que fazem o estômago de Julius ribombar de desejo. Ele passa sem olhar. Compra um sanduíche de baixa caloria na farmácia; a mulher que o serve parece prestes a perguntar se isso é suficiente para ele. Ele come o sanduíche quase sem perceber no caminho de volta para a escola, que passa na frente do supermercado onde sua mãe, Simone, está fatiando um *cheddar* e meia dúzia dos seus colegas de sala estão comprando comida e cerveja. Ninguém da escola, graças a Deus, sabe que a mulher no balcão de frios é a sua mãe.

Indo para a academia depois da escola, Julius tem de ultrapassar Amy, que está sozinha desta vez. Ela está usando um paninho para limpar os óculos. Lança um olhar para ele que é, ele acha, amigável. Ele se pergunta como funciona quando você cresce, como as pessoas acabam encontrando alguém para casar. "Eu preciso perder peso", pensa Julius, "do jeito que estou ninguém seguraria minha mão e andaria comigo na rua. Nenhuma garota apontaria para mim num clube e diria 'aquele é o meu namorado'".

Na academia ele passa o cartão de sócio na catraca e tenta entrar, mas ela se recusa a ceder, como se alguém o estivesse detendo com o braço. Ele tenta de novo.

A garota sarcástica ergue os olhos da tela do computador.

—Você precisa pagar. Sua carteirinha de sócio está vencida.

Julius sente suas entranhas se contraindo.

— Eu achei — ele diz baixinho —, eu achei que era só no final da semana.

— Não, é agora. Você precisa pagar £ 67 pelo mês de maio ou pode pagar £ 400 e frequentar a academia até o fim do ano.

Julius tem quase cem por cento de certeza de que ela só fala assim com ele porque é gordo e não tem cara de quem devia estar numa academia. Ela não falaria assim com o cara magro da camiseta de *rugby* que dá um empurrãozinho em Julius para chegar à catraca e uma piscadinha para ela.

Julius tem £ 32 em sua conta bancária — ou melhor, menos novecentos e sessenta e oito libras, mas um limite de crédito de £ 1000. No seu bolso está o que sobrou das vinte libras que Andrew Ryan jogou em cima dele quando o despediu.

—Você pode só me deixar... — Julius murmura.

— Oi? — A mulher olha para o telefone em sua mesa, que ela preferiria estar atendendo.

—Você pode me deixar entrar só desta vez e eu pago na próxima vez em que vier?

— Isso não é possível, infelizmente — responde a moça.

Julius sente durante um segundo que poderia se jogar contra a catraca, passar na base da força, como um elefante atravessando um arbusto, e chegar do outro lado antes que ela percebesse o que estava acontecendo.

— Por favor. Eu preciso fazer... Eu estou seguindo um programa. Eu preciso treinar.

"Não está dando muito resultado até agora", ele a imagina lutando para não dizer isso, não para poupar seus sentimentos, mas seguindo um instinto profissional de que isso pode dar problema. Às vezes ser capaz de ler o que as pessoas estão tentando não dizer, ver o insulto que elas estão evitando, é quase pior do que se elas realmente falassem o que querem.

— Lamento, mas infelizmente não é possível — diz a garota de novo, como se o deixar entrar estivesse além do limite do que os seres humanos conseguem realizar. Ela atende ao telefone no seu nono toque, soletrando o nome da academia, e a conversa com Julius acaba.

No caminho de casa, Julius fantasia sobre Amy, mas o abismo entre os dois é muito grande para que sua imaginação possa atravessar, mesmo concebendo a situação mais absurda. Talvez Julius tenha um pensamento muito literal, muito matemático, para fantasias; elas começam a desabar sob o peso da realidade quase ao mesmo tempo em que ele começa a invocá-las. Tudo o que sobra é um fato brutal. "Tenho que perder peso, tenho que voltar para a academia de algum jeito, tenho que arranjar dinheiro."

Algumas horas mais tarde, enquanto Julius dorme e acorda várias vezes, seu professor de matemática, Clive Donald, telefona de novo para o programa de Xavier, onde o tópico da noite é "Se você pudesse viver em qualquer época". Clive começa falando dos anos 1920, mas logo volta ao assunto da solidão, até que Murray o interrompe.

Na terça à tarde, quando está saindo para ir à loja da esquina, Xavier encontra Tamara, que está colocando um folheto no mural ao pé da escada. No folheto pode-se ver a foto de uma adolescente executando o que parece, à primeira vista, um movimento de dança espetacular, mas na verdade

ONZE

é uma contorção horrível em pleno ar, depois de ser atingida por um carro. Essa é uma de uma série de imagens espalhadas pelo prefeito para alertar sobre o risco de atropelamentos. A camiseta de Tamara subiu e expõe uma faixa de pele enquanto ela se estica para afixar o canto superior direito do cartaz, mas ele se desprega de novo.

— Posso ajudar você?

Xavier arqueia seu longo braço e segura o canto, apertando a cola por baixo do folheto contra o mural.

— Obrigada. — Tamara dá um passo para trás, como uma pintora, para olhar o pôster. — É um abaixo-assinado sobre quebra-molas.

— Quebra-molas?

— A gente precisa de uns quebra-molas na rua. Você não acha? As pessoas descem aqui a noventa por hora, mas é uma rua residencial. Você não acha?

Xavier está surpreso de a ver tão animada com esse assunto.

— É, tá, acho que...

— Estou organizando uma petição *on-line* — ela explica. — Se você assinasse, seria ótimo.

— Eu vou — ele promete. — Pode deixar.

Como se um apito tivesse tocado, ambos pressentem o final iminente da conversa.

— E aí, algum plano para esta noite?

— Trabalho — diz Xavier. — E você?

— O namorado vem pra cá — ela responde.

— Vai ser legal.

— É.

— Bom, até mais!

— Não esquece de assinar o abaixo-assinado!

Xavier tem toda a intenção de procurar o *site* e assinar a petição, mas na hora em que começa a subir a ladeira até a loja da esquina, e carros dirigidos com imprudência passam por ele a velocidades potencialmente letais, a tarefa é logo arquivada numa pequena gaveta de sua mente e esquecida.

Na quinta à noite Murray passa no número 11 da Bayham Road para tomar uns drinques em comemoração ao fim de outra série de programas, e fica imediatamente impressionado com a limpeza do apartamento de Xavier.

— Tem cer–cer–cer–certeza de que não arranjou uma esposa de repente?

— Só uma faxineira. — Xavier despeja o que sobra de uma garrafa de *cabernet sauvignon* em duas taças. — Mas ela é muito boa.

— Parece ser mesmo. Estou até com medo de tocar em alguma coisa.

— Espera só até você a conhecer. *Daí* você vai ficar com medo.

— Ela é maluca?

— Ela é só um pouco... É uma figura.

Quando Murray vai embora, sua respiração na soleira saindo em baforadas brancas, é pouco mais que cinco horas. Xavier tem pouca vontade de dormir: ele pode ouvir a tranquilidade da noite já sendo substituída pelos sons familiares do início da manhã. Um carro de bombeiro com a sirene desligada vem sacolejando pela Bayham. Em uma hora um par de corredores fanáticos vai começar a ronda deles, e logo depois Tamara e um grande número de outros trabalhadores estarão acordados. Xavier liga o computador e começa a ler os *e-mails* atrasados que recebeu de ouvintes.

> *Xavier, minha pele é horrível. Não estou falando só de uma espinha ou outra. O caso é sério. Eu sou que nem um cacto ou coisa assim.*

> *Estou completamente apaixonado pela minha tia. Sei que deve parecer piada. Estou tentando pensar o que fazer desde que percebi que sentia isso, o que aconteceu quatro anos atrás. Ela veio tomar café da manhã depois de uma reunião de família, só de camisola, e fiquei assustado em perceber o que eu sentia... Quer dizer, tenho vinte e nove anos e ela tem quarenta e oito. Sei que nunca vou poder fazer nada a respeito. Eu só precisava contar pra alguém. Sinto como se fosse a única pessoa no mundo que se apaixonou pela tia!*

> *Medo da morte. Acordo sempre no meio da noite e não consigo pensar em mais nada. Só a ideia de que tudo isto vai desaparecer e que*

não há nada além disto... É ridículo, porque tudo que eu faço é trabalhar num café. Mas a ideia de não existir mais! Sei que não devia me importar porque não vou saber de nada quando acontecer. Mas é por isso mesmo que é tão assustador. É como uma anestesia.

Xavier, é o Clive. Já conversamos várias vezes no seu show, do qual gosto muito. Eu sou aquele das três esposas...

Esses são os mais difíceis, os que o deixam tentado a quebrar a regra de uma só resposta. Xavier imagina Clive atualizando a página na esperança de uma resposta e pensa no arquivo de fotos, cartas e cartões postais, o depósito mental abarrotado de esperanças frustradas, a sensação de derrota que marca toda a relação de Clive com o passado. Depois de algum tempo, Xavier sente que não tem escolha a não ser parar de pensar nele. Ele volta aos outros *e-mails*. Diz ao sujeito das espinhas que há muitos tratamentos bons e manda um *link* de um *site* sobre o assunto. Garante ao sobrinho apaixonado que casos de paixão por alguém da família — especialmente fora da família imediata — são muito comuns. Concorda que a morte é assustadora, mas observa que, à medida que envelhecemos, nosso corpo e nossa mente desenvolvem uma familiaridade com a perspectiva de morrer, e mesmo uma aceitação tranquila em relação a isso. Se isso é verdade ou só um mito reconfortante, Xavier não tem certeza, mas gosta de pensar que é verdade, e as pessoas costumam aceitar isso bem.

No andar de baixo Jamie se mexe durante o sono e dá uma espécie de grito monossilábico, como o de um tenor se aquecendo, mas depois parece voltar a dormir. É nesse mesmo dia, daqui a vinte e três anos, que ele submeterá uma proposta de Ph.D que levará a um trabalho que, por sua vez, alcançará um pequeno avanço na cura de dois tipos de câncer.

O canal de notícias 24 horas prossegue em sua incansável perseguição de coisas que acabaram de acontecer, as notícias correndo na parte de baixo da tela (MAIS EMPREGOS CORTADOS EM WALL STREET, TERREMOTO DEIXA CENTENAS SEM TETO), como mensagens de texto enviadas por uma fonte excitável e onisciente.

Na noite de sexta, depois de ver um filme medíocre sobre a vida de um artista norte-americano, cuja crítica ele escreverá no dia seguinte, Xavier se percebe limpando o apartamento antes que Pippa chegue. Ele tem consciência de que isso é assunto de piada entre gente de meia-idade, embora a limpeza que ele faz seja superficial, especialmente se comparada à profundidade do trabalho de Pippa. Ele inspeciona os armários para ter certeza de que tudo está dentro da data de validade; liga o chuveiro para limpar o chão do box de pelinhos fugitivos; vai até a loja da esquina comprar mais flores, substituindo as que Pippa comprou na semana passada, e que já estão morrendo.

Quando vai para a cama naquela noite Xavier consegue ouvir Tamara no andar de cima discutindo com o namorado. Ele se lembra rapidamente da petição *on-line* dos quebra-molas e resmunga contra si mesmo por ter esquecido de assinar. Fica deitado sem dormir durante algum tempo, ouvindo a chuva nos telhados de zinco das garagens no fundo do jardim de Mel, um som que o faz lembrar sua mãe datilografando cartas para velhos amigos na Inglaterra. *Tap tap tap tap tap*. Ele pensa — também brevemente — sobre o solitário Clive e o homem com medo da morte, e daí tenta decidir se está ansioso pela visita de Pippa no dia seguinte.

Quando já passa de meio-dia e quinze do dia seguinte sem nenhum sinal de Pippa, ele tem uma sensação desconfortável de que alguma coisa pode ter dado errado. Ela parecia ser confiável; mas é verdade que todo mundo pode falhar. O apartamento parece estar prendendo a respiração. Passam-se outros dez minutos. Xavier pega o celular para mandar uma mensagem, mas, na mesma hora, a campainha toca. Ele dá um salto, apesar de, ou talvez por causa do fato de estar esperando por esse som.

Enquanto desce as escadas ouve Mel dizendo para Jamie: "Não, querido, a gente não tem que ir, não é pra gente". Ele abre a porta da frente e dá um passo para trás de surpresa. Lá está Pippa, com seu saco de roupa suja amarelo e azul, coberta de manchas de lama que formam uma faixa diagonal das botas até o casaco de chuva, como a cobertura de uma *pizza*. Há marcas de lama em seu rosto e pontinhos de lama em sua bolsa.

— Nossa! O quê...?

ONZE

— Bom, eu posso entrar ou não?

Antes de terminarem de subir as escadas ela já havia contado a maior parte da história.

— A merda de um, desculpe o palavreado, a porcaria de um caminhão...

— Pode dizer "merda" — diz Xavier.

— A merda de um caminhão — ela continua —, uma merda enorme, passa por mim na parada de ônibus e, literalmente, dava pra ele me ver ali parada, juro por Deus, tá, ele literalmente decide passar bem em cima de uma poça de lama e me sujar toda. Ele literalmente decidiu fazer isso. Eu até vi ele rindo enquanto ia embora. — As palavras vêm embrulhadas no seu sotaque como pacotes amarrados por uma fita isolante. — Mas vou te dizer uma coisa, as coisas que eu gritei na hora teriam feito um marinheiro corar de vergonha.

— Aposto que sim — Xavier concorda.

Ela para com decisão na entrada do apartamento.

— Só pra você saber o que eu acho que a gente tem que fazer. O que eu tenho nessa sacola aqui, por sorte, além das minhas coisas de limpeza, é uma outra sacola em que estão as minhas coisas que eu uso pra correr porque eu ia dar uma corrida saindo daqui, você pode não acreditar, mas eu sou boa de corrida, na verdade. Então, se você me deixar usar o seu chuveiro eu tomo um banho e depois ponho a minha roupa de corrida, vai ficar esquisito, mas deixa pra lá, e daí eu limpo tudo igual e o banheiro eu limpo melhor ainda, o que é que você acha?

— Por mim, tudo bem — diz Xavier. — Você quer uma xícara de chá? Digo, depois. Digo, depois do banho.

— Seria ótimo, querido.

Pippa senta na soleira da porta com as pernas estendidas na frente, arrancando lama das botas com um suspiro de lamentação. Xavier entra no banheiro e traz o chuveiro de volta à vida. A decisão de prestar atenção ao estado do lugar antes da visita dela de repente parece sábia.

Enquanto se ocupa na cozinha, Xavier não consegue resistir a pensar em Pippa tirando as roupas, jogando tudo no chão, sem cerimônia; faz tempo que o chão do banheiro não vê um sutiã. Ele imagina só por um segundo seus seios grandes postos em liberdade, e suas coxas poderosas e seus pés nus no fundo da banheira. Fica surpreso ao perceber como é íntima a sensação de ter alguém sem roupa em algum lugar do apartamento. Quando o chuveiro é desligado, percebe que não ofereceu uma toalha para ela, mas sem dúvida ela pegou uma no caminho. Isso é estranho também: estar consciente de que ela sabe o lugar de tudo, tudo que ele tem, apesar de os dois terem acabado de se conhecer. Xavier não sabe ao certo se gosta disso ou não.

Eles se sentam juntos na sala para tomar chá.

— Você manteve tudo arrumado desde a semana passada — diz Pippa. Agora ela usa uma camiseta branca e calça de ginástica, e seu cabelo molhado está amarrado.

— Fiz o possível.

— Assim eu fico sem emprego!

— Não, eu... Eu duvido muito.

Durante um momento, fazem silêncio. Jamie grita lá embaixo. Apesar da garoa constante, um bando ousado de garotos desce de skate a Bayham Road, o menor deles acompanhando os outros com dificuldade. Xavier não tem certeza se esse é um silêncio confortável ou embaraçoso.

— Então você corre?

— Três vezes por semana. É o máximo que os meus joelhos deixam agora. Se eu não corresse, ficaria tão gorda como uma casa, antes que eu dê por isso... O meu corpo estava tão acostumado a exercício, e daí, quando você para, você incha igual a um balão. Eu costumava correr todo dia.

— É mesmo?

— Bom, é, né, quer dizer, eu precisava. Você sabia que eu fui uma das principais atletas jovens do país?

"Como eu poderia saber disso?", Xavier pensa, encantado.

— Atletas...?

— Eu era lançadora de disco. Sabe o disco olímpico?

Ainda segurando a caneca em uma mão, ela faz um grande arco com o braço direito, jogando um objeto invisível por cima do ombro.

— Sei, mas, bom, eu nunca conheci ninguém que...

— Era só o que eu queria fazer. Eu representava as escolas de Newcastle upon Tyne. Eu competia na liga dos sub-dezoito da Inglaterra. Já estavam falando de eu ir pras Olimpíadas uns anos depois. — Ela conta esses motivos de distinção nos seus dedos fortes, como se fossem argumentos contra algo que Xavier disse. — Meu recorde pessoal foi de sessenta e um metros. O recorde britânico pras mulheres é sessenta e sete. E quase todos os recordes pra coisas do tipo do disco foram quebrados nos anos 80, e agora está tudo sob suspeita, porque todo mundo sabe que os atletas estavam dopados até as orelhas.

Ela pausa pra recuperar o fôlego.

— Mas então, hum, o que aconteceu?

— Seis anos atrás eu tinha vinte e dois. Eu sei que eu pareço ter uns quarenta, mas isso é o que dá trabalhar limpando privada. Mas, enfim. Eu estava no começo de uma carreira em atletismo, e os meus joelhos desistiram. Artrite. Eu me lembro de sentar no consultório do médico. Ele disse: você tem artrite. Eu disse: fala a verdade pra mim, tem algum jeito de eu continuar competindo? Ele segurou nas minhas mãos e disse: Pippa, se você continuar, quando você chegar nos trinta vai estar numa cadeira de rodas. A gente ficou sentado lá e eu comecei a chorar. Foi a única vez que eu chorei na frente de uma pessoa que eu não conhecia direito.

Sem saber o que dizer, Xavier olha para os próprios joelhos.

— Daí você teve que parar e... começar do nada?

Pippa sorri.

— É. Eu nem sabia fazer nada. Eu tinha arriscado tudo no atletismo mesmo. Não tinha ganhado porra nenhuma de dinheiro, desculpa o palavreado, na verdade não, a gente já falou disso, né? Atletismo não dá porra nenhuma até você chegar num nível muito alto, principalmente essas modalidades menos glamorosas. O dinheiro que tinha eu emprestava pra minha irmã, que foi abandonada com uma mão na frente e outra atrás por um sujeito, se eu visse ele hoje eu capava, e ela nunca conseguiu me devolver. Eu não tinha nada. Comecei a fazer limpeza. Eu e a minha irmã íamos mudar de volta pra Newcastle, mas daí eu arranjei uns serviços em Londres, aqui dá pra cobrar mais, e agora a gente vive juntas aqui, e não temos onde cair mortas, mas eu falei pra mim mesma: se tudo que eu posso fazer é ser faxineira, então eu vou ser a melhor faxineira que existe.

Ela começa a tossir, como se o excesso de palavras tivesse finalmente sobrecarregado suas cordas vocais.

— Você é a melhor faxineira que existe — diz Xavier.

— Obrigada — ela diz, e cora um pouco, momentaneamente perturbada pelo elogio. Pousa a caneca vazia com vigor e levanta. — Bom, esse chá aí foi ótimo para um australiano.

— Eu nasci na Inglaterra — diz Xavier. — Da próxima vez a chaleira já estará no fogo quando você chegar.

— Eu trago os biscoitos — diz Pippa. — Mas agora vamos trabalhar. Você não está me pagando pra ficar sentada enquanto a minha bunda gorda vai crescendo e crescendo.

Ela começa a andar para a porta.

— Até hoje, quando eu vejo um prato, tenho vontade de jogar a uns quarenta metros de distância.

Xavier ri e permite que ela o conduza para fora da sala. Ele olha para o bumbum musculoso dela e a imagina por um momento num *top* e de *shorts*, em alguma pista atlética exposta ao vento gelado do nordeste da Inglaterra, numa tarde inóspita como esta, pegando o disco em suas mãos com uma expressão de fúria concentrada, agachando-se e rodopiando num circuito complicado de passos, e então, com um grito, jogando o objeto a distância. Alguns espectadores espalhados aplaudem quando o disco cai, e um homem marca o ponto com uma vareta e anota a distância, e outra competidora se prepara para fazer o mesmo.

Pippa vai embora às três com um envelope dentro do qual Xavier chegou a pensar em colocar uma gorjeta, mas decidiu não fazer, achando que poderia parecer condescendente. Ela compra verduras e arroz na loja da esquina — o proprietário indiano sorri contente para ela, uma freguesa nova — e vai para casa de ônibus, carregando tudo. Às seis e meia, com a fadiga começando a dominar suas articulações, começa a cozinhar um risoto para ela e a irmã, que está fazendo faxina em um hotel em Holborn.

Logo depois de Pippa colocar o arroz na panela, Julius Brown sai de casa, seu coração batendo com fúria, e atravessa a chuva na direção da estação de trem escura e quase abandonada a oitocentos metros de casa, não do restaurante, como fez nas trinta e quatro noites anteriores a esta. Ele carrega

ONZE

uma faca de cozinha no bolso. Suas mãos tremem e seu estômago parece que poderia cair para fora, na calçada, a qualquer passo.

Nos últimos dias Julius tentou todos os caminhos que poderiam levá-lo a algum dinheiro fácil, e descobriu que todos estavam bloqueados. Não gostava nem de pedir para a mãe; na verdade ele desistiu da conversa quase na hora em que ela começou.

— Mãe?

— Sim, Julius?

— Se eu perguntasse se você tem algum dinheiro pra emprestar, você não teria, teria?

— Quanto dinheiro?

— Umas sessenta e sete libras.

— Sessenta e sete libras! Pra quê?

— Pra academia.

Simone olhou com tristeza para Julius.

— Você sabe, querido, honestamente eu não posso me dar ao luxo no momento de...

— Eu sei. Tudo bem.

— Pode ser, talvez, uns trinta?

— Não, não. Não precisa.

Tentou com o irmão também, mas Luke, como sempre, foi evasivo.

— Eu tenho uns negocinhos que tenho que resolver por enquanto. E se você me pedir de novo em algumas semanas, hein?

De tempos em tempos Luke parece sentir impulsos fraternais súbitos em relação a Julius; aparece e o leva para uma volta em seu carro esportivo de motor barulhento, ou o faz entrar de penetra em algum evento corporativo num bar escuro e o apresenta quase agressivamente: "Este aqui é o meu irmão". Mas entre esses momentos há longos hiatos durante os quais Luke não vem visitar, não responde mensagens nem retorna ligações, e continua envolvido com os "negocinhos" que ele sempre "tem que resolver". Julius não sabe ao certo onde ele trabalha, algum lugar em Kent, algo a ver com carros. Ele usa correntes de ouro e casacos de seda com *jeans*.

Julius tentou arranjar emprego em outros lugares, indo para cima e para baixo na avenida principal depois da escola, com medo de ser visto por colegas de classe. Foi a sete lojas, a última uma loja de animais, com cheiro de feno e xixi de coelho, onde uma arara gritou para ele assim que ele pôs os pés para dentro.

Na quinta-feira, o nome de Julius foi lido em voz alta durante uma assembleia como um dos cinco escolhidos para representar a escola na Olimpíada de Matemática das Escolas de Londres, a Mathdown, em Kensington. Quando o diretor leu seu nome, piadinhas foram sussurradas por toda a sala e seus ouvidos ficaram vermelhos como brasas de carvão. Os professores, incluindo Clive Donald, olharam para os alunos numa tentativa não muito convincente de censura; a maioria deles acha que, para garotos dessa idade, assembleias compulsórias são perda de tempo. Julius captou o tom autoconfiante de Amy por entre as risadas e sentiu como se uma reação química tivesse acontecido dentro dele, e uma decisão tivesse sido feita.

Mesmo assim, quando acordou nesta manhã, achava que não ia fazer o que tinha decidido. Ficou deitado com o lençol cobrindo a cabeça enquanto Simone escaneava o preço de verduras no supermercado, Pippa se sujava de lama e Londres continuava sua vida. Ficou muito tempo no chuveiro, olhando sua rotunda barriga desaparecendo devagar por trás de manchas de vapor no espelho. A tarde passou rápido. Foi quase como se estivesse obedecendo a ordens que ele pegou a faca da cozinha, saiu de casa e começou a caminhada que termina agora, na chuva que piora, na estação de trem.

O coração de tambor de Julius bate num ritmo frenético. Ele tenta não soltar um pum, por algum tipo de orgulho diante de seus opressores ausentes. Seu estômago parece uma gaiola com um bicho se agitando lá dentro. Um trem vai chegar em sete minutos. Ele vai até o fundo da estação, para a saída que poucas pessoas usam.

Xavier está sentado na frente da TV, com uma almofada, há pouco arrumada nas costas. Num de seus toques finais Pippa alinhou os três controles remotos em ordem de comprimento na mesinha de centro. *O casamento de Muriel*, com Toni Collette, está passando em um canal; Xavier vê o filme durante uns dois minutos, lembrando-se do *hype* que fez que a Gangue dos Quatro acabasse vendo o filme no Cine Zodiac quinze anos atrás. Eles estavam com vinte e poucos anos, cheios de um cinismo fácil, e secretamente desejavam

ONZE

zombar do filme, mas no final ele fez Matilda chorar, o que fez com que Chris desejasse beijá-la ainda mais do que normalmente queria.

Ele passa por outros canais e decide ver uma partida de *rugby*. A ação é interrompida para que um jogador seja tratado de um machucado, e Xavier olha para fora da janela, que está brilhando — ele nem tinha percebido como ela estava suja antes —, para a chuva caindo na Bayham Road. Pensa em Pippa e se pergunta se não devia ter dado uma gorjeta, no final das contas.

Uma das notas de £10 que Xavier deu a Pippa foi propriedade, em vários momentos da sua existência de três anos, de uma dúzia de pessoas em Londres. Xavier a recebeu de troco do lojista indiano no início da semana. O indiano a recebeu como pagamento por um maço de cigarros das mãos de um inspetor de seguros que, por sua vez, a recebeu numa farmácia em Chelsea, para onde foi levada por um estudante, e a cadeia de proprietários londrinos vai até um corretor imobiliário, Ollie Harper, que trouxe a nota para a capital durante o verão, tendo se deparado com ela em Edimburgo, onde estava assistindo ao Festival.

Ollie está agora em um trem prestes a parar na estação que fica a um quilômetro e meio do número 11 da Bayham Road. Ele teve um dia difícil no trabalho, mas valeu a pena. Mostrou casas a oito compradores, e embora três ou quatro não valessem nada — você percebe na hora pela educação quase exagerada com que eles tratam o corretor —, dois eram promissores. Em um caso ele convenceu os compradores em potencial de que o apartamento já estava praticamente vendido, mas que "talvez haja uma chance ainda" se eles fizessem uma oferta na segunda-feira. Essa é uma tática comum, mas dava para notar que o casal de jovens acreditou; eles vão se casar logo e adoram a ideia de se mudar para o seu primeiro apartamento assim que voltarem da lua de mel. Ollie se lembra de se sentir assim com Nicola.

Nicola estará quase dormindo quando ele chegar em casa, apesar de serem apenas oito horas da noite; além das dez ela não aguenta. A gravidez não lhe dá enjoo, só cansaço, muito cansaço. Provavelmente haverá uma discussão por ele ter decidido trabalhar no sábado de novo, mas é assim que ele consegue uma vantagem sobre os colegas, é assim que suas vendas estão subindo até agora este ano, enquanto as dos outros descem. É assim que o bebê, quando nascer, terá um papai que tem um emprego seguro quando todos os outros estiverem perdendo o deles. Ollie imagina que vai ser um menino, embora secretamente gostasse de ter uma menina, uma versão pequenininha de Nicola, uma belezinha portátil. Só de pensar nisso ele sorri enquanto desce na plataforma da estação. Seu guarda-chuva se abre para protegê-lo da chuva. "O tempo tem andado muito ruim ultimamente", ele pensa, "mas pelo menos não está fazendo mais tanto frio". Ao contrário do punhado de passageiros que desembarcou aqui, ele anda na direção da saída mais próxima, mais escura, nos fundos da estação.

— Para aí onde você está e me dá o seu dinheiro — diz Julius.

Soam ridículas em voz alta as palavras que ele ensaiou falar centenas de vezes em sua mente, e ele percebe que a vítima pode não levá-lo a sério. No lusco-fusco, os dois olham um para o outro; Julius, dez anos mais jovem, mais assustado que o homem que está tentando assaltar.

— O quê?

— Me dá o que você tem aí.

Ollie aperta os olhos para enxergar o seu assaltante. O garoto é enorme. Se ele virasse e saísse correndo, com certeza escaparia. Mas pode haver outros.

— Ou senão o quê?

Julius está suando.

— Só me dá o dinheiro.

Ollie quer chegar em casa. Ainda não encara isso como um perigo, só uma inconveniência.

— Escuta, sai da minha frente, está bem?

— Me dá o seu dinheiro.

— O que você vai fazer?

Julius olha para o rosto impaciente e franzido de Ollie e tem a súbita certeza de que ele é o que Liam Rollin será em dez anos, que Ollie, na verdade, seria um dos seus algozes na escola, não fosse pelo fato de que nasceram com dez anos de diferença. Uma represa se arrebenta em sua mente e ele agarra o pulso de Ollie com violência, a outra mão puxando a faca de dentro do casaco. Ollie dá um grito de dor e surpresa. Ele leva a faca para perto do peito de sua vítima. A faca é quase comicamente grande, do tipo que você usaria para cortar um pão de casca dura, mas uma lâmina é uma lâmina, e ele consegue sentir o pulso de sua vítima se enrijecendo de medo.

A mão livre de Ollie começa a mexer nos bolsos. Ele tira um par de notas amassadas.

— É tudo o que eu tenho.

Julius não planejou nada depois desse ponto. Com certeza não quer ficar negociando o quanto ele recebe. Mas isso está longe de ser o suficiente. Ele acha que está ouvindo passos.

— Me dá mais.

— É tudo o que eu tenho, porra.

— Bom, me dá o celular então.

Ollie suspira e olha para Julius com o que ainda parece ser irritação. Mesmo agora, Julius percebe, com a faca, não se sente respeitado. Aperta o pulso de Ollie com mais força. Os olhos de Ollie vão e voltam da faca para o pulso, que está branco por causa da pressão. Finalmente ele desiste, lembrando-se de como uns anos atrás um advogado foi morto por um garoto de quatorze anos nesta mesma estação. Ele estende a mão livre e pesca o BlackBerry de dentro do bolso. Seus olhos se encontram por um segundo antes de Julius soltar Ollie e começar a correr para a outra saída, em passadas largas e desajeitadas, seus olhos arregalados como os de um personagem de desenho animado.

—Vou chamar a polícia, gordo filho da puta! — grita Ollie.

Julius se precipita, como um bonde desgovernado, pelos dezenove degraus da escada até o saguão principal da estação, passando pelos guichês fechados, até sair. Em pânico, larga a faca num arbusto perto da fila de táxis. Ele se arrepende disso na hora. O arbusto não é denso o suficiente para esconder a faca direito, provavelmente ela estará visível de dia, eles a tirarão dali e examinarão as impressões digitais, farão perguntas para todo mundo de algum jeito. Lutando por ar, seu corpo banhado de suor, Julius corre para casa, sem coragem de parar. Pela primeira vez ele mal tem consciência dos olhares surpresos ou divertidos dos casais passeando na rua quando ele passa por eles respirando alto. As notas amassadas se esfregam umas nas outras em seu bolso. Ele sente como se ninguém jamais tivesse feito algo tão mau quanto o que ele fez.

V

TRÊS NOITES DEPOIS, enquanto Murray e Xavier se dirigem ao público da metade da semana, Julius alterna entre se revirar acordado na cama e sonhar com interrogatórios e perseguições. Ele vendeu o BlackBerry por £100, sem que nenhuma pergunta fosse feita, em um lugar em Kilburn que vende com alegria produtos obviamente roubados. Junto com o dinheiro de Ollie, isso paga mais dois meses na academia, o que lhe dá um pouco de tempo para procurar um emprego. Sempre que um professor olha fixo para ele, ou que ele passa por um policial, Julius espera ser confrontado com provas do que fez no final de semana. Murmura frases desconjuntadas e aflitas enquanto dorme e agita os braços como se estivesse se defendendo de uma série de agressores.

— Continuando a nossa investigação sobre o... mundo das notícias — diz Murray.

Uma das estratégias de Murray para lidar com o problema da letra "M" é dar uma pausa breve antes da consoante problemática, e daí, depois de respirar fundo, passar por ela, e pelas sílabas seguintes, em um impulso só. Isso pode dar às sentenças uma cadência estranha, como as frases aos arrancos que as secretárias eletrônicas juntam a partir de fragmentos pré-gravados, mas é melhor — qualquer coisa é melhor — que seus sofridos avanços e paradas.

— E agora a nossa próxima história: nosso estimado líder se encontrará com o presidente americano esta semana. Eu tentei imaginar a cena na ca, na ca...

— Na Casa Branca — Xavier tenta ajudar.

— Exato. — A cabeça encaracolada de Murray sacode para cima e para baixo. Essa é a sua parte favorita do programa. — E eu imagino que seja um pouco assim.

Xavier olha através da janela para o estacionamento enquanto Murray faz uma má imitação de sotaque arrastado norte-americano. A silhueta magra da raposa que mora lá emerge de trás do coletor de lixo reciclável. Murray quase pisou na raposa na semana passada, quando saíam do estúdio; ela se tornou tão habituada à presença humana que, em vez de sair correndo, lançou aos dois um olhar tranquilo de desprezo, seus olhos pretos parecendo duas pedrinhas.

Além do alcance da vista de Xavier, a Londres noturna, a Londres paralela, está na metade do turno.

Na Bayham Road, os vizinhos de Xavier estão dormindo, embora Jamie vá acordar às seis da manhã e resistir a todas as tentativas de Mel, que mal consegue abrir os olhos, de o convencer a dormir mais uma ou duas horas em paz. Maggie Reiss, a psicoterapeuta, também está dormindo, ao lado do seu marido, corretor de ações; ela não foi incomodada por problemas gastrointestinais durante toda a semana. Alguns códigos postais adiante, Frankie Carstairs ainda tem uma cicatriz visível dos pontos que levou, os médicos dizem que vai sumir. A crítica pouco caridosa que sua mãe fez do Chico's mereceu o elogio de seu editor, que adora quando uma seção tão irrelevante quanto a "Comer Fora" consegue criar alguma controvérsia. Ollie Harper dorme ao lado da mulher, Nicola, grávida de quatro meses. Ele não contou do assalto — para que fazer um drama? O médico mandou que ela evitasse ficar nervosa. Ele arranjou um celular temporário na segunda, e vai demorar uma semana até que o seu BlackBerry seja substituído. O casal jovem fez uma oferta — e ele tem quase certeza de que não terão como pagar — pelo apartamento.

Murray se arrasta até o final de sua piada sobre líderes mundiais e avança para a segunda sátira de notícia que preparou, sobre um navio pirata somali que saiu nos jornais por fazer uma tripulação inteira refém em algum lugar do Oceano Índico. Xavier força umas duas risadinhas de encorajamento e espera ansioso pelo segmento oficial de notícias que, com

ONZE

o seu tempo preciso e não negociável, colocará fim a esse embaraçoso interlúdio cômico.

O professor de Julius, Clive Donald, está em seu quintal em Hertfordshire, olhando distraído as sombrias árvores nuas ao luar, que o fazem pensar em braços atravessando o solo, dedos tentando alcançar o céu. Mais cedo ele tomou um comprimido para dormir, que até agora não fez efeito. Também sob medicação, e viajando muito acima de Londres, está Andrew Ryan, o dono do restaurante, voltando de Hong Kong, onde perdeu umas duas mil libras nas corridas. Sua poltrona se reclina até virar uma cama, e pode ser completamente separada do resto do avião por uma cortina, mas esses confortos são inúteis para Ryan, que se nocauteou com duas pílulas antes da decolagem. Sem que nenhum passageiro saiba, o depósito de carga do avião contém o cadáver de um funcionário de alto escalão do governo, que morreu por causa de um derrame na semana passada. Enquanto isso, George Weir repousa placidamente no cemitério de Golders Green. Sua filha, uma funcionária da prefeitura que trabalha com segurança de trânsito, pôs flores novas em seu túmulo durante o final de semana.

— Este foram os... "Pensamentos do Murray", e se achou graça, escreva para cá e nos conte. Agora, os prazeres das notícias e do esporte.

— E depois do intervalo — diz Xavier — vamos querer que você nos conte sobre um momento que não sai de sua cabeça. Algo que você queria corrigir, se pudesse voltar no tempo. E pode até ser que a gente toque uma música sobre o tema.

Murray aperta um botão e a voz do locutor, cristalina e sem expressão, começa a ler as notícias.

— Bom trabalho — diz Xavier. — Aquele negócio dos piratas foi bom.

— É só algo que m—m—me ocorreu no caminho pra cá — diz Murray. — Café?

Quando Murray abre a porta com o ombro para sair, Xavier pensa: "Eu realmente devia impedir o Murray de fazer esses esquetes. Ou pelo menos encurtar tudo. Ou reduzir a frequência. Um por semana bastava. Dois por semana. Não toda noite".

Murray tem encontrado todo tipo de jeito de ignorar qualquer sugestão de acabar com a parte de comédia do *show*. Propõe ideias para "chacoalhar" ou "por mais sal". Eles moveram o segmento para mais perto do início do programa porque "o público estará mais descansado", e depois de volta à parte final porque "a audiência precisará de uma relaxada". Quando Roland, o produtor executivo, de vez em quando sugere que acabem com o segmento de uma vez, Murray sempre revira os olhos e os acusa de "subestimarem como uma boa gargalhada pode melhorar um *show*". Xavier não conta a ninguém sua opinião. Murray trabalha duro nas piadas, e muitas vezes chega com várias folhas A4 manuscritas, cheias de frases espirituosas rabiscadas em sua letra infantil, com a qual parece ter tanta dificuldade quanto com a fala.

Amanhã à noite, Xavier levará Murray à estreia de um filme em Leicester Square. O filme é estrelado por Nicolas Cage, que quer se vingar de alguém ou alguém quer se vingar dele; Xavier não consegue se lembrar muito bem dos detalhes do comunicado da imprensa. Foi convidado, a princípio, por *e-mail*, que depois foi seguido de um convite em papel brilhante que chegou pelo correio — um sinal de que os produtores não estão prevendo muito interesse da imprensa nesse filme e estão indo atrás de qualquer um que possa dar a eles uma citação, como os organizadores de uma festa lançando convites para círculos cada vez mais remotos de conhecidos casuais.

Murray serve o café na caneca do PODEROSO CHEFÃO de Xavier. Checa os *e-mails* recentes e mensagens de texto. Há poucas pessoas alegando ter "dado uma risada" na última parte do programa, e pelo menos duas descrevem uma reação contrária.

Murray ignora esses, como sempre, com um sorriso bobo.

— Tem uns caras que nunca relaxam.

A meia hora seguinte não é nem um pouco condizente com relaxamento: os ouvintes falam da "única coisa que eles mudariam na própria vida". Um homem diz que nunca devia ter abandonado sua esposa, que depois disso ganhou na loteria.

— Mas se você só ficasse com ela pelo dinheiro... — Xavier o consola.

— Não, eu acho que a amava de verdade — lamenta-se o ouvinte.

— Então por que você a deixou, se eu posso perguntar?

— Porque eu sou uma besta — o ouvinte responde com simplicidade.

Há outras pessoas que abandonaram a faculdade ou nem deviam ter começado; recusaram um bom emprego ou foram destruídas por um emprego terrível durante trinta anos; perderam a última chance de se despedir de alguém que amavam. Os arrependimentos borbulham pela cidade, desde os seus vários guardiães até o ponto de encontro no estúdio no oeste de Londres. Há reminiscências mais leves, também: alguém em Belsize Park só deseja que nunca tivesse comprado sua torradeira.

— Se essa é a pior coisa da qual você se arrepende... — Xavier argumenta.

— Não falei que era a pior. É só a que eu estou contando pra você.

— Bom, tudo bem, e talvez eu não conte a minha pior, também. Mas esta aqui é uma das minhas.

"O silêncio cheio de expectativa quando Xavier começa uma história", Murray sempre pensa, "pode ser ouvido no estúdio com tanta clareza como se todos os ouvintes estivessem sentados, absortos, na mesma sala".

— Eu tinha perto de onze anos, e a gente estava de férias na praia. Eu tinha um tipo de barquinho, no formato de um peixe grande, no qual estávamos eu e o meu pai flutuando no mar. De repente, um garoto da minha idade tentou entrar no bote.

"Meu pai estava tentando fazer com que ele fosse embora. O garoto ficava dizendo: 'Tem lugar pra mim? Tem lugar pra mim?' e olhando pra gente com uma expressão de súplica. Parecia que ele não tinha pai nem ninguém com ele. Eu não sabia o que fazer, estava paralisado, mas o meu pai o mandou embora de um jeito bastante duro. Ele ficava gesticulando 'sai daqui'. E depois de algum tempo esse menino acabou nadando pra longe, parecendo muito magoado, ou só desapontado, como se quisesse muito entrar naquele peixão. Depois que ele foi embora, meu pai disse que o garoto devia ter algum problema mental. 'Não tem como ajudar uma pessoa dessas', ele disse.

"Meu pai não era uma má pessoa, ele só... ele não entendia as outras pessoas muito bem. Enfim: se eu pudesse voltar no tempo, eu pelo menos tentaria convencê-lo a deixar o menino entrar a bordo. Às vezes me pergunto onde ele está."

—Talvez se afogou! — Murray começa a soltar, de brincadeira. Ele faz isso para aliviar a tensão do momento, mas é um erro terrível.

Xavier, rápido como sempre, conserta tudo, antecipando a frase e bloqueando-a com sua própria, como um goleiro instintivamente abafando uma bola com o corpo.

— Mas vamos alegrar o ambiente... algum arrependimento mais bobinho que o da torradeira? Obrigado ao Nigel por compartilhar isso com a gente, e nós vamos ouvir mais casos depois disso aqui: a música que vocês todos vinham pedindo.

—Você está ouvindo a *Linha da Madrugada* — diz Murray, redundantemente, sentindo-se grato pelo que Xavier fez. Os acordes bem trabalhados de uma conhecida balada *soul* emerge dos autofalantes. Murray se estica e dá um tapinha na mão do parceiro como agradecimento. Xavier está surpreso consigo mesmo por ter contado a história: um episódio no qual não havia pensado, tanto quanto lembrasse, em muitos anos. Quando olha através da janela de novo, pode ver, nítido como uma fotografia, o rosto preocupado e suplicante do menino, e seus ombros rígidos e tristes de quando ele se virou de costas e nadou para longe.

Na noite da estreia do filme está garoando em Leicester Square e o tapete vermelho parece gasto e úmido nas bordas, enquanto um time dos melhores astros disponíveis anda obedientemente em cima dele, posando, com os braços em volta de seja quem for, para os disparos sucessivos dos fotógrafos. Há uma modelo, o vencedor recente de um *reality show*, um apresentador de programa de variedades; não muitas pessoas, de fato, do próprio filme.

O diretor está lá, com sua namorada muito mais jovem e uma barriga que se impõe por entre o *smoking* como alguém mostrando o traseiro por uma brecha nas cortinas.

Enquanto Xavier espera por Murray perto da entrada marcada, com otimismo, pelas letras VIP, sua mente volta irresistivelmente a outra estreia, anos atrás, no Cine Zodiac. Era um filme de arte que todos queriam ver sobre um órfão, filmado na região e exibido em Melbourne. A Gangue dos Quatro havia conseguido ingressos por serem fregueses leais do Cine Zodiac. O diretor, um homem bonachão que usava uma barba de tio, sentou

ONZE

duas fileiras na frente deles. O cinema havia sido construído antes que os confortos ergonômicos dos *multiplex* de hoje tivessem sido sequer sonhados; as fileiras eram apertadas e a intimidade entre os frequentadores era uma das coisas que dava ao lugar uma atmosfera mais intensa.

Com o filme prestes a começar, Matilda deu um tapinha no joelho de Chris.

— Ei. Olha.

Ela apontou para o diretor na frente deles.

Ele estava aparentemente num estado de ansiedade notável. Secava sem parar as mãos suadas no colo, sacudia as pernas para cima e para baixo, e olhava para a esquerda e para a direita como se estivesse se escondendo de um inimigo. Uma hora ele se virou para trás na cadeira para ver a sala toda, e seus grandes olhos alarmados se fixaram nos quatro, durante um momento desconfortável, como se pedisse ajuda.

— Porra! Ele deve estar mal! — observou Matilda, num sussurro desajeitado.

Chris revirou os olhos e a cutucou nas costas, caso o diretor a tivesse escutado.

— Está só nervoso. Imagina fazer um filme e todo mundo saber que é seu. Bom, imagina fazer um filme, em primeiro lugar — disse Russell.

— Mas ele parece exageradamente preocupado mesmo — contribuiu Bec.

— Com exageradamente você quer dizer... — Matilda começou a falar, mas nesse momento as luzes diminuíram.

Logo descobriram uma explicação possível para o nervosismo do diretor, porque o filme, do qual tanto se esperava, acabou sendo terrivelmente lento e chato. À medida que as cenas se arrastavam, o desapontamento da audiência, há tão pouco tempo excitadíssima, era quase palpável. De tempos em tempos, Chris lançava um olhar para a figura curvada do diretor. Seus movimentos haviam ficado menos frenéticos, mais resignados; descansou a cabeça nas mãos uma vez e várias vezes sacudiu a cabeça, como se incapaz de acreditar no que estava vendo.

Perto do final — ou pelo menos eles esperavam que estivesse perto do final, mas, além de tudo, o filme era muito comprido — um trecho de diálogo especialmente mal escrito causou uma risada incrédula em parte da plateia. O diretor levantou do seu assento num movimento brusco e abriu caminho entre uma fileira de pernas até a lateral do cinema. Enquanto ele saía apressado, a Gangue dos Quatro pôde ver que ele estava chorando.

Os amigos trocaram olhares consternados. Chris sentiu um impulso súbito de ir atrás do homem, embora não tivesse ideia do que esperava fazer se o encontrasse. Deixou uns dois minutos passarem e daí, o mais discretamente possível, saiu do lugar.

É claro, não havia como escapar à atenção de Matilda. Seus olhos se arregalaram de surpresa: Chris quase nunca havia, tanto quanto qualquer um se lembrasse, perdido um segundo de um filme.

— Aonde você está indo?

— Ao banheiro.

Ela não acreditou, e ele sabia disso, mas abriu caminho até o final da fileira e de lá para o saguão, em cujas paredes de um vermelho escuro viam-se penduradas fotos autografadas de astros da MGM mortos havia muito tempo. Depois de uma breve inspeção do saguão, Chris foi ao banheiro e encontrou o diretor, inclinado como se estivesse bêbado, apoiando a cabeça no secador de mãos.

— Tudo bem? — perguntou Chris depois de algum tempo, sem saber o que mais dizer.

O diretor se virou para olhar para ele com os olhos cheios de lágrimas, pareceu pensar na pergunta, e depois afirmou, com decisão:

— O meu filme é um monte de merda.

O desejo de Chris de consolar o homem lutou contra a sua integridade de frequentador de cinema. A compaixão venceu.

— Eu achei bastante bom.

— Você só está falando por falar — protestou o diretor, e depois, com uma explosão de fúria, repetiu isso num grito raivoso e sem alvo: — Você só está falando por falar!

Ele bateu com a mão espalmada no secador de mãos, o que teve o efeito infeliz de ligar a máquina e cobrir com barulho a parte seguinte de sua lamúria. Quando a máquina se aquietou, Chris chegou mais perto do homem e pôs a mão gentilmente em seu ombro. O diretor se virou e de repente abraçou Chris, desesperado, afundando a cabeça no peito dele e continuando a chorar.

— Cem mil dólares. Dezoito meses, porra. E o filme não presta. Não presta. Eu sabia que ia ser assim.

Chris, sabendo que o filme estava prestes a acabar no auditório, rapidamente guiou o aflito *auteur* para fora do banheiro e — agindo por instinto — escada acima para a cabine do projecionista.

— Este é o único lugar em que você pode ter alguma privacidade — explicou Chris, que costumava subir ali fazia tanto tempo que sabia os nomes de quase todos os funcionários.

O grande homem, tão frágil quanto uma criança, o seguiu. O projecionista, de camiseta preta e cabelo liso e comprido, olhou com surpresa e irritação quando ouviu passos se aproximando, mas relaxou quando viu o rosto familiar de Chris, voltando a ficar surpreso ao se deparar com o diretor.

— Ele está deprimido por causa do filme — explicou Chris. — Estou tentando falar para ele que está tudo bem.

— É um monte de merda — resmungou o diretor.

— Na verdade é "exibível" — decidiu o projecionista, querendo ajudar —, só não é o filme que poderia ter sido.

Logo depois disso, uma vez que os créditos já tinham passado e os aplausos desanimados acabado, o projecionista desceu para organizar os preparos da festa que estava planejada. Chris ficou com o diretor, que a essa altura havia parado de chorar e estava olhando, com um misto de tristeza e alívio, para o auditório fantasmagórico e vazio lá embaixo, e a tela vazia onde seu trabalho desapontador havia sido exibido.

— Está vendo — disse Xavier —, no final, está tudo bem. É só um filme.

— Claro — concordou o diretor, fungando. — Eu ainda faço outro.

Ficaram lá sentados por uns bons minutos em silêncio, o braço de Chris no ombro do diretor. O diretor pensava que tinha feito um papel ridículo, Chris pensava que Matilda devia estar se perguntando onde ele tinha ido. Mas ela havia adivinhado e, quando ele desceu da cabine do projecionista com o diretor, agora envergonhado, a reboque, seu rosto se desanuviou e assumiu seu sorriso característico — de algum modo sentimental e sabido —, cujo significado ele conhecia muito bem.

O final de semana seguinte foi cheio de alegre e entusiasmado sexo; quando ele chegou no sábado à noite, ela atendeu a porta nua, ficando parada ali por alguns momentos à vista de quem passasse, e o levou ao quarto, cruzando os braços dele atrás das costas, sem dizer uma palavra.

A memória do rosto de Matilda, aquela coluna trêmula de pintas, e as pintas mais escuras que repetiam o mesmo padrão da barriga às coxas, causa nele um estranho híbrido de eletricidade sexual, saudade e algo parecido com luto. "Para com isso", ele diz a si mesmo, procurando com os olhos pela figura deselegante do amigo em toda Leicester Square. "Seja homem."

Quando Murray finalmente chega, exatamente um minuto antes do horário programado para o começo do filme, ele está não só esbaforido e suado, mas usando uma gravata vermelha. O evento é de *black tie* — mesmo uma estreia modesta tem de exigir algum rigor — e todo mundo está usando gravata-borboleta.

Xavier faz uns gestos de desconsolo.

— Mas que porra...?

— Não achei a gravata-bo-borboleta.

— Não dava pra alugar?

— Eu não sabia que não tinha uma.

— E daí você escolhe uma gravata vermelha? Não uma preta, digamos?

— Achei que qualquer gravata seria melhor que nenhuma.

— Não. Gravata vermelha é *pior* que nenhuma. Porra, gravata vermelha! — Xavier sacode a cabeça em uma combinação de desagrado e afeição relutante. — Toma, usa a minha.

— Como eu ponho?

Os dedos grossos de Murray se atrapalham com o objeto delicado como se fosse uma morsa tentando usar um celular.

— É de clipe, Murray. É só prender.

Há um anúncio: a projeção vai começar. Xavier puxa Murray pela lapela e ajusta a gravata, depois o segura pelo braço e o guia até o auditório.

ONZE

Alguns passos para dentro da sala pouco iluminada, onde se ouve um modesto murmúrio de expectativa, Murray vira para pegar uma taça de vinho em uma bandeja e causa um engarrafamento dos atrasados, bloqueando as portas principais. Essa aglomeração ainda não terá se desfeito completamente quando as luzes se apagarem para o começo do filme.

O filme é "assistível", mas inócuo, mais ou menos como todos esperavam. No final há um trinado em massa, como o canto de passarinhos eletrônicos no nascer de um dia, quando centenas de celulares são ligados ao mesmo tempo. Quando chegam na recepção há uma longa fila no bar gratuito, e Murray vai lá enfrentá-la. Xavier está observando o relações-públicas do filme flertando com jornalistas quando alguém o puxa pela manga. É a produtora de TV que ele conheceu no Natal. Hoje, como então, ela se apoia em um par de sapatos cujos saltos são altos e finos como um lápis — "Deve ser como usar as garras de um caranguejo", pensa Xavier. Sua mão sem champanhe agarra a de Xavier e ela se inclina para um beijo no rosto, que ele se sente obrigado a dar.

— Como vai tudo? — ele pergunta por polidez.
— Estou ótima. Veio com quem, uma namorada...?
— Não, eu vim com um amigo — ele diz, apontando para o bar.

A mulher — ele nunca lembra seu nome, é algo como Hannah ou Hayley — dá uma olhada por cima do ombro e, como se por educação, abafa uma risada à custa do suado Murray, cuja gravata-borboleta está toda torta, enquanto ele, com um copo em cada mão, se estica todo entre duas garotas magrinhas usando vestidos decotados.

— O seu parceiro.
— É.
— Ainda está gostando do *show* de rádio?
— É divertido.
— Fico feliz por você — ela diz. — Bom, quando estiver se sentindo pronto pra seguir em frente, não esquece, é só me mandar um *e-mail*. Eu tenho falado com algumas pessoas sobre você.
— Vou sim.

Xavier pede licença quando Murray retorna.

Ela saca o BlackBerry dela — pessoas em toda a sala estão fazendo isso ao mudar de um grupo para o outro, como se o aparelho tivesse instruções dizendo aonde ir — e vai embora em suas pernas de pau, puxando a manga de outra pessoa enquanto Murray dá a Xavier uma taça de vinho.

— Aquela é a Hannah Woodrow? — Murray olha para a mulher em miniatura, já absorta em outra conversa.

— Sim.

— Do que é que vocês estavam falando?

— Só sobre o filme.

— Eu devia tentar falar com ela. Ela é um bom contato pra se ter.

— Como assim, contato? Pra quê?

Murray encolhe os ombros.

— Nunca se sabe. É sempre bom ter opções. Que-que-quer dizer, por enquanto o *show* é perfeito, mas a gente tem que pensar em longo prazo.

— Talvez.

Murray mexe na gravata, que não lhe cai bem.

— Se concentra só no *show*. Deixa o plano comigo. Já estou nesse jogo faz um tempo.

Xavier o observa se movendo, pesado, para a periferia do novo grupo da produtora, onde ele espera com a mão pronta para apertar a dela, como um caçador de autógrafos querendo falar com uma estrela na rua. Xavier se surpreende ao perceber que está pensando em Pippa. "Onde ela está neste momento, o que está fazendo?" Vendo tevê, ele acredita, ou talvez saiu com a irmã; ela parece o tipo de pessoa que consegue trabalhar o dia inteiro e depois sair às quatro horas da manhã. Ela pode estar fazendo qualquer coisa — correndo no escuro, participando de uma dança folclórica, posando nua para estudantes de arte, tocando um *kazoo*, nada o surpreenderia. Mas, também, ela poderia estar relaxando. Ele a imagina rapidamente na banheira, seus joelhos cor-de-rosa se erguendo de modo imponente em meio a uma nuvem de espuma, e de novo se surpreende com si mesmo. Ergue a mão para afrouxar a gravata, mas ela não está lá. Murray, com a gravata de Xavier largada no pescoço, ainda está no canto de uma conversa, seu sorriso desabando pelas bordas.

ONZE

Ollie Harper passa o próximo dia útil lidando com irritações. Seu celular substituto tem um teclado impossível, e, é claro, não contém nenhum dos telefones de seus clientes, por isso ele passou boa parte desta semana só recuperando o terreno perdido. Ele espera que alguma coisa ruim aconteça com o gordo de bosta que roubou seu BlackBerry. Seu único consolo tem sido paquerar por mensagem de texto sua colega Sam, que senta do outro lado do escritório, mexendo no cabelo o dia todo, atendendo ao telefone — "Alô, Frinton?"— e extraindo de quem telefona detalhes de sua vida pessoal. É uma regra da Frinton que cada pessoa que telefona, independentemente do motivo do contato, seja registrada num arquivo de dados com seu número de celular e, se possível, endereço de *e-mail*, onde receberá detalhes de propriedades disponíveis durante anos. "Mesmo que eles não comprem ou aluguem nada com a gente dessa vez, vai haver uma próxima", dizia Roger, o chefe, com frequência entediante. "Ele é tão obcecado com o arquivo de dados", pensa Ollie, "que ficaria feliz se nunca mais fizessem uma venda, desde que tivessem os *e-mails* de dez mil pessoas".

Hoje de manhã Roger falou com a equipe, do jeito artificial dele, sobre motivação. Com os "atuais problemas financeiros enfrentados pelo globo" — como ele disse pomposamente —, todo mundo tinha de trabalhar em dobro, mas ele estava com a impressão de que algumas pessoas estavam trabalhando *pela metade*. Ele olhou diretamente para Ollie quando disse isso.

Ollie nunca gostou de Roger e a antipatia é, ele imagina, mútua. Roger tem mau hálito, como se tivesse comido anos atrás alguma coisa que ainda assombra sua boca; é baixo, está ficando careca e não tem charme. Ollie e Sam vêm falando mal dele um para o outro no telefone durante anos, insultos que têm ficado cada vez mais pesados por causa do aumento do nível de tensão sexual entre eles. Ollie sabe que Nicola, grávida, em casa, ficaria chocada se soubesse que ele manda compulsivamente mensagens para outra mulher, mas, na verdade, ela tem sorte, ele pensa; se ele não estivesse descarregando dessa forma, estaria transando de verdade com outra pessoa, como metade dos seus amigos, como a maior parte dos homens privados de sexo em um relacionamento de longo prazo.

Sam usa saias curtas e meias-calças coloridas, vermelhas, ou mesmo roxas às vezes, uma escolha excêntrica para os padrões de uma corretora imobiliária bem-sucedida. De tempos em tempos Roger tenta, sem muita convicção, fazer com que ela se vista de maneira mais conservadora, mas é uma batalha para a qual ele não tem estômago.

Embora ele se considere um corretor ligeiramente melhor do que ela, no geral — e os números confirmam essa opinião —, Ollie tem de admitir que Sam é muito boa, e ela só está no ramo há uns dois anos. Sua técnica ao telefone é excelente (é quase impossível terminar uma conversa com ela sem deixar detalhes para o arquivo) e ele é capaz de apostar que ela é boa ao mostrar as propriedades também, persuasiva sem que pareça estar forçando a venda, nunca deixando uma porta fechar: "Bom, se você mudar de ideia... Bom, se você quiser ver de novo... Eu, por acaso, fiquei sabendo que eles aceitam vender por muito menos...", usando todas as táticas de corretores que as pessoas acham que já conhecem, mas que funcionam neles mesmo assim.

E é uma boa companheira de mensagem de texto. Ele gosta de ver seus olhos piscarem de prazer ao olhar para a tela do celular, mesmo enquanto ela usa uma voz grave para aplacar um vendedor desapontado em seu telefone de mesa. Gosta da expectativa em que fica quando os dedos dela passeiam agilmente pelas teclas, mandando uma resposta que aterrissa, dez metros adiante, em sua tela. De certo modo, Roger estava certo em fazer um sermão — eles provavelmente *podiam* estar trabalhando mais —, mas é estilo que vende casas num mercado como esse, não só esforço.

O telefone toca.

— Frinton, Ollie falando.

É alguém ligando para saber a respeito de uma das propriedades na vitrine, um bom lugar com duas vagas de garagem e um jardim razoável, na verdade vendido algumas semanas atrás, mas mantido na vitrine na esperança de atrair as pessoas que passam na rua, que por sinal anda um tanto parada, para outras possíveis compras.

— Deixa eu dar uma olhada. — Ollie finge procurar um papel em sua mesa. — É, na verdade essa já foi vendida, infelizmente. Mas nós temos outros lugares que são muito...

A ligação é interrompida. A pessoa já ouviu esse papinho antes. O invisível quase-cliente escapa do arquivo de dados. Sam, que também está ao telefone, ergue as sobrancelhas em simpatia, mas o clima é imediatamente quebrado por Roger, que está parado atrás dele.

— O que você tem que fazer, Ollie, nesse tipo de situação — diz Roger —, é ser mais proativo. Peça que eles venham pra cá falar com você sobre a propriedade. Quando eles estiverem aqui, *daí* você diz pra eles: "Ah, já foi vendida, mas temos mais estas aqui". Fica muito mais difícil pra eles saírem sem nada se já estão sentados bem aqui.

— Obrigado, Roger — diz Ollie no que espera que seja um tom de sarcasmo —, você é muito sábio.

O telefone grita para ele de novo.

— Alô, Frinton. Rua Briars? Deixe-me dar uma olhadinha. É, essa já foi vendida. Mas nós temos uma outra com itens parecidos. — Para o diabo com Roger; Ollie vai fazer isso do seu próprio jeito. Desta vez a pessoa está interessada, Ollie consegue perceber. — Então vamos começar com umas poucas informações? Posso saber o seu nome?

É simples e rápido, quando essa mudança na conversa funciona, de modo que a pessoa que telefonou em busca de informação acaba achando natural fornecer algumas. Depois disso, fica fácil. Ollie consegue dizer o que tem de dizer sem usar o cérebro, que no lugar disso é usado para digitar uma mensagem para Sam no teclado de merda do telefone substituto que ainda tem de usar. *"Se ele vier e respirar perto de mim de novo, juro que vomito..."*

Ele vê o celular de Sam se iluminar por um segundo, e consegue notar em seus olhos cinzas que a mensagem a diverte. "É esse tipo de coisa que você sente falta quando se casa", ele pensa, "fazer alguém sorrir, ver alguém reagir a truques que a sua mulher já viu umas mil vezes. Emoções novas em folha, a crueza disso tudo". Chega uma mensagem dela. *"O bafo dele é uma coisa, parece que ele comeu bosta!"*

Ollie quase ri disso, mas consegue manter o tom neutro.

— Certo, e posso pegar seu *e-mail* para mandar as informações? E daí a gente já fala sobre suas necessidades específicas.

Ele continua a partir da última mensagem dela. *"Talvez seja disso que ele gosta... algumas pessoas gostam..."* Por algum motivo lhe dá prazer que eles escrevam as palavras por inteiro, sem abreviações, sem *emoticons* idiotas e imagens; dá uma qualidade real ao flerte, faz que não pareça coisa de adolescente. Ele vê Sam sorrir e começar a digitar a resposta. Espera que ela continue o assunto das perversões, mas ela só escreve: "*Você vai me fazer vomitar! Coitada da mulher dele!*".

— Ok. Então você está disposto a pagar, idealmente, perto de £ 250 mil. Agora vou lhe perguntar uma coisa. Se eu encontrar a sua casa *ideal* — a casa dos seus sonhos mesmo —, até onde você pode ir? Duzentos e sessenta? Duzentos e setenta e cinco? Só pra me dar uma ideia dos parâmetros.

Ollie está com o bocal do fone preso debaixo do queixo. Ele está escrevendo as informações do cliente com um dedo e tentando compor uma nova mensagem para Sam com a outra mão, embora primeiro ele tenha de ler uma mensagem de outra pessoa. Lamenta mais uma vez esse celular provisório estúpido, com esse negócio supostamente inteligente de completar as palavras, esse sistema confuso de *menu*. "*Se você fosse a mulher do Roger a culpa seria sua de não cair fora assim que sentiu o bafo dele...*"

O cliente está ficando levemente arisco — isso vai demorar muito tempo? Enquanto faz descer com o dedão a lista provisória dos seus endereços, Ollie é obrigado a prestar atenção na conversa de novo.

— Está certo, David, escuta, ao invés de eu ficar aqui fazendo perguntas pra você pelo telefone, que tal se a gente marcar um horário pra você vir aqui e...

Seu coração dá um pulo. Parece por um momento que ele saiu do lugar e está pulando por aí como uma peça solta numa máquina.

Ele mandou a mensagem sobre Roger *para* Roger.

Ollie termina a conversa o mais rápido possível e pousa o bocal. Suas mãos estão tremendo. Sam percebeu a mudança em seu rosto. Ollie mexe no celular sem saber o que fazer, essa porcaria de celular de merda cujo funcionamento estranho fez que ele se confundisse e tivesse esse desastroso curto-circuito cerebral. E a mensagem foi com o seu nome, sem ambiguidades; nem o Roger vai deixar de entender. Ollie se xinga, xinga o telefone, xinga a porra do gordo que roubou o seu BlackBerry, xinga Roger, Sam, Nicola, mas xinga principalmente a si mesmo.

Ele pensa desesperado em roubar o celular de Roger. Um deles poderia distraí-lo enquanto o outro rouba o celular e apaga a mensagem, mas não, o celular estará no bolso de Roger como sempre, a porra do bolso da calça, essas calças que são um pouco curtas demais e vão subindo até mostrar vislumbres de suas canelas brancas e fininhas, a mensagem está em seu bolso agora mesmo, é uma bomba-relógio. Ollie sente que vai vomitar. Molha os lábios com sua língua subitamente seca e se pergunta se há alguma maneira miraculosa de se safar dessa.

Xavier acorda com um berro estridente de Jamie lá embaixo às nove e meia da manhã de sábado, e vai comprar algumas coisas na loja da esquina, além de uma variedade de chá, caso Pippa revele alguma preferência por menta ou algo assim. Não tem certeza se só está tentando ser um bom anfitrião ou querendo diverti-la com formalidades. Volta para casa e começa a pré-limpeza superficial, mas a verdade é que não há muito que precise ser feito: no decorrer de suas poucas visitas o apartamento chegou ao ápice da arrumação. Isso faz que se pergunte, claro, se precisa mesmo que ela venha todos os sábados. Ele não consegue lembrar ao certo como isso virou a rotina estabelecida que parece ter virado.

 Por volta das dez para o meio-dia, a campainha toca. Xavier pausa. Estava prestes a colocar uma camisa ligeiramente menos amassada do que a que está usando. Ela sempre parece chegar um pouco cedo ou um pouco tarde. Mas quando ele chega à porta, não é a Pippa. Outra mulher está lá, com um bronzeado artificial, de camiseta preta, com algum tipo de crachá com foto no pescoço e uma prancheta na mão.

 — Oi — começa ela. — Eu queria tomar só uns minutinhos do seu tempo para pôr você a par de uma ótima maneira de ajudar as pessoas menos privilegiadas que você. Já pensou em ajudar as pessoas menos privilegiadas que você?

 — Uh... — diz Xavier.

 Ao sair da Universidade de Melbourne ele havia começado a ajudar uma criança em Gana, pagando £25 por mês, mas isso acabou parecendo um gesto insignificante, uma gota no oceano, de modo que por algum tempo ele também deu £30 mensais para um asilo de mendigos, e depois foi lá trabalhar como voluntário com Matilda em alguns sábados. Isso, por sua vez, o levou a trabalhar para uma ONG dedicada à Aids, e assim por diante, por alguns anos — cada gesto de boa vontade só fazendo o ainda impressionável Chris enxergar quantas causas mais necessitadas haviam por aí. No final, um período de dificuldades financeiras pôs fim a essas responsabilidades caridosas, e agora ele se lembra de tudo com um pouco de embaraço.

— Eu estou um pouco... Eu acho... Prefiro não... — hesita Xavier.

A voluntária, com sua pele brilhante e olhos suplicantes, foi treinada para esperar reações frias; na verdade, sua conversa foi planejada para usar isso.

— Ah, mas eu sei o que você está pensando: o dinheiro está curto no momento, preciso pensar em mim mesmo em primeiro lugar...

Xavier tem a impressão desconcertante de que a garota mal está consciente das palavras que está dizendo, como uma colegial recitando muito rápido um trecho de Shakespeare na peça da escola.

— Não é isso não, é só que...

Com o canto do olho Xavier pode ver Mel descendo a rua, com Jamie parando para pegar alguma coisa suja na calçada, indiferente às ordens dela. Ela desacelera ao se aproximar da porta de entrada. Xavier está agora com Mel de um lado, a moça da instituição de caridade bem em sua frente e Jamie zanzando em volta, jogando seu novo brinquedo — uma folha — em sua frente, abaixando-se para pegá-lo e jogando no ar novamente.

— Não vai pra rua, Jamie — diz Mel.

— Mas, enfim, o que eu queria dizer pra você hoje — a voluntária tenta resumir.

— Desculpa, estou interrompendo? — Mel pergunta a Xavier.

— Na verdade, isso é algo que pode te interessar também — diz a garota, direcionando o facho dos seus olhos sobre Mel. — Eu estava conversando aqui com este senhor, não sei o seu nome ainda.

— Xavier.

— Eu estava falando para o Xavier sobre uma ótima maneira de ajudar...

— JAMIE, OLHA A RUA — grita Mel, sua voz áspera. Ela se vira para a garota. — Olha, desculpa, mas acabei de ter que vender alguns livros dele no eBay por cinquenta centavos cada. — Ela aponta para Jamie. — Acho que não vou poder.

— Ok, não tem problema não — diz a garota com pressa; ela já decidiu que tem de se concentrar em Xavier. Ela volta para ele. — Então seria possível eu entrar para contar mais um pouco sobre isso?

Xavier fica lá, irresoluto.

— Eu... uh...

No alto da ladeira aparece Pippa de bicicleta, seu vestido floral estendido para os dois lados enquanto suas fortes pernas param de pedalar para aproveitar a descida. Os três se viram para observá-la. O vestido, com seu padrão de margaridas sobre um fundo verde, foi comprado pela avó de Pippa em Kings Road em 1956, durante o que acabou sendo sua única visita a Londres. Pippa usa um capacete preto, mas mesmo isso parece algum tipo de antiguidade: é comicamente, desajeitadamente grande, apoiado em sua cabeça como um ovo de dinossauro; embaixo dele, os cachos de seus cabelos esvoaçam. Ela força a bicicleta a fazer uma freada desafinada, salta com agilidade e observa o grupo junto à porta.

— Só Deus sabe por que eu uso essa bicicleta com os meus joelhos do jeito que estão — diz Pippa para ninguém em particular, e daí para todo mundo: — Mas o que é que acontecendo aí?

— Eu estava só contando para o pessoal sobre uma ótima maneira de ajudar... — a garota começa de novo, com alguma insegurança — tudo ficou mais complicado do que ela imaginava.

—Você está tentando fazer eles doarem pra alguma coisa? — pergunta Pippa, tirando o capacete. Seu cabelo é um emaranhado de palha, suas bochechas coradas por causa do passeio.

— Bom, o que a gente costuma fazer... — diz a garota, hesitando diante dessa mulher alta e de seios grandes, que alisa o vestido e olha direto para ela com seus olhos azuis-claros.

Pippa aponta para Xavier.

—Você quer assinar ou não?

Xavier transfere o peso de uma perna para a outra.

— Eu não estou completamente, hmm...

— Ok — Pippa se volta para a voluntária. —Vocês têm um *website*?

— Nós temos — diz a garota —, mas...

— Ok — Pippa diz de novo. — Ele vai dar uma olhada no *site* e entrar em contato se ele quiser doar alguma coisa, que tal assim?

A garota já está olhando para a porta seguinte, a rua seguinte; esta já deu muito trabalho. Ela diz depressa o endereço do *site* e vai embora, prancheta debaixo do braço, enquanto Pippa conduz Mel, Jamie e Xavier para dentro.

— Obrigado — Xavier murmura. — Não sou muito bom com esse tipo de pessoa. É difícil falar não.

— Não é *tão* difícil — diz Pippa.

— É, bom, pra você pareceu fácil.

— Não esquece as suas cartas. — Pippa se abaixa para pegar algumas cartas no chão; Xavier olha durante um segundo a silhueta de suas largas coxas debaixo do vestido *vintage*. — Honestamente. Não sei como você se vira quando eu não estou aqui.

Eles bebem chá na sala. Pippa acaba com o dela em três goles.

— Dá sede andar de bicicleta.

— Como foi a sua semana? — pergunta Xavier, trazendo a chaleira para encher de novo a caneca dela.

— Ah, teve seus altos e baixos. Minha irmã está doente, então eu tive que cuidar dela, e a minha mãe está chateada por causa do meu tio, que é um filho da puta. Mas foi tudo bem. — Ela olha para Xavier por cima da borda da caneca. — E aí, ela está apaixonada por você?

— Desculpa?

— A garota do andar de baixo, do menino maluco.

Xavier sente seu rosto ardendo, mas não se vira; ele não quer que essa ideia ridícula ganhe crédito por causa de sua reação. — A gente mal se conhece.

— Ela olha pra você com uns olhos de cachorrinho — Pippa observa, com frieza. — E ela falou de você com carinho quando eu peguei o aspirador emprestado aquela vez. Já vi isso acontecer de monte com mãe solteira. Mas, enfim, não é da minha conta, querido.

— Eu acho que não... Quer dizer, ela parece simpática — diz Xavier. — Acho que não somos do tipo um do outro.

— Qual o seu tipo?

Ele pega a caneca vazia das mãos dela, que tilinta ao se juntar com a dele.

— Não sei. Nem tenho certeza se as pessoas têm "tipos". Minha última namorada, na Austrália, era meio que... Eu provavelmente não devia usar a expressão "minha mulher ideal", mas esse tipo de coisa.

— Como ela era?

Xavier se surpreende com o quanto é fácil entrar em uma discussão íntima com Pippa; algo em seu estilo brusco de fazer perguntas o lembra dos australianos, talvez.

— Ela era... Sei lá. É difícil descrever. A gente se conhecia desde a escola, desde os nove anos de idade, então eu quase não parei pra pensar em como ela era.

— Bom, me conta cinco coisas sobre ela. Daí eu começo a limpeza.

— Ok. Ela era, bom, muito boca suja. Sempre falando palavrão.

— Pior que eu?

Ele sorri.

— Mais ou menos a mesma coisa. Mas quase bruta, de modo geral. Do tipo, nós tínhamos uns amigos, Bec e Russell, que estavam tentando engravidar fazia tempo, e a Matilda sempre perguntava como andava o sexo deles, de umas maneiras bem, hmm, explícitas. Até que a gente percebeu que, na verdade, talvez eles tivessem algum problema nessa área mesmo, e daí ela parou.

— Esse é o problema de fazer piada com sexo — concorda Pippa.

— Hmm, fora isso... — Xavier pensa. — Bom, ela costumava andar sem roupa pela casa. Imagino que isso combinava com a falta de modos dela. Era boa cozinheira. Tinha um monte de sardinhas.

— Mais do que eu?

— Bem mais. Os ingleses nunca viram alguém realmente coberto de sardinhas. O *hobby* dela era trampolim. Às vezes saía sangue do nariz dela. Já deu?

— Deu — diz Pippa, abrindo o zíper do saco amarelo e azul e arranjando sua linha de infantaria de borrifadores e buchas. Xavier se recolhe ao escritório e escuta os sons agora familiares: água correndo, garrafas borrifando detergentes, objetos sendo espancados, e raspados, e coagidos à limpeza.

Xavier nunca achou fácil se concentrar enquanto Pippa faz a faxina. Hoje ele devia estar escrevendo sua crítica não muito entusiasmada do filme e respondendo *e-mails*. Chegou mais um de Clive Donald, no qual ele usa a expressão *desespero crescente* e deixa sugerido que o *show* de Xavier é uma de suas poucas fontes de consolo. Como sempre, Xavier não tem escolha além de remover o professor, por mais culpado que isso o faça sentir, de seus pensamentos.

Perto do fim do horário de Pippa ele sai para o *hall* e a encontra lá, de pé, diante de um armário que ele raramente abre, com uma fotografia na mão.

— Eu já tinha quase acabado o que fazer — diz Pippa —, porque esse apartamento já estava bem arrumado de qualquer forma, daí eu, uh... — Ela faz um gesto indicando o armário no qual Xavier guardou uma coleção de várias coisas quando se mudou para lá: caixas, sacolas, coisas inúteis, mas não inteiramente, para jogar fora. Todos esses objetos dormem debaixo de uma cortina de poeira.

— Você tem coragem pra mexer aí dentro.

— Não deixo nada escapar — diz Pippa. — Uma das pessoas pra quem eu faço limpeza, eu consegui fazer ele mudar de plano de telefone. — Ela conta as tarefas nos dedos. — Eu descobri como funcionava a antena parabólica dele, organizei o seguro da casa... E vou me livrar da namorada dele por ele. Você tem sorte se eu só passar um paninho nas suas coisas.

— Quando você diz "se livrar" da namorada dele... — Xavier começa.

— Não estou falando de matar ela! — Os dois riem. — É, ele é muito covarde pra romper apesar de ela ser uma interesseira. Vou ter que arquitetar uma situação e ter uma palavrinha com ela. — Ela coça o nariz, pensativa. — Se isso não funcionar, então vou ter que matar ela.

Há uma pausa quando ela vê Xavier olhando para a foto em sua mão.

— Posso ser enxerida, lindo? Alguma destas é a Matilda?

Ele examina a foto, que nem sabia que ainda tinha; deve ter caído de alguma caixa qualquer. É de Chris e Matilda, Bec e Russell, na catedral

ONZE

de York, durante a viagem pela Europa no verão de 2002. Estão todos olhando para o chão, como se estivessem muito alto, embora estejam obviamente apenas na nave da enorme igreja. Bec usa um vestido comprado na Harvey Nichols, em Londres. O rosto redondo de Russell, embaixo de um boné de beisebol, parece que vai rachar com o tamanho de seu sorriso. Chris está com uma barba de duas semanas. Matilda — ele aponta para ela — usa uma tiara que compraram de brincadeira na Harrods e um vestido decotado.

— É esta.

— É muito bonita.

— Sim. — Xavier tosse. — O motivo da foto foi... estes dois, Bec e Russell, como eu falei, eles sempre quiseram muito um bebê, e demorou anos, e um dia, antes de a gente ir para York, Bec descobriu que estava grávida. A gente ia subir a torre de York Minster e ela disse, como se não fosse nada: "Ah, melhor não, já que eu estou grávida". Foi assim que ela deu a notícia. Matilda e eu ficamos malucos. Por isso estávamos eufóricos e pedimos pra alguém tirar a nossa foto, fingindo que tínhamos subido na torre e estávamos olhando a paisagem, embora a gente não estivesse. Foi meio engraçado na hora.

Pippa olha a foto mais de perto e Xavier se lembra dos quatro no restaurante em York, logo depois da revelação de Bec.

— Eu estava achando que tinha alguma coisa errada comigo — disse Bec. — Achei que não ia acontecer nunca.

Ela engoliu com dificuldade várias vezes. Houve uma pausa.

— Ei, é agora que você chora? — perguntou Matilda. — Nunca vimos você chorar.

— Essa é a melhor oportunidade que você vai ter — contribuiu Chris.

Bec começou a rir, mas foi uma risada alta e levemente histérica.

— Cala a boca.

— Vai, sua monstra — insistiu Matilda, cutucando-a com um dedo. — Esse é o melhor momento da nossa vidas inteira. Chora.

— Cala a boca, Mat! — Incomumente perturbada e até mesmo um pouco rosada, Bec escondeu o sorriso com o cardápio.

Continuaram com essa brincadeira durante todo o jantar, até que Russell disse:

— Ok, eu vou só cutucar o olho dela, tá bem? — Esticou-se estabanadamente em cima da mesa com um garfo na mão e derrubou a garrafa de vinho. Com a ajuda de Chris, um garçom muito calado limpou o estrago enquanto o grupo segurava risadas estridentes.

O silêncio repentino e bastante pesado entre Xavier e Pippa — embora seja possível que ele esteja imaginando o peso — é quebrado pela série em *staccato* de gritos de metralhadora da parte de Jamie lá embaixo. Os dois olham para as tábuas do chão, que mal pareciam conter o barulho, como se a voz cortante e monocórdia de Jamie fosse a ponta de uma furadeira prestes a atravessar o chão e atacá-los. A voz de Mel se ergue, pedindo silêncio.

—Você nunca sente vontade de descer e dar uma ajudada?

— Sinto, na verdade, mas sabe como é, não é da minha conta.

—Você tem mesmo o costume de não se meter onde não é chamado, né? — Pippa repara.

— Eu não me intrometo, não. — Xavier se sente forçado a defender sua inatividade. — Eu sempre penso: "as coisas se resolvem sozinhas".

— É uma maneira bonita de dizer que você não está nem se fodendo. — Ela diz como uma zombaria gentil.

— Não é questão de eu me... foder. Eu só acho, bom, sei lá. As pessoas costumam superestimar a diferença que elas fazem.

— Eu acho que as pessoas *subestimam* isso. Você pode afetar a vida de alguém sem nem saber disso.

— Bom, é. Mas se não afetasse, as coisas se resolveriam de qualquer modo.

As mãos de Pippa se estendem para tocar no joelho.

— Eu não consigo fazer isso. Se eu só falasse: "Ah ok, vou deixar as coisas tomarem o seu rumo", eu teria que aceitar que sou uma atleta fracassada com uns joelhos de merda, condenada a ser faxineira até me aposentar ou morrer de exaustão.

Xavier não sabe o que dizer.

Pippa faz uma careta.

ONZE

— Desculpa, querido. Isso foi apelação. Quer dizer, eu *gosto* de fazer limpeza. Eu gosto de ser a melhor nisso. Eu tentaria ser a melhor em qualquer coisa que estivesse fazendo.

— Eu admiro isso — diz Xavier, baixinho.

Foi uma conversa bizarramente séria e, antes que ocorresse outra pausa, ele dá a ela o envelope, que preparou antes. Nada de ficar buscando dinheiro freneticamente desta vez. Eles hesitam; por um estranho segundo parece que vão apertar as mãos.

— Eu acompanho você até a porta — diz Xavier, e os dois descem as escadas. Quando Pippa sobe na bicicleta, ele lamenta por um momento que ela esteja indo embora.

— Mesma hora semana que vem?

— Mesma hora semana que vem.

Ele a observa, rígida no selim, seu vestido ameaçando ficar preso nos aros da roda enquanto ela pedala com força ladeira acima: os joelhos artríticos, suas coxas, ancas e seu traseiro se flexionando como partes de uma máquina, enquanto ela pedala quase completamente de pé no trecho mais íngreme da ladeira. Ela para no alto da ladeira para deixar um carro passar, e olha para trás. Xavier acena e se pergunta para onde ela está indo agora.

VI

A PRÓXIMA QUARTA-FEIRA é chuvosa e ventosa, como a maior parte dos dias do mês. Pippa tem de ir do seu pequeno apartamento no nordeste de Londres até Marylebone e Maggie Reiss, a psicoterapeuta, tem de fazer o caminho inverso. O dia acaba sendo difícil para ambas.

Os problemas de Pippa começam às três da manhã, quando sua irmã Wendy acorda, reclamando de náusea. Ela tem horror a vomitar, desde a infância, quando vomitou uma vez na parede do quarto: paredes escuras que pareciam se fechar sobre ela. Pippa faz um bule de chá para a irmã e as duas sentam-se à mesa da cozinha, ouvindo sem muita atenção um *show* de rádio para o qual alguém telefonou para dizer o que faria se pudesse ter três desejos.

— A gente devia ligar — diz Pippa.

— Eu não sei o que eu faria com três desejos. — Wendy franze o rosto.

— Bom, você podia matar o Kevin com o primeiro.

— E depois...?

— Sei lá, matar ele de novo com o segundo. Com o terceiro você podia, quem sabe, arranjar uma máquina de fazer pipoca pra gente ou algo assim.

Riem. Pippa segura o braço de Wendy. Ao contrário de Pippa, Wendy é magra, de aspecto doentio, com traços delicados. Pippa conversa com ela sobre qualquer coisa em que consiga pensar. Lá pelas quatro e meia Wendy está se sentindo melhor e pronta para se arriscar a dormir. Pippa, a essa altura, está tão cansada que não tem nem energia para tirar o roupão: ela desaba em cima da cama como uma mala que alguém jogou ali.

Maggie Reiss dorme bem e acorda às sete e meia. Hoje ela vai apresentar um estudo numa conferência no Soho Hotel, fazer uma aula de pilates e, claro, atender quatro clientes: a primeira, uma supermodelo, na casa da cliente, em Muswell Hill; os outros três, no consultório. A modelo paga um extra pelo privilégio de receber a visita em casa. Maggie sai de casa sentindo-se razoavelmente otimista sobre as próximas horas. Esse vai ser, no entanto, o último dia de sua carreira profissional.

Pippa já está de pé de novo às oito, pronta para o primeiro trabalho do dia: limpeza de carpete para uma senhora cujos últimos inquilinos, pelo que ela mesma diz, conspurcaram o lugar de modos que Pippa teme imaginar.

Wendy já está sentada à mesa da cozinha, completamente vestida.

— Pippa?
— O que você está fazendo acordada?
— Você vai comigo no médico no sábado?
— Claro. Por quê?

Wendy não diz nada, mas olha para o tampo da mesa, ou melhor, como se pudesse ver através dele para o chão.

— Ai, meu Deus.

Pippa senta ao lado da irmã e se pergunta quem foi, aquele cara do encontro às cegas, provavelmente, o rapaz escocês. "Sua idiota", ela pensa, mas não diz nada, só desliza a mão para cima da de Wendy, e a segura.

— Como...?
— Esqueci de tomar uma pílula, eu acho. Talvez duas.
— Wendy...
— Eu sei.
— Você contou pra ele?
— Ele não está atendendo o telefone.

O relógio vai avançando. Pippa terá de pedalar como uma maluca e provavelmente chegar toda suada, e a senhora vai olhar de lado para ela, como sempre.

— Bom — diz Pippa, com alegria —, talvez você... talvez você não esteja, no final das contas. Talvez só esteja atrasada ou o seu ciclo está todo fodido, ou sabe Deus o quê.

Wendy acena com a cabeça, mas olha a irmã nos olhos.

— Estou sim, Pippa. Eu sei. Eu sei que estou.

Pippa e Maggie passam uma pela outra na Archway Road, Pippa de bicicleta, Maggie no banco de trás de um táxi. Maggie nota rapidamente pela janela o capacete enorme em formato de ovo de Pippa, antes de voltar às notas sobre clientes espalhadas em seu colo.

Sua primeira cliente do dia, a supermodelo que tem sofrido de depressão nos últimos quatro anos, não fez nenhum dos exercícios recomendados por Maggie na semana passada: tudo que ela quer é outra grande dose do remédio de sempre. Ela leva a sessão como se Maggie a incomodasse, como se Maggie fosse uma repórter de algum jornalzinho local vagabundo, que ganhou acesso por uns minutos à presença da celebridade. O segundo cliente de Maggie, o membro do Parlamento que trai a mulher com uma estrela de TV casada, está igualmente rebelde, como sempre: tudo o que ele quer é que Maggie diga que ele não está fazendo nada errado. Para ele, ela é um padre no confessionário. Seu terceiro cliente antes do almoço está vinte minutos atrasado, logo Maggie só conseguirá comer às duas e meia. Ela engole uma salada de atum antes da aula de pilates.

Enquanto Maggie se apressa na rua a caminho da academia, Pippa está tentando entender por que o aspirador a vácuo não está funcionando direito. Ela se agacha perto dele, aperta o botão algumas vezes, tira e volta a colocar o tubo, tenta de novo. Sente como se os seus pensamentos tivessem de atravessar uma camada de cimento molhado antes de chegar em seu cérebro.

A senhora tosse para limpar a garganta.

—Você esqueceu de pôr na tomada.

Pippa se ergue devagar, corando.

— É verdade.

A senhora sorri polidamente, mas olha para Pippa através dos óculos como se estivesse pensando se ela não é perigosamente incompetente.

— Normalmente eu sou um pouco melhor do que isso! — Pippa ri.

A senhora dá outro sorriso um pouco forçado, faz que sim com a cabeça, como uma professora de escola primária faria com uma criança atrasada e vai para o seu *hall* de entrada, com sua escadaria ricamente atapetada e seu enorme candelabro na forma de travessa. Pippa gostaria de ter comido alguma coisa no café da manhã, ou no jantar ontem à noite.

Maggie sai da aula de pilates um pouco mais tarde do que esperava — é um desses dias em que a hora está sempre à frente de onde devia estar — e chega perturbada no Soho Hotel para a conferência da tarde. Embora já tenha ido ao hotel antes, ela passa direto por ele, uma vez em cada direção, antes de o encontrar, escondido a algumas casas de distância saindo da Dean Road. O vento bate de frente nos passantes, e há nuvens de chuva no céu cinzento. Ela vai falar sobre "Novos desenvolvimentos em programação neurolinguística", o que é um assunto alarmantemente abrangente, e vai ter de se esforçar o máximo que puder. Não houve muito tempo para preparar a palestra, nunca há tempo para nada.

Os participantes estão amontoados no *lobby* do hotel, muitos já foram para a abafada sala de conferências. Maggie vê seu nome na programação da tarde, numa placa laminada, e seus intestinos se torcem, formando um nó frouxo. Ela encontra o banheiro das mulheres, mas está lotado, há uma fila de cinco mulheres silenciosas e mal-humoradas, não há tempo. Ela devia ter feito isso depois do pilates. Afasta-se do banheiro, tira suas notas apressadas da mala e vai para a sala de conferências, forçando um sorriso nos lábios enquanto alguém importante agarra seu braço para cumprimentá-la.

Xavier é pego de surpresa quando Pippa telefona no fim da tarde — ele achou que era o Murray ligando para "ver o que você acha de uns negócios" para o "Pensamentos do Murray". Ele olha para o nome à mostra na telinha: PIPPA FAXINEIRA. "Provavelmente está na hora de tirar esse sufixo", ele pensa. "Não acho que eu vá esquecer quem ela é."

— Pippa?

— Oi. Desculpa, está muito barulho aqui. Vai ter "caminhões-monstro." Os caminhões estão entrando bem agora.

— Hein?

ONZE

— Sabe caminhões-monstro? Eles ficam dirigindo tipo esses caminhões enormes numa arena e meio que ficam batendo com eles em coisas, ou fazem uns truques, ou uma corrida, ou sobem numas rampas, ou...

— Sim, caminhões-monstro — Xavier consegue cortar —, mas o que você está fazendo aí?

— Estou fazendo a limpeza da sala de reunião dos chefões aqui, os donos dos caminhões. Só dei uma saidinha por um segundo. — Há um gemido mecânico e uma rajada de vento no fundo. — Porra, está frio hoje, hein?

— Na verdade, eu não saí — Xavier murmura.

— Bom, enfim, pra ir direto ao ponto, querido, eu vou ter que ir com a minha irmã no médico no sábado de manhã, então eu acho que não vou poder ir aí.

Xavier sente um pequeno, mas sensível, aperto de desapontamento.

— Não tem problema. Você quer remarcar, ou...?

— O problema é que eu estou com todas as datas marcadas. Quer dizer, tem só sábado à noite, mas...

Xavier diz:

— Sábado à noite está ok, se estiver ok pra você.

Ela hesita por uns dois segundos.

— Achei que você ia sair pra um desses lugares glamorosos, ou...

— Por que eu estaria num lugar glamoroso?

— Eu não sei, ou trabalhando, ou...

— Eu não trabalho sábado à noite.

É tipo um encontro. Estão ambos surpresos de terem marcado. Tão logo a ligação termina, Xavier pensa em telefonar de volta e dizer que se lembrou de um compromisso. Uma coisa é ela vir na hora do almoço, mas sábado à noite! Ele não liga de volta, no entanto, só fica sentado, distraído, com o fone na mão, e depois de algum tempo apaga a palavra FAXINEIRA ao lado do nome dela.

Nesse mesmo momento Maggie está saindo do Soho Hotel. Sua palestra foi ok, nada além disso. Eles pronunciaram o seu nome como "Ris" no lugar de "Rais", e algumas pessoas deram uma risadinha, como se isso fosse proposital. Um filho da puta ficou dormindo num canto, seu rosto pendendo sobre o colo, e cada vez que ela tentou olhar pela sala toda, como o seu professor de oratória ensinou, seu olhar batia no brilho desanimador de sua careca. No final, ela recebeu alguns elogios pouco sinceros e apertos de mãos, e foi embora sem nem beber alguma coisa no bar — ela tem de voltar para o consultório, para sua última consulta. Mandou uma mensagem para o cliente, Roger, para informá-lo de que ela vai se atrasar, mas ele não respondeu. Roger é o diretor-executivo de uma corretora imobiliária, a Frinton, e fala com ela para melhorar seus problemas com autoestima. Ele tem um hálito terrível. Ela queria que o dia acabasse.

Ela se senta no banco de trás de um táxi, que avança cinquenta metros em quinze minutos. Por que não pegou o metrô a esta hora do dia? Ela se inspeciona no espelhinho de bolso: parece horrível, cansada, o cabelereiro arruinou seu cabelo, há bolsas debaixo dos seus olhos. Aparenta mais perto dos sessenta que dos quarenta. Suas entranhas se reviram numa rebelião. Ela se mexe no banco e tenta abaixar a janela, que parece travada.

O taxista, como muitos motoristas londrinos, finge surpresa com o tráfego, como se carros ainda fossem alguma rara e recém-inventada modalidade de transporte.

— Inacreditável — ele resmunga, mostrando os veículos parados à volta, sacudindo a cabeça em desaprovação à perversidade das outras pessoas. — Inacreditável.

Roger Willis espera sentado no consultório de Maggie, impaciente, tentando sem sucesso se interessar por uma das revistas na mesinha, uma revista para homens, com artigos sobre engenhocas que *você tem de ter*, mulheres, os cem primeiros vídeos mais vistos do YouTube, mais mulheres. Ele olha a mensagem da Dra. Reiss — "Desculpa, dez min" —, mas só de fazer isso ele se lembra da mensagem enviada por engano por Ollie, que ele achava que gostava dele, ou o respeitava, pelo menos. "Mas não", Roger medita, "obviamente Ollie e Sam estão sempre rindo de mim. Meu hálito. O que diabos eu posso fazer? Chupo uma pastilha a cada dez minutos. Escovo os dentes três, quatro vezes por dia. Já usei *sprays*, masquei chicletes, tudo. Fiz a Brenda parar de usar alho, temperos. O que eu mais posso fazer?".

Claro, é típica essa espera. Roger olha irritado para a recepcionista, que está batucando com as unhas no teclado do computador. Ela olha de volta com um sorriso condescendente e sem graça. Ele aceita que a Dra. Reiss saiba que ele tem depressão, é o trabalho dela, mas ficar ali com essas mulheres olhando para ele, a menina toda formal na mesa, a faxineira, até os outros pacientes... clientes, não pacientes, se referem a eles como clientes. Qualquer um que o vê neste prédio sabe que tem alguma coisa errada com ele. Imagina se alguém o reconhece, um vendedor importante ou outro corretor, ou um cliente, imagina se eles o pegam saindo do consultório de uma psiquiatra.

Sim, é típica essa espera. Todo mundo acha que Roger Willis é um banana. É alguém sobre quem você pode mandar mensagens e ficar rindo dele no intervalo de almoço. O cabelo de Roger está caindo, e tem também o hálito. Roger consegue se sentir cedendo a uma corrente de desprezo por si mesmo, exatamente o tipo de coisa que a Dra. Reiss disse que ele deve evitar: separa as suas preocupações, um pensamento negativo leva a outro e depois outro, e daí é uma avalanche. Bom, fica fácil para a Dra. Reiss dizer isso, ela *ainda* nem chegou, vinte minutos atrasada agora. Roger range os dentes. Dá pra sentir o coração batendo. Imagina o rosto sarcástico de Ollie. "Alguém ainda vai se arrepender do jeito que todo mundo me trata", pensa Roger. "Alguém vai se arrepender logo."

— O motivo de isso ser um problema enorme pra mim — diz Roger, enquanto Maggie acena pacientemente com a cabeça —, é porque o meu trabalho depende de respeito. Entende o que eu estou falando? Sem respeito eu não posso fazer o meu trabalho. Não posso mandar, se as pessoas acham que sou estúpido. E eu sinto que isso é um grande fracasso. Ser um sujeito na casa dos cinquenta. E não ser... não ter autoridade. Sabe do que eu estou falando?

Sim, Maggie pensa cansada, ela sabe do que ele está falando, porque eles têm essa mesma conversa toda semana. Não a surpreende que seus funcionários troquem mensagens sobre ele. "Como é que ele conseguiu aguentar o tranco de virar corretor?", ela se pergunta.

— Acho *fracasso* uma palavra em que você tem de pensar com mais cuidado — diz Maggie, pensando: "Oh, vou arrebentar, eu vou realmente explodir se não for pro banheiro. Ainda faltam vinte e cinco minutos para a sessão acabar".

— Sabe, o motivo desse torpedo ter me ofendido especialmente? — Roger continua.

"Torpedo! Por que ele não diz *mensagem*, como todo mundo? Ele provavelmente ainda fala *videocassete* e *computador pessoal*."

Maggie sabe que está sendo injusta, mas está subitamente farta dos problemas das pessoas, das suas lamúrias. E nem foi tão subitamente assim. Está farta disso há anos. Modelos de olhos mortos. Narcisistas. Viciados em sexo.

— O motivo de ela ter me ofendido especialmente...

Ele tem esse hábito enlouquecedor de recomeçar as frases, recomeçar parágrafos, e todas as vezes ela tem a sensação medonha de que o ponteiro do relógio também recomeçou. É incrível, mas ainda faltam vinte e cinco minutos; o ponteiro parece grudado no número por alguma força magnética, enquanto Roger desenvolve o assunto de novo.

— Me ofendeu porque, bom, ouvir algo que não era pra você ouvir, sabe, torna tudo pior, porque, sabe...

Isso é outra coisa que ele sempre faz, defender alguma ideia do tipo "é pior descobrir indiretamente que alguém te odeia", ou "é embaraçoso ser desrespeitado", como se fosse a primeira pessoa a descobrir isso. Na verdade, todos fazem isso, todos chegam no consultório e falam como se suas neuroses fossem impressionantes, como se tivessem descoberto algo notável sobre a condição humana, nenhum deles têm a menor ideia de quantas vezes por dia Maggie ouve as mesmas frases *palavra por palavra*, os mesmos problemas requentados. Jesus. Suas vísceras congestionadas esperam com impaciência; seu intestino parece uma tigela de sopa quente. Em momentos como esse ela fica desagradavelmente sensível à palavra *intestino*.

— E bom, eu sei que você me disse para evitar a palavra *fracasso*, eu sei que ela cria uma associação ruim de ideias, e andei até pensando nisso, e tentando pensar nas coisas de maneira mais, mais positiva, não sei se você entende. Mas...

Maggie está de pé.

— Desculpa interromper você, Roger, mas eu vou só ter de dar uma saída por um segundinho. Não demoro.

Ele pisca de incredulidade.

—Vou só no banheiro. Não demoro.

Ele fica sentado, ofendido, ouvindo os passos rápidos dela no corredor. "Isso é típico", ele pensa. "Chega atrasada, mal presta atenção no que eu digo, agora sai na metade da consulta. Isso não está certo, especialmente se você pensar no quanto eu estou pagando. Imagina se eu, na metade de uma reunião com um promotor imobiliário, vou pedir licença para sair!" "Mas, de novo, é assim que as pessoas são com Roger." "Mas chega, isso tem de acabar." Ele prepara os nervos para uma discussão.

Maggie fecha a porta com um estrondo e a tranca, tentando não pensar no rosto zombeteiro da recepcionista estilosa. Arranca um punhado de papel e joga na privada para abafar o barulho, depois senta com pressa e nota como o seu coração está batendo rápido. Todo mundo, todo mundo a julga. O jeito de ele olhar para ela quando saiu da sala. O jeito que a modelo falou mais cedo, olhando com nojo para o cabelo espetado e a pele envelhecida de Maggie, como se sua idade não fosse fruto inevitável da passagem do tempo, mas alguma decisão estúpida de sua parte. O político que a encara mais como uma empregada do que como uma profissional séria. Todos eles. Na semana passada, um cliente que havia chorado durante vinte minutos em seu ombro terminou a sessão dizendo: "Mas que porra você sabe no final das contas?".

Na sala do consultório, Roger espera quatro minutos, cinco. Isso é um ultraje, ele está pagando uma fortuna. Ele não vai reclamar assim de cara. Vai esperar pelo final. Mas vai reclamar, sim.

Maggie, de rosto vermelho e desarrumada, volta pesadamente pelo corredor, sentindo um calor na nuca quando a recepcionista, ainda com aquela boca franzida de sabe-tudo, sorri um sorriso de consolo. "Por que há tanto estigma", pensa Maggie, "em simplesmente ir ao banheiro, meu Deus? Talvez alguém possa escrever um estudo sobre isso, talvez até um livro. É isso que eu devia estar fazendo, vou voltar a escrever livros. Chega disso. Isso aqui é o inferno".

Roger se recusa a olhá-la nos olhos quando ela entra na sala. Eles chegam ao fim. Maggie sugere algumas estratégias que podem ajudar Roger. É a mesma coisa que se estivesse ditando uma receita de omelete. Ambos concordam que Roger deve continuar tomando erva-de-são--joão. Ele se sente mais confortável tomando algo que não requer receita, não gosta da ideia de tomar pílulas, bláblábla.

— Então, você quer fazer qual tipo de pagamento — pergunta Maggie, o eufemismo habitual para "me dá o meu dinheiro agora ou..."

Roger limpa a garganta, mexe no punho da camisa.

— Dra. Reiss, eu...

"Que foi?", pensa Maggie exasperada. "Ainda não acabou, esse dia estúpido, sem fim?"

— Dra. Reiss, eu não fiquei inteiramente satisfeito com o serviço que recebi hoje.

— Você o quê? Desculpe?

Roger engole. É agora, ele a está enfrentando.

— Achei o seu comportamento pouco profissional. Você chegou atrasada para a sessão — um atraso sério —, sua cabeça parecia estar em outro lugar, você me abandonou aqui durante a consulta e agora estamos terminando quando faltam uns três minutos do horário marcado. Quer dizer, eu entendo que todos nós temos algum dia ruim...

— Um dia ruim! — Maggie, repete quase rindo. "Esse homem ridículo, quem diabos ele pensa que é, com essas frases de atendimento ao consumidor, essas calças horríveis, esse hálito grotesco?", ela pensa.

— O que estou dizendo é... — Roger hesita. O que ele *está* dizendo? — Eu gostaria que houvesse uma melhora da próxima vez.

Isso é demais. Maggie ergue a voz.

— Quer saber de uma coisa? Não precisa pagar. Fica com o dinheiro, pode ficar. E não precisa voltar mais. Arranja outra pessoa.

— Dra. Reiss...

Roger está alarmado. Ele achava que a reclamação estava indo bem, estava satisfeito com o jeito com que tinha se expressado. É por isso que ele evitou terapia por tanto tempo, era isso que ele temia: cenas, confusão.

— Dra. Reiss...

ONZE

Mas Maggie abriu a porta com um empurrão e está marchando, com a determinação extra de uma pessoa bêbada, pelo corredor.

— Cancela tudo — diz Maggie bruscamente para a recepcionista, cujo sorriso permanente se desfaz pela primeira vez.

— O quê?

— Cancela tudo. Pra mim chega.

Ela nem espera o elevador, caminha até a porta da escada de incêndio. Desce os três andares quase correndo, seus passos firmes, dados nos raramente utilizados degraus de pedra, ecoando por toda a escadaria. Talvez ela tivesse aguentado por mais quinze anos, odiando o seu trabalho. Talvez tivesse desistido amanhã de qualquer maneira. Mas esta é a hora, porque Roger ficou zangado com a ida dela ao banheiro, porque ele está chateado com uma mensagem, enviada por engano por um celular provisório, porque o outro celular foi roubado, porque um garoto foi despedido depois de um ataque histérico provocado por uma crítica, que foi motivada pela raiva causada por um espancamento que Xavier não conseguiu interromper naquele dia frio, algumas semanas atrás.

Enquanto Maggie entra no metrô, preparando mentalmente um discurso para o marido ("A gente precisa se divertir mais, a gente pode se dar ao luxo de largar tudo, vamos para algum lugar, fazer qualquer coisa."), Xavier está preparando o *show* da noite de quarta. O plano é falarem sobre "Encontros com a Fama"— um assunto leve, esta noite, já que os ouvintes de quarta, o murcho meio da semana, são perceptivelmente menos animados que nas outras noites. O chefe deles, Roland, sempre fica feliz quando o assunto é mais alegre; correm menos risco, como comentou com Xavier no início da semana, de Murray dizer alguma coisa chocantemente inapropriada.

Perto do final do *show*, faltando um minuto para as três, Murray aperta o botão para tocar a deixa do penúltimo segmento de notícias. O programa transcorreu num fluxo agradável de reminiscências sobre celebridades, talvez a mais interessante delas tenha sido a de um ouvinte que ficou preso num elevador com Terry Waite, alguns anos antes do cativeiro muito mais comprido de Waite, em Beirute. Os "Pensamentos do Murray" foram muito bem. Por conselho de Xavier, ele evitou qualquer referência ao julgamento recente do homem que manteve os filhos presos no porão, dedicando-se, em vez disso, ao tema dos piratas, que felizmente haviam voltado às notícias esta semana.

— E aí, vai fazer alguma co-coisa no fim de semana?

— Na verdade, não. — Xavier dá um gole no café. — Alguns filmes. Vou ter trabalho pra fazer, umas colunas e coisas assim. E você?

Murray brinca com uma faixa ondulada do cabelo, que está, neste momento, particularmente armado.

— A mi-minha irmã vai fazer uma festa nesse sábado à noite. Que-quer vir?

Xavier olha pela janela para o estacionamento, onde está acontecendo um filme mudo em câmera lenta: o zelador, de cigarro na mão, olhos vermelhos, fazendo contagem regressiva da sua última hora de serviço; a raposa ali, entre os latões de lixo reciclável, com metade de uma caixa do McDonald's nos dentes. Ele percebe que isso não foi bem um convite, mas um pedido de Murray, que mais uma vez precisa de Xavier para servir de escada e apoio nos seus esforços para conhecer mulheres. Ele pelo menos conseguiu aprender a não apresentá-lo mais com as palavras "Este é o famoso Xavier Ireland". Mesmo assim, a ideia da festa o atrai muito pouco.

Mas pensar em Murray sozinho, deprimido num canto, se metendo estourado no meio de conversas, ou citando, com excesso de entusiasmo, frases de filmes ou bordões de programas de humor no lugar de seus próprios *bon mots*... Xavier percebe que essa imagem é muito fácil de visualizar. Ele odeia especialmente a ideia de as pessoas falarem de Murray pelas costas, trocando olhares zombeteiros de alívio quando ele for para outra sala.

— Parece bom — diz Xavier.

— Fantástico. — Murray soa aliviado. — Vai ser ótimo. Ela tem uma amiga que entrou como substituta ou algo assim, e espero que ela esteja lá. Sério, Xavier, você não acredita...

Ele sacode a cabeça e faz com as mãos um gesto vago, cujo propósito é evocar um par de seios grandes.

—Você é muito romântico, Murray.

Murray ri.

— Então, eu estava pensando em chamar um táxi, pra eu poder... — Este gesto, de mãos virando latas imaginárias de cerveja na garganta, é mais fácil de decodificar. — Então eu ve-ve-venho e te pego lá pelas, talvez...

De repente Xavier se lembra.

— Ah. Merda. Na verdade, cara, eu... eu tenho uma coisa pra fazer no sábado à noite.

— Alguma visita? — Murray ergue as sobrancelhas, espantado. — Tipo uma... uma mu-mulher?

— Não, não, é, bom, sim — Xavier se atrapalha. —, ela *é* uma mulher, mas não é um... é só um... — Como ele pode explicar que uma mulher esteja vindo fazer uma faxina quase desnecessária no sábado à noite? — É só uma amiga.

— Bom, traz ela então. — Xavier consegue ver os olhos esperançosos de Murray convertendo um problema numa oportunidade. — Ela é... ela é...?

Xavier faz uma careta.

— Ia ser esquisito trazer ela. — A mentira, se é uma mentira, já está ficando mais complicada a cada segundo de existência. — É uma pessoa que eu não tenho visto faz tempo, então, acho... acho que ela vai querer mesmo, hmm, ficar em casa.

O rosto amigável de Murray se anuvia.

— Quer dizer — Xavier tenta melhorar a situação —, a gente pode talvez passar na festa. Mais tarde, quer dizer.

— Sim, claro. — Murray arrisca uma piscadinha casual. — Está combinado.

Há uma pausa.

— A gente vo-volta em dois minutos. Café?

Xavier ouve os passos do amigo no corredor desocupado e iluminado por luzes fluorescentes, cada passo pesado e um pouco triste, ele acha, mas logo se desmente: não há "passos tristes", é só a fraqueza sentimental da madrugada, e afinal, o que ele tem de fazer? Grudar em Murray o tempo todo para livrá-lo sempre de cada embaraço em potencial? Xavier se sente perturbado, e de algum modo irritado consigo mesmo. Ele sabe que agiu de um jeito como se tivesse escondendo alguma coisa. Dois *e-mails* chegam e ele logo se senta na cadeira de Murray para lê-los, contente com a distração.

A temperatura do sábado é agradável: o frio parece ter finalmente acabado o seu reinado sobre o ano. Xavier acorda cedo, desta vez não por causa de Jamie; e não inteiramente por causa de pesadelos, também. As paredes da casa começaram sua litania de rangidos e gemidos, um resmungar para ninguém.

Xavier passa o dia tranquilamente, escrevendo duas colunas para a semana seguinte. Ouve os resultados do futebol que começam a passar às dez para as cinco, e daí às cinco em ponto o resumo final dos resultados, declamados pelo apresentador com a gravidade de uma lista de vítimas fatais. O céu lá fora vai exibindo uma paleta limitada de cinzas. A escuridão está caindo e uma chuva apática o saúda quando ele sai para comprar mantimentos na loja da esquina.

O indiano está de bom humor. Ele conta para Xavier que sua filha anunciou o noivado.

— Um homem muito bom, muito rico. *Muito* rico.

O lojista gargalha de repente, deixando ver as duas fileiras brancas de dentes.

— Não preciso... — Xavier começa, porque trouxe sua própria sacola, mas o lojista, ensacando para ele, não presta atenção, continuando a discutir o salário assombroso do homem que vai, dali a três anos, cuidar do seu funeral.

Hoje, Pippa toca a campainha bem na hora. Ele a vê descendo a ladeira, a observa pela janela, embrulhada numa capa de chuva grande, velha e sem cor. Sua cabeça está caída, como se estivesse examinando a calçada escurecida pela chuva à sua frente. Ela se move devagar, sem o ar habitual de determinação enérgica.

Xavier se apressa para descer e abrir a porta.

— Está molhada!

— Está chovendo, querido.

Sua voz soa desanimada, e ele dá um passo para o lado para deixá-la passar.

— Não tem guarda-chuva?

— Não gosto.

Ela sobe as escadas, ainda com passos arrastados, tirando a capa de chuva. Por baixo está usando uma blusa com listras horizontais azuis e brancas, e *jeans*, acima dos quais um pedacinho da calcinha chama a atenção de Xavier enquanto ele anda atrás dela. É estampada com lábios bem vermelhos.

— Guarda-chuvas só atrapalham, você esbarra nas pessoas com eles, eles viram do avesso no primeiro ventinho, você tem que encontrar um lugar pra apoiar enquanto eles secam, e pingam por toda parte — ela declama de dentro do apartamento enquanto espera que Xavier a alcance. — E *daí* você não lembra que trouxe essa porra e esquece em algum lugar.

Xavier sorri, sabendo antes de vê-la que ela está contando essas chateações com os dedos.

Ele vai até a cozinha para colocar a chaleira no fogo. Sob o rugido crescente do vapor, dirige-se furtivamente até o *hall* e, olhando para a sala, consegue ver que Pippa afundou no sofá, a cabeça baixa de novo, como se estivesse dormindo.

—Você está bem?

Pippa estremece e senta-se ereta ao ouvir sua voz.

— Ah sim, sim. Não liga pra mim, querido. Só estou um pouco cansada.

Xavier traz uma bandeja com chá e biscoitos e a coloca com cuidado na frente dela. Ele tem um palpite sobre a causa do cansaço de Pippa.

— Como vai a sua irmã?

Pippa olha para cima, devagar, seus olhos pálidos, quase translúcidos, fixando-se nos de Xavier.

— Ela foi e ficou grávida. Ou melhor, algum sujeito foi e engravidou ela. — Ela reage à própria piada com um sorriso triste. — Mas seja como for, é... Bom, não é uma notícia maravilhosa.

Ela põe a mão sobre os olhos e por um segundo Xavier pensa, alarmado, que ela vai chorar, por mais estranho que isso pareça, tratando-se de Pippa. Mas tudo que ela faz é deslizar a mão dos olhos para o queixo, num único e exausto movimento.

— Parece que o meu rosto está caindo, de tão cansada que estou.

— O que ela vai fazer com o... o bebê?

Pippa sacode a cabeça, sem esperança.

— Não dá pra ela ter o bebê. A gente não tem eira nem beira, como é que a gente pode ter um bebê?

— Então ela vai...?

Xavier faz um gesto inadequado.

—Você não conhece a minha irmã. Ela ficaria louca se tirasse o bebê. Louca de culpa, ou ia ficar histérica com a operação mesmo, ou sei lá. Ela é muito mais frágil do que eu.

Seu sotaque destrói a palavra *histérica*, mastigando o indefeso "T".

— Então...

— Então eu não sei o que fazer.

— Bom, sem querer ser muito duro, foi ela que se meteu nessa situação, não você.

Pippa encolhe os ombros, massageando um pulso com a outra mão.

— Se ela tem um problema, é como se eu tivesse um problema. Ela é a minha irmã.

Pela primeira vez em meses Xavier pensa em seus irmãos mais velhos, Rick e Steve. Eles sempre foram um pouquinho velhos demais para Chris, tinham criado suas piadas internas uns dez anos antes de ele nascer e ele era muito pequeno para participar das partidas de críquete. Os dois haviam esquecido o seu aniversário de vinte e um anos.

Xavier dá um tapinha no joelho de Pippa e sente uma onda súbita de sentimentos por ela, que vão do medo ao contentamento.

—Você comeu?

Ela esfrega os olhos e olha para ele de maneira desconfiada.

— Bom, não, na verdade não.

—Você quer? Eu posso comprar alguma coisa.

Pippa assopra uns fios quase brancos de cabelo da frente do olho e seu rosto cora um pouco. "Ela parece uma menina por um momento", Xavier pensa.

— Sério?

— Sim, por que não?

— Porque eu devia estar arrumando o seu apartamento, profissionalmente. — Ela morde o lábio para impedir um crescente sorriso. — Não enchendo a pança.

— Você não precisa encher a pança. Pode comer delicadamente, se quiser.

Dessa vez ela ri alto.

— Olha pra mim. Você acha que eu sou capaz de fazer isso?

Xavier mete a mão no bolso e se sente aliviado ao sentir um fofo maço de notas.

— Gosta de comida chinesa?

— Adoro. Mas vou fazer a mesma limpeza de sempre, viu. — Seu rosto fica sério de repente. — Faço mais depois.

— Não seja boba. Só relaxa, uma vez na vida, e a gente come.

Pippa começa a protestar, mas seu estômago interrompe, rosnando em súplica. Suas sardas flutuam em outra rápida onda de vermelhidão.

Xavier ri.

— Viu? Não dá pra discutir com isso. Volto em vinte minutos. — Ele pega as chaves. — Fica aí e tenta não limpar nada.

Enquanto volta pela Bayham Road carregando duas sacolas de plástico do restaurante chinês, onde os funcionários estavam olhando sem expressão nenhuma para a TV na parede, Xavier se pergunta o que está fazendo. Chuva de neon escorre pelas luzes da rua. Ele entra na loja do indiano — "Prazer em vê-lo de novo, senhor", diz o pai da futura noiva — e sai com uma garrafa de vinho. Na metade do caminho, lembra que já tem uma na cozinha.

Com uma contração dos músculos do peito ele se pergunta se Pippa arrumou a mesa, ou até acendeu velas, ou algo do tipo. Será que agiu de maneira idiota ao convidá-la para jantar? "Eu não a convidei para jantar", Xavier responde ao seu crítico interno, "ela estava lá de qualquer forma, e estou oferecendo o jantar porque é óbvio que ela está com fome e exausta, e é só uma sacola de *fast food*". Quando ele volta, nota que Pippa não arrumou nada para o jantar. Ela está de quatro no chão do banheiro jogando desinfetante na base da pia de porcelana e enxugando com um pano. A privada já está lá bebericando uns goles de água sanitária e o banheiro brilha com uma brancura que há poucas semanas seria inconcebível.

— Já arrumei o seu quarto, comecei o escritório e, lógico, vou arrumar a cozinha depois que a gente comer e tal — ela explica, quando Xavier aparece e a olha nos olhos pelo espelho da pia. Sua blusa de listras escorregou e deixa à mostra um dos ombros.

Ele, mais do que depressa, desvia os olhos de volta para os azulejos, que estão brilhando.

— Mas eu tinha te falado pra ficar descansando.

— Eu *estou* descansando, não estou fazendo quase nada.

Eles sentam em volta da pequena mesa de jantar de Xavier, comendo, direto das caixas de polietileno, frango com molhos de cores berrantes e verduras exauridas pelo cozimento. Não conversam. "Pippa come", pensa Xavier, "como se tivesse acabado de sair da prisão". Ela acumula as garfadas na boca, quebrando mandiopã de camarão para raspar as sobras da caixa.

Quando Xavier chega ao limite, meia montanha de arroz ainda em seu prato, ela olha para ele como se fosse um adversário no *Scrabble* que cometeu um engano tático inacreditável.

— Você não vai comer isso aí?

— Não consigo.

— *Eu* consigo.

Ela puxa o prato dele para si. Xavier está servindo vinho.

— Você bebe vinho?

— Claro. Eu bebo qualquer coisa.

Ela para com uma garfada de arroz metade enfiada na boca e observa Xavier enchendo seu copo.

— Devo estar parecendo horrível, né?

— Como assim?

— Bom, chegando assim na sua casa e falando que eu ia encher a pança. Daí eu caí em cima da comida como uma porca e me entupi do seu vinho...

— Você não fez isso ainda.

— Então você está falando que eu *comi* que nem uma porca?

Xavier ri.

— Claro que não. Só como alguém que está com bastante fome.

— Amanhã vou estar do tamanho de um Fusca.

— Vamos ver. Acho que você ainda vai estar do tamanho de uma mulher normal.

"Que brega dizer isso", ele pensa, os hábitos do *show* de rádio se espalhando para a vida cotidiana.

— Mulheres normais não têm peitos como estes.
— Talvez não, mas o tamanho médio de um vestido é 42, você sabe.
— Quem quer ser médio?
— Verdade.

Xavier enche os copos de novo.

— Como você conhece tamanho de vestido, afinal?
— Eu sou costureiro — diz Xavier, e por algum motivo isso parece muito engraçado para ambos.

Xavier não será capaz de lembrar, mais tarde, se houve uma decisão consciente de abrir a segunda garrafa, quem foi pegar, quem abriu. Não que o álcool vá destruir a lembrança — nenhum dos dois bebeu o bastante para isso —, mas ele impõe sua própria narrativa e parece lubrificar as dobradiças da noite de tal modo que uma cena desliza para a outra. Os dois se sentam no sofá, lado a lado, como colegiais. Na verdade, provavelmente *não* como colegiais, Xavier pensa, colegiais fariam aquilo na hora. Seja lá o que for "aquilo".

Pippa se inclina para a frente e toca nos lábios dele com o dedo.

— Faz assim.
— Hein?
— Você está com vinho na boca toda.

Xavier faz o que ela indicou e sente vergonha, brevemente, pensando em Murray, que sempre fica com a boca encrustada de vinho em festas. Ele se lembra com um espasmo súbito de culpa da festa da irmã de Murray — ele já deve estar lá, já deve até ter mandado uma mensagem de texto. Xavier nem sabe onde está seu celular, provavelmente atrás de uma almofada do sofá. Bom, Murray vai ter de se virar sozinho.

— Tudo bem com você, querido?
— Sim, estava só procurando o meu telefone. Mas eu, hm, eu não quero tanto assim encontrar ele.
— Eu sou assim também, eu me separei do meu meio que de propósito. — Pippa faz uma careta. — Eu não quero a minha irmã ligando pra saber quando eu chego em casa.
— O que você disse pra ela quando saiu?
— Eu falei que ia ver o que ia acontecer.
— E o que *está* acontecendo?

As pálpebras de Pippa estremecem.

O primeiro beijo é curto e tímido; o segundo, exploratório; o terceiro, comprido, tão comprido que, quando finalmente se separam, parecem momentaneamente desorientados, como mergulhadores que voltaram à superfície.

Depois de um longo silêncio, ecoado lá fora, lá embaixo, em toda parte, Pippa diz:

— Bom, encontro relâmpago não é tão rápido quanto eles falam, mas parece que funciona.

Eles passam meia hora se beijando no sofá, beijos com gosto de vinho. Xavier tira a blusa de Pippa por sobre os ombros, por sobre a cabeça, acariciando seus braços fortes e cobertos de sardinhas, beijando a borda do decote, que é muito mais firme do que ele imaginava, fechando os olhos quando ela beija seu pescoço. Nada além disso, por enquanto, nenhum deles quer se apressar, cada minuto disso vale muitos minutos de vida normal.

Então alguém se move, fazendo barulho, no andar de cima, vozes se erguem e, cutucados pelo resto do universo, que havia brevemente, discretamente, olhado para o outro lado por um momento, os dois se olham como se só agora percebessem o que estavam fazendo. Pippa, confusa, passa a mão pelo cabelo desarrumado. Xavier se senta mais reto. Suas costas doem. Pippa limpa a boca com a mão. Xavier se levanta para ir ao banheiro. Quando volta, o mecanismo que permitiu a atmosfera extraordinária da última meia hora — ao mesmo tempo narcótica e cheia de adrenalina — rompeu a engrenagem, e os dois se olham, ainda excitados, mas com uma certa estranheza, como duas pessoas que concordaram em seguir um plano perigoso.

— Eu devia, eu devia ir indo, eu acho — Pippa murmura. — Não arrumei nem a cozinha.

Xavier, achando graça, estica a mão para pegar a dela.

— Não se preocupe com isso. Se você pensar pelo ponto de vista de limpeza, foi uma visita nada profissional.

Ela não sorri da piada e por um momento ele tem medo de a ter ofendido.

— Desculpa, eu não quis...

ONZE

— Não, não, tudo bem, só estou pensando na minha irmã.

Enquanto a lembrança pragmática de tudo que existe fora deste apartamento volta à sua mente, Pippa parece tão cansada que Xavier não quer fazer nada além de a pôr na cama e a deixar dormir. Ele sorri por dentro pela ousadia desse pensamento mesmo enquanto ele ainda está se formando: ela não é o tipo de pessoa que você "põe" em algum lugar. Mas ele pode pelo menos chamar um táxi para ela.

Ele aperta a sua mão.

—Você sabe, tudo vai ficar bem com a sua irmã. Vai dar tudo certo.

"Ainda estou um pouco bêbado", pensa Xavier, surpreso. As palavras tomam forma de maneira levemente mais lenta que de costume, e uma vez ditas elas ficam envergonhadas no ar, como palavras escritas erradamente esperando para serem descobertas na página.

— Bom, vamos ver.

— As pessoas sempre encontram um jeito de se virar, elas aguentam qualquer coisa.

— Eu não quero "aguentar". — Pippa deixa escapar uma respiração longa e lenta. — É o que todo mundo disse quando os meus joelhos estouraram: "Você aguenta". É o que eu sempre digo pra mim mesma quando tenho que fazer seis serviços de limpeza em um dia e depois eu chego em casa e a Wendy não lavou a louça. Eu queria chegar no estágio em que a vida não é sempre uma batalha. Mas, enfim... Não liga pra mim, eu sou horrível nessas coisas de falar sem parar.

— Você tem se saído muito bem até agora. Quer dizer, a vida é isso, "aguentar". — Xavier se esforça para pôr essa noção, que ele tem certeza que é boa, de pé. — Não existem muitas pessoas que passam pela vida sem uma boa quantidade de problemas, mais cedo ou mais tarde. Meu pai disse uma vez... bom, enfim. Alguns conseguem, outros não. A vida é assim mesmo.

A boca de Pippa se torce num sorriso, o significado do qual ele não consegue entender muito bem.

—Você vai usar isso?

— Desculpa?

— No seu *show* de rádio. Você soou igualzinho o seu *show* por um segundo.

A boca de Xavier fica seca.

— Como você sabe disso?

— Eu ouvi você outra noite dessas.

Ele não sabe por que isso o deixa desconfortável, mas, como sempre, a quebra do anonimato é como uma tocha ofuscando seus olhos, e a sala de repente parece muito iluminada, a luz da lâmpada forte e desagradável, como as luzes de um hotel barato.

— Você é muito bom — ela diz, dando tapinhas no braço dele —, mas você podia se livrar daquele outro homem.

Xavier se afasta.

— Eu tento não deixar ninguém saber.

— Eu não sou idiota. Achei que reconheci sua voz da primeira vez, até, mas não conseguia saber de onde.

Xavier levanta-se do sofá, a bebida pesando na sua cabeça.

Pippa ainda está falando.

— Eu não acreditei! A minha irmã está morrendo de inveja!

— Hein? Por quê?

— Como assim, por quê? Você é famoso!

— Não sou famoso.

— Bom, você está no rádio.

O coração de Xavier está batendo muito rápido. Ele se sente terrivelmente perturbado.

— É por isso que você queria... fazer isso?

O comentário morre brutalmente no espaço entre eles.

Pippa olha para ele, afrontada.

— É isso que você acha?

Xavier não consegue falar. Pippa, com brusquidão, põe a blusa listrada por sobre a cabeça, limpa uma poeira imaginária das calças *jeans*, procura pelos sapatos.

— Eu não quis dizer...

— Tudo bem. Olha, eu preciso ir indo. Obrigada pelo jantar.

— Deixa que eu... deixa eu chamar um táxi. É tarde. — Xavier olha para o telefone.

— Não, bobagem.

ONZE

Ela passa por ele para chegar perto da porta, e por um segundo eles respiram o mesmo ar tenso antes de ela se afastar, subindo os *jeans*. Ela entra no escritório, onde o saco azul e amarelo a espera como um sentinela, e ele ouve o som odiosamente decisivo de um zíper.

Tentando se recompor. Xavier vai atrás dela.

— Eu nem te paguei.

— Você acha que tem que me pagar?

— É, porque... você limpou o, o banheiro, você fez muita coisa enquanto eu fui pegar a comida. Você trabalhou.

— Eu *estava* trabalhando, sim, mas daí virou outra coisa, não foi? — Ela fala sem amargura agora, só um desapontamento calmo. — Esquece.

Ele estende os braços e eles se abraçam, mas tão rigidamente, quanto dois parentes distantes se despedindo depois de um evento familiar cansativo. Como aconteceu depois do rápido caso com Gemma, a australiana, algumas semanas atrás, Xavier se sente desorientado pela maneira com que os polos da intimidade e da hostilidade estão tão juntos e podem ser visitados a poucos momentos um do outro.

Ele a acompanha até as escadas, o clima entre eles ainda ambíguo, as perguntas ocorrendo em maior número do que as respostas. Mas, quando estão quase saindo, há outro barulho súbito e assustador vindo do apartamento de Tamara lá em cima — um som de madeira caindo, como se uma mesa tivesse sido virada com violência —, e daí mais barulhos: vozes raivosas abafadas, pancadas, o que soa como gemidos, passos apressados, e depois mais nada. Eles prendem a respiração, esperando que alguém desça do apartamento, ou que algo mais aconteça, pelo menos, mas não há nada. Olham um para o outro. Xavier sente a cor subindo ao seu rosto e evita os olhos de Pippa.

Pippa não precisa dizer nada, mas, como sempre, ela diz:

— Então, imagino que você não tenha investigado o que acontece lá em cima?

— Não — diz Xavier —, não, não investiguei, e não ajudei a moça do andar de baixo, eu não fiz nada. Você tem razão, sou muito egoísta.

— Eu não quero que você diga que é egoísta, eu só me pergunto como é que você consegue deixar coisas assim acontecerem sem se envolver.

— Não é realmente algo com que você deva se importar, Pippa.

— Eu sei, Xavier. — A troca de nomes é fria. — Eu só... bom, deixa pra lá.

— Não, continua, fala.

— Bom, é só que parece um pouco esquisito que você fique lá no seu *show* dando esses bons conselhos pra todo mundo, e sendo o Sr. Prestativo e Reconfortante, e esteja sempre lá como um ombro amigo e coisa e tal, mas daí na sua vida real você só olha pro outro lado.

—Você não sabe nada sobre mim.

"Como chegaram a esse ponto, essa discussão inútil?", Xavier se pergunta, sem saber o que fazer.

— Eu não falei que era uma *expert* — o sotaque de Pippa, exagerado pela raiva, ataca a palavra com aspereza.

Ela é movida por uma série rápida e desregrada de emoções: indignação por estar sendo tratada como um tipo de fã pegajosa, vergonha por ter falado demais, como sempre, e perdido a dignidade. Uma raiva cansada pelo fato de tudo, sempre, ter de girar em torno de Wendy, ou de sua mãe, ou pelo menos de outra pessoa além de ela mesma. E também, vazando pelo espaço entre esses tijolos, um lento e viscoso desdém por esse homem que fica sentado em seu estúdio de rádio, dando seus pequenos conselhos, depois volta para o seu belo apartamento, pode pagar para que uma mulher venha fazer sua cama e pôr água sanitária em sua porra de privada, e que obviamente não consegue imaginar como é ter, de verdade, os tipos de problemas sobre os quais ele se mete a aconselhar as pessoas. Ou o tipo de problema que a própria Pippa tem: sobrevivendo sem dinheiro, ligando para umas cinquenta pessoas todos os dias para perguntar se elas precisam de faxineira, animando a irmã, discutindo com a mãe, pegando no sono ainda de roupa.

— Eu só acho que é um pouco, um pouco *conveniente* ficar sempre no rádio dizendo que é bom falar sobre o que você está pensando, e essas coisas todas, e daí simplesmente se fechar...

— Eu disse, eu não me intrometo, porque...

— É, porque você acha que tudo se resolve sozinho. Bom, como eu falei, é conveniente.

— Quer saber de uma coisa?

ONZE

Xavier não reconhece a si mesmo, ele poderia estar observando a cena de algum lugar fora do corpo. Ele chega perto de Pippa e sacode um dedo, tremendo um pouco.

— Quer saber? Eu costumava me envolver em tudo neste mundo! E tudo deu em merda!

Há um longo silêncio depois dessas palavras melodramáticas, mas não seria de se esperar que elas causassem outra coisa. Xavier sabe que eles devem ter ouvido lá embaixo e que ele pode ter acordado Jamie. Ele tenta modular a voz, mas ela vai para cima e para baixo, fora do seu controle como um avião de papel durante uma tempestade.

— Então nunca mais venha pra cá dizer na minha cara que eu devia ficar fazendo favores pras pessoas. Porque, acredite, quanto menos eu me envolver, melhor.

— Eu não venho pra cá pra dizer coisa nenhuma — diz Pippa, baixinho.

Xavier observa, desgostoso consigo mesmo, enquanto ela vai embora. Ele ainda acha que ela pode voltar, que eles podem, de algum modo, esquecer essa conversa terrível, caótica, mas depois de uma pausa, que lhe dá esperança por um momento, a porta da frente se fecha com um pequeno clique lá embaixo.

Xavier encontra uma garrafa de vodca que esqueceu que tinha, num dos armários que Pippa reorganizou, e senta-se no sofá com a TV ligada. Bebe direto da garrafa, sentindo um prazer sombrio com o intervalo de três segundos que demora entre engolir e sentir o calor em sua garganta. As caixas de comida chinesa ainda estão em cima da mesa, o ar ainda tem o cheiro de Pippa. Ele vai para o quarto, deixando que as notícias da noite falem para si mesmas: MENINAS FICARAM PRESAS EM CONDIÇÕES DESUMANAS, *JET* DA EMIRATES FAZ POUSO FORÇADO. Ele bebe até quase conseguir acreditar que esta noite foi perfeita, consolando-se com o fato de não ter quebrado, por uma provocação dessas, sua promessa de nunca falar o que aconteceu com Michael, e depois bebe mais ainda, até que seu cérebro encharcado quase pode ser persuadido a confirmar que nada aconteceu, que ainda está seis anos atrás e que ainda é possível evitar o que aconteceu.

VII

XAVIER DORME ATÉ as três da tarde seguinte — ou fica na cama, pelo menos. Cada vez que volta à consciência, tudo que quer é voltar a perdê-la. Ele ouve ou sente o dia passando, como música tocando numa sala distante: Mel levando o ruidoso Jamie para algum lugar, passos nas escadas na hora do almoço, e depois o silêncio pesado e característico de uma tarde de domingo. O trânsito na Bayham Road é só um pingar de carros levando casais para almoçar em *pubs*, ou famílias para piqueniques de início de ano provocados pelo muito aguardado sol.

Depois de algum tempo ele se senta na cama, joga as cobertas de lado e começa a rever os acontecimentos da noite. "Estraguei tudo", Xavier pensa. Por um segundo tudo o que ele quer é telefonar para Matilda, ou Bec e Russell, só para ouvir uma dessas vozes familiares, mesmo se eles só descreverem o que veem à volta, ou o que têm feito. Mas já é noite na Austrália. Matilda está dançando com o noivo em Kings Cross, Sydney. Bec e Russell, exaustos como sempre, estão dormindo.

Xavier arrisca alguns passos para o banheiro, mas sua cabeça parece estar sendo esmagada por um punho gigante, e o chão e as paredes brincam maldosamente com seus olhos, recusando-se a permanecerem sólidos ou parados. "Ainda estou bêbado", ele pensa. "Jesus, eu bebi demais." Essa memória leva às outras, à conversa horrível na porta, e mais para trás, para os acontecimentos que o trouxeram aqui, que o fizeram fugir do mundo, e berrar, absurdamente, com Pippa, por dizer coisas que eram provavelmente verdade.

Xavier sente náusea. Consegue encontrar o celular na sala, no chão, perto do sofá. A sala toda, com seu resto de comida manchados de molho e almofadas fora de lugar, com traços de Pippa nos móveis e sua respiração acelerada ainda no ar, está dominada por uma atmosfera de arrependimento, uma nostalgia melancólica pelo que brevemente aconteceu ali. "Não seja estúpido", Xavier pensa, "seja homem, controle-se pelo amor de Deus". Ele precisa de três tentativas antes de encontrar o número de Murray no celular.

— Xav? Eu ia te telefonar daqui umas duas horas... tenho uma ideia muito boa pra hoje à noite, basicamente a gente faz eles chamarem alguém pra expulsar da TV. Tipo, você pode escolher uma pessoa pra banir pra sempre da...

— Murray, não estou bem. Não vai dar pra ir esta noite.

Murray fica sem palavras por alguns momentos. Xavier nunca faltou no trabalho em cinco anos.

— Estou com algum tipo de vírus ou algo assim. Doente.

—Ve-ve-ve-ve — Murray começa, mas não consegue fazer as pazes com a palavra. — Já contou pro...

— Vou ligar pro Roland agora. Eles chamam um daqueles caras pra substituir.

— Ok — Murray parece chocado. — Bom, espero que vo-você esteja melhor amanhã. Semana cheia vi-vindo aí.

Não há motivo para que esta semana seja mais "cheia" que outra qualquer, mas Xavier deixa pra lá, ele quer terminar a conversa e dormir de novo.

—Vou ficar bem, vou ficar bem. Como foi ontem à noite?

—Tudo certo.

Xavier pode imaginar a expressão chateada de Murray, e quase pode vê-lo passando a mão pelos cabelos emaranhados.

— Quase levei pra casa uma garota polonesa. Ela era gostosa, você nem acreditaria. Mas li errado a linguagem corporal dela. Então, no final... bom, ela foi pra casa e eu fui pra casa, mas não juntos.

Xavier liga para o chefe, Roland, que também fica surpreso, mas é compreensivo. Tão logo a conversa acaba, ele volta para a cama, mas o telefone grita, chamando a sua atenção.

É Murray. Xavier dá um suspiro pesado, mas aceita a chamada.

— Olha, estive pensando. Você pode me indicar pra—pra fazer o *show* solo hoje?

— Solo...? O quê? Você quer apresentar? Só você?

O tom de Murray é súplice.

— Xavier, eu... eu estou lá faz bem mais tempo que vo—vo—você e muita gente. Todos os outros têm a chance de apresentar. Por causa da... por causa da gagueira e tudo o mais é muito mais difícil pra mim. Se vi—vier alguém no seu lugar, não sei se vou me dar bem com ele.

— É só uma noite, Murray.

— Mesmo assim.

Xavier suspira internamente por causa do pedido de Murray. Ele sabe que é em parte inspirado pela crença mal fundada de Murray de que ele vai poder impressionar seus chefes e melhorar sua reputação na estação com uma *performance* brilhante; e não há muito que ele possa fazer para dissuadir o amigo da ideia. Mas também é verdade, como Murray disse, que um novato pode não contornar as gagueiras, pode ir embora espalhando que um dos apresentadores não consegue ser engraçado, e que na verdade mal consegue falar. Esse pensamento é o suficiente para convencer Xavier a telefonar.

Roland reage com ceticismo.

— A gente deixou o Murray fazer uns dois programas sozinho, anos atrás, quando o Malcolm não pôde vir, e foi um desastre. Porque, caramba, foi por isso que você acabou assumindo o programa em primeiro lugar.

— Ele melhorou bastante.

— Tá, ele termina as palavras agora?

Xavier não diz nada.

Roland pede desculpas.

— Ele só não é muito... olha, Xavier, eu amo o Murray e você o ama também, ele é ótimo, mas só não é muito... ele não é exatamente o que se chama de uma mão na roda como apresentador.

— Ele não vai desapontar você. Dá só uma chance pra ele. Amanhã já estou de volta, de qualquer maneira.

Seu chefe concorda relutantemente. Murray está grato e contente. Ele manda uma mensagem para o celular de Xavier com uma ideia para explicar a sua ausência, alguma tolice na qual ele finge que Xavier foi raptado, e várias piadas sobre isso, mas Xavier o aconselha a não fazer isso. Murray envia mais quatro ou cinco mensagens enquanto a tarde se dissolve num límpido começo de noite, perguntando o que o seu colaborador acha dessa ou daquela ideia. Xavier responde ajudando cada vez que volta à consciência, fora do estado amorfo e livre do tempo em que passam as horas, das cinco às dez da noite.

Naquelas que seriam normalmente as horas gastas nos últimos preparativos para o *show*, ou talvez jantando, esperando por Murray vir pegá-lo de carro, Xavier, agora menos zonzo, põe um casaco e sai do apartamento, sem nenhum destino específico em mente.

A três minutos do número 11 da Bayham Road há uma série de degraus quase escondidos por arbustos, que levam a um trecho extenso de mata. A trilha pela floresta se estende por dois quilômetros e meio até Highgate e além. É parte de um pouco conhecido anel de vegetação que corta a cidade, passando por trás e por entre as casas das pessoas, sobre pontes e contornando avenidas, uma Londres paralela cheia de pessoas passeando com cachorros, corredores, ciclistas e assaltantes. Normalmente Xavier pensaria duas vezes antes de passar por esse caminho à noite, mas no momento ele não está pensando sobre nada.

Xavier caminha. É uma noite fresca, com uma grande lua pairando sobre a mata. Perto das bordas da luz da lua, a vegetação crepita quando criaturas fogem dos passos solitários de Xavier. É só agora que ele percebe que vem represando um influxo de lembranças há anos, com uma força de vontade da qual só estava parcialmente consciente. Enquanto caminha no escuro, por uma trilha enlameada pontuada por arbustos cheios de espinhos, as memórias começam a crescer dentro dele.

Ele volta por onde veio e chega em casa às quinze para as três. O *show* deve estar na parte final, mas Xavier não tem vontade de ver como ele está indo. Enche a chaleira e faz um copo de chá numa caneca que parece nova. Sentado no escritório, com uma única lâmpada apontada para a parede fornecendo luz, Xavier se permite retirar do cofre a memória completa do dia 11 de julho de 2003.

ONZE

A ambição de Bec e Russell de ter um filho foi frustrada, até que se transformou mais numa tarefa insuperável do que um sonho e, é claro, quanto mais os outros esperavam por um anúncio, tudo ficava pior. Como todos sabiam que eles estavam tentando, sem sucesso, fazia três anos, o assunto se tornou sensível. Com frequência cada vez maior, a geralmente imperturbável Bec vinha desabafar com Chris.

— E se a gente não for capaz mesmo? Chris, e se houver alguma coisa errada?

— Bom, vocês fizeram testes, não fizeram?

— Fizemos. Eles não conseguem *ver* nada errado. Mas algumas pessoas, elas nunca conseguem...

Chris não disse "Vocês têm tempo", ou "Você tem só vinte e sete anos", ou outras coisas inadequadas que todo mundo estava dizendo para eles, com a melhor das intenções. Segurou a mão dela e disse que continuasse tentando, e que não entrasse em pânico. Em festas, silenciava as piadas, e a conversa era desviada para outro caminho. A Gangue dos Quatro formou um círculo contra o mundo.

Quando afinal Bec deu a notícia de que estava grávida, na catedral de York, o alívio coletivo alimentou uma euforia de seis meses. As piadas voltaram: piadas novas sobre o que aconteceria se o bebê fosse feio, o que fariam se fosse um assassino em série, sugestões idiotas de nomes e livros de cuidado infantil comicamente ruins, dos anos 1950, comprados em sebos. Nem era preciso dizer que Chris e Matilda iam ser os padrinhos, e, na prática, tio e tia. Para os dois, começou a parecer, como Matilda disse uma noite, como se fosse o bebê *deles* que estivesse para chegar.

O que se tornou a pior noite da vida de Chris começou com ele fazendo um favor para Bec e Russell. A Gangue dos Quatro tinha entradas para ver uma banda famosa de *rock*: Bec tinha comprado meses antes de Michael existir, quando ele era só uma perspectiva. Agora ele tinha dois meses, um bebê tranquilo que estava começando a sorrir como o pai. O *show* daquela noite seria a primeira vez que Bec e Russell iam sair desde o nascimento. Bec estava dando uma pausa na amamentação por alguns dias, então tecnicamente não havia necessidade de ficar junto de Michael. Todo mundo concordava que ela merecia um descanso, só por um par de horas. O desgaste das últimas semanas era óbvio.

Tudo foi planejado, mas não conseguiam achar uma babá.

No início, quando Chris se ofereceu para ficar, Matilda não gostou.

— Esses *tickets* custaram £60 cada!

— A gente pode vender. Podemos conseguir bem mais que isso, na verdade. Você pode trabalhar de cambista esta noite.

— Mas eu quero ir com você.

— Eu sei, mas a Bec precisa de uma saída. Você viu como ela está.

Matilda o beijou.

— Você é maravilhoso, sabia disso?

— Concordo completamente.

Chris recebeu uma série de instruções, mas, sério, o que havia para fazer? Ficar perto do bebê, que estava dormindo no quarto de Bec e Russell.

— Se ele começar a chorar, pegue ele no colo, dá a mamadeira pra ele, só segura ele, ele logo volta a dormir. Deite sempre ele de costas. Provavelmente você não vai ter que trocar a fralda.

— Eu sei trocar, se precisar — disse Chris, com orgulho. Já havia feito isso antes, na terceira semana, quando Bec pegou no sono e Russell parecia catatônico de tão cansado. Matilda e Chris quase nunca estavam longe dos dois novos pais durante a primeira quinzena, pegando coisas, comprando, ajudando de várias maneiras.

— Se ele começar a chorar de verdade, me manda uma mensagem, tá?

— Ele não vai mandar mensagem nenhuma — disse Russell, tirando o celular das mãos de Bec. — Ou você vai voltar pra cá antes da primeira música. Você precisa relaxar.

Depois de tudo que se fala, a má fama que cerca a gravidez e o nascimento, Russell estava evidentemente ansioso para mostrar que eles ainda eram *cool*, para mostrar como essa nova e dependente criatura prejudicava pouco a vida deles. Começou a cantar desafinadamente. Matilda estava usando uma camiseta que havia comprado quando era uma fã adolescente, e uma bolsa cuja tira cortava o decote. Chris imaginou mais alguém se chocando contra ela na frente do palco, na floresta de braços e confusão de corpos, e se arrependeu brevemente de seu gesto de boa vontade enquanto os três saíam.

— Manda a mensagem pro *Russell* então, se ele começar a chorar de verdade — gritou Bec enquanto a porta fechava, mas Chris estava determinado a não fazer isso.

Ele sentou-se no quarto dos seus amigos, decorado com fotos dos quatro. Lá estava aquela de York da brincadeira do "olhando de cima da torre". Aquela em que eles estavam no zoológico, Russell vestido de gorila durante um bico malsucedido. Russell recebendo o diploma. Por uma hora e meia nada aconteceu. Chris leu um dos livros de Bec sobre compra ética. O silêncio era quase sinistro. Michael dormia em sua roupinha de tigre, o polegar pequenininho enfiado na boca, parecendo que estava numa propaganda de roupa de cama na TV. Seus lábios em miniatura se torciam em respirações da rasura de uma colher de chá. Ele resmungava mal-humorado para si mesmo. Chris percebeu que, um dia, por mais impossível que parecesse, esta criatura de dois palmos de comprimento teria a mesma idade que ele, e Chris seria um homem de meia-idade. Eles poderiam beber uma cerveja juntos.

Mas daí Michael começou a gritar. Ele começou com gritos bruscos, que se juntavam com tosses. Chris decidiu não fazer nada — é isso que bebês fazem. Os berros de Michael dobraram de volume e intensidade. "Talvez ele esteja sentindo dor ou algo assim", pensou Chris, começando a ficar preocupado. Tentou pensar em si mesmo, no papel de pai. Com delicadeza, pegou o bebê. Michael era surpreendentemente leve, insubstancial para algo vivo. Ao toque das mãos de Chris ele redobrou os gritos. Os gritos se seguiam um ao outro, como se fossem pedaços de música dividida em barras, cada vez terminando num horrível crescendo, a expressão mais pura de dor que Chris já lembrava ter ouvido. "Merda", pensou Chris, seu coração começando a acelerar, "é por isso que você não deve dar seu filho pra ninguém, é por isso que os pais não saem de perto dos recém-nascidos por meses e meses, todas as noites". Ele ainda não estava em pânico, mas estilhaços de medo estavam se juntando rapidamente em seu estômago.

Ele começou a andar devagar pelo apartamento, sussurrando para Michael:

— Está tudo bem! Mamãe e papai vão voltar, logo logo! Ô se vão! — E coisas assim, mais para acalmar a si mesmo. — Tudo bem, Michael! — Não era isso que eles tinham dito, pra andar pelo apartamento com ele e ele voltaria a dormir?

"Também não é como se eu fosse um estranho, não é, eu passei com ele quase tanto tempo quanto eles passaram."

— Não passei, Mike, você me conhece, né, parceiro? — perguntou Chris. — A gente é amigo, né, camaradinha? — Já tinha perdido sua vergonha de falar com o pacotinho em seus braços, mesmo se ele não o compreendesse. — A gente se conhece faz tempo, né, Mike? — Mas Mike não estava comovido. Continuava a gritar. Essa era a única palavra apropriada agora. Chris nunca tinha ouvido gritos de verdade até então.

Chris acelerou o passo, dando voltas no pequeno apartamento, saindo até a varanda atravancada e voltando de novo, dando a volta no sofá castigado, a sala com seus enormes pôsteres emoldurados de filmes, *Jules e Jim*, *Aconteceu naquela noite* — os favoritos de Bec. *RoboCop*, de Russell. A explosão de velocidade pareceu acalmar Michael um pouco, e Chris afundou numa cadeira, as pernas cruzadas e o bebê no colo. Os gritos de esfaqueamento de Michael deram lugar a pequenos soluços. Comparados ao que tinha vindo antes, mal eram perceptíveis, como a música aguada que havia começado bem naquele momento no *show*, a seis quilômetros dali, depois que a banda de verdade havia partido numa névoa de barulho e luz, e Bec e Russell se viraram de mãos dadas para irem embora, pisando num tapete de copos de plástico descartados.

"Eu consigo resolver isto", pensou Chris, "está tudo bem. Tudo vai ficar ok". Ficou sentado ali, sem ousar se mover por algum tempo. Os soluços foram morrendo. As pálpebras minúsculas de Michael fecharam, abriram, fecharam enquanto ele flutuava na fronteira do sono. Chris inspirou fundo de alívio, mas ainda não conseguia descruzar as pernas ou se mover para outra posição mais confortável. Ficou sentado, ouvindo os sons familiares da rua lá fora: o chacoalhar dos bondes, vozes altas numa discussão amigável. Sua perna direita estava agora completamente adormecida, ele tentou não pensar nisso. O indicador de Chris tocou na boca de Michael e o bebê, sem abrir os olhos, cobriu delicadamente a ponta do dedo com os lábios, mamando como uma mamadeira. Dois minutos depois, da próxima vez que Michael abriu os olhos, Chris ofereceu o dedo de novo; mas desta vez isso pareceu perturbar Michael. Ele começou a gritar de novo.

"Está com fome", pensou Chris, "deve ser por isso que está mordiscando o meu dedo. Ele quer comida de verdade". Bec tinha deixado uma mamadeira na geladeira.

— Tudo bem, companheiro, vamos pegar o seu jantar, vamos?

Ele se levantou abruptamente do sofá. O movimento súbito incomodou Michael, e além de chorar ele começou a se contorcer nos braços de Chris, dando chutes com uma força surpreendente.

— Ei, tudo bem, amigo! — disse Chris, mas sentiu uma onda de dor repentina em sua perna adormecida voltando à vida, desequilibrando enquanto o bebê se contorcia e chutava o ar com mais força ainda. Foi aí que ele derrubou Michael.

Por alguns segundos seu cérebro simplesmente se recusou a compreender o que estava em sua frente. "Isso não aconteceu", pensou Chris. "Eu não deixei Michael, por motivo algum, cair dos meus braços. Ele não está no chão."

Muito rapidamente a recusa de aceitar a realidade foi embora, e o corpo de Chris se encheu de ondas sufocantes de pânico, e horror, uma palavra da qual ele nunca tinha entendido o verdadeiro alcance até então. Michael estava lá sem se mexer e sem fazer um som no tapete gasto, sua cabeça caída para um lado, virada na direção oposta de Chris, seus bracinhos gordos abertos e caídos ao lado do corpo. Parecia uma boneca de plástico esquecida no chão de um berçário.

Chris caiu no chão, suas pernas parecendo que tinham perdido todo o sangue. Tentou dizer algo em voz alta, mas nenhuma palavra saiu. "Meu Deus", ele pensou, "não". Já não conseguia se lembrar o que tinha acontecido, como o bebê foi parar no chão. "Como é que alguém deixa um bebê cair? Como é que você uma hora está segurando o bebê e na outra, não está?" Essa era uma pergunta que Matilda iria fazer para ele, que Bec e Russell iriam perguntar um para o outro centenas de vezes, e, é claro, que ele iria perguntar para si mesmo pelo resto da vida. Mas não havia resposta.

Ligou para o número de emergência e gritou com uma mulher desconcertantemente animada para conseguir uma ambulância. "Não sei", ele disse quando ela perguntou se Michael ainda estava respirando. Sentia-se prestes a vomitar. Ela mandou que ele verificasse o pulso. Chris achou que ia desmaiar. Não confiava em si mesmo para tocar em Michael. "Manda logo uma ambulância, porra!", ele berrou de novo. Pôs a mão no pulso de Michael, que estava alarmantemente frio, mas não conseguia olhar para ele. Havia quase nada de pulso, ele achou, mas talvez estivesse só imaginando. De quatro, perto do bebê, Chris começou a chorar.

Mal capaz de focar os olhos no teclado do telefone de mesa, telefonou para Matilda, depois para Russell, depois para Bec, depois Matilda de novo — nenhum deles podia ouvir os celulares naquele momento, por causa do barulho da multidão se dispersando. No final, foi com Russell que conseguiu falar.

— Cara, foi fantástico! — gritou Russell antes que Chris pudesse falar alguma coisa.

Mas a verdade é que ele não conseguiu falar nada. Ele chorou e gritou e fez sons que não conseguia associar a si mesmo.

— Não consigo ouvir, cara! — disse Russell, ainda muito feliz, sempre o último a reagir às coisas, e deu o celular para Bec para ver se ela tinha mais sorte.

Chris fez um som, e Bec entendeu.

De algum jeito Bec conseguiu chegar em casa antes dos outros, e antes da ambulância. O momento em que ela arrancou seu bebê, deitado de barriga para baixo — mas ainda respirando — das mãos de Chris, arrancou de fato de suas mãos, como um tesouro das mãos de um ladrão, foi inevitavelmente o início do fim da amizade de uma vida inteira. Seu passado em comum foi destruído com um gesto.

Michael ficou no hospital por três semanas. Por um tempo, pareceu que ele nunca iria se recuperar. Quando se recuperou, ficou com sérios traumatismos cranianos e lesões cerebrais de longo prazo. Foi assim que Chris ouviu pela primeira vez, de Matilda: "lesões cerebrais", duas palavras como um rolo de arame farpado. Teve de ouvir tudo por Matilda, durante semanas. Não podia ir ao hospital. Não podia falar, nem ver, dois dos seus melhores amigos. A essa altura ele achava, tanto quanto conseguisse pensar em qualquer coisa, que essa era uma situação temporária — talvez de longo prazo, mas temporária. Tinha sido uma catástrofe devastadora, que sem dúvida os assombraria pelo resto de suas vidas, mas, no final, eles iam acabar o perdoando, sem dúvida.

Muito cedo, no entanto, ele percebeu que "perdão" não tinha nada a ver com isto. Semanas viraram meses. A história ganhou notoriedade local: houve um inquérito, houve a possibilidade de um julgamento criminal, houve muitas conversas. Chris teve de explicar, de novo e de novo, sem expressão nenhuma na voz, de que modo, sim, ele tinha derrubado o menino, ele simplesmente não podia explicar direito, foi um acidente, um acidente terrível. É claro que Bec e Russell não queriam que nada acontecesse com ele, só queriam fazer o que quer que tivessem que fazer para sobreviver. Em uma ocasião, os caminhos de Chris e Russell se cruzaram do lado de fora do escritório de um dos advogados envolvidos. Ambos desviaram os olhos.

No final não houve julgamento: foi decidido que o ocorrido com Michael havia sido um acidente. As pessoas tinham opiniões diversas. Que tipo de pais vão a um show e deixam um recém-nascido em casa? Mas, também, como alguém pode ser tão descuidado a ponto de derrubar um bebê, a coisa mais preciosa do mundo?

Chris deixou de sair de casa. Não conseguia ver filmes nem se concentrar em livros, nem mesmo na TV. Abandonou o trabalho de crítico de cinema e passou a viver com o seguro-desemprego. Durante semanas, só saiu do apartamento para receber o pagamento. Quanto mais inativo ficava, a cada dia que passava, mais difícil se tornava imaginar-se voltando a fazer as coisas que costumava fazer. Quanto menos fazia, mais cansado parecia ficar. Sentia-se como se, enquanto a vida de todos havia continuado depois da tragédia, ou seguia em frente em completa ignorância do acontecido, ele estivesse congelado. Havia se tornado um espectador.

Matilda partiu para o extremo oposto, entregando-se a tarefas com uma eficiência calculada e pouco característica. Ia às aulas de trampolim cinco vezes por semana, não mais duas; oferecia-se como voluntária para mais e mais horas extras; não prestava atenção em filmes e recusava convites para festas. Muitas de suas manias mais simpáticas pareciam ter sido apagadas pelos acontecimentos. No lugar das típicas camisetas amassadas e acessórios que não combinavam, passou a usar malhas com gola polo e saias compridas, vestindo-se, na verdade, como Bec. Ela brincava com a comida, não terminava a refeição. Parou de andar nua pela casa. Não dizia mais tantos palavrões. Voltou a fumar, o que não fazia desde a adolescência. Insistia que ele a chamasse de "Matilda", não de "Mat", nas poucas ocasiões em que se encontraram por tempo suficiente para conversar. Frequentemente dormia na casa de Bec. Quando estava em casa, ela e Chris deitavam em pontos opostos da cama, os olhos muito abertos.

Russell e Bec procuraram aconselhamento, e um terapeuta lhes foi recomendado pela mesma pessoa com quem haviam conversado sobre seus problemas sexuais. Matilda ia a todas as sessões, mas nunca discutia a respeito com Chris. Uma tarde, ela chegou em casa muito mais tarde do que o esperado. Era um belo início de noite de primavera: aviões zumbiam com preguiça sobre o apartamento, empregados de escritório com as mangas arregaçadas bebericavam coquetéis em bares no terraço de edifícios, e os rastros tênues de um concerto ao ar livre chegavam até Chris, a algumas ruas de distância. Encorajado por uma onda momentânea de otimismo, ele tentou abraçar Matilda assim que ela entrou. Ela se livrou dele e sentou-se à mesa da cozinha, mexendo em um bracelete que pendia folgado em seu pulso.

— Como foi hoje?

Ela encolheu os ombros.

— Como você acha que foi?

— Bom, eu... Eu não sei o que posso dizer.

Matilda estava se olhando em um espelhinho de bolso, esfregando algo no tampo da mesa, verificando o celular.

— Por favor, Mat. Matilda. Por favor, olhe pra mim.

Ela o encarou com dois olhos enormes.

— Pronto. Melhor assim?

— Eu não sei o que posso dizer.

Matilda mordeu o lábio, esfregou os olhos violentamente com a mão.

— Sabe, depois que terminou hoje, a Bec chorou por, porra, mais de uma hora. Mais de uma hora. Eu só fiquei lá sentada com ela chorando no meu ombro. A Bec! Chorando como uma...

ONZE

Chris ficou lá sentado sem saber o que fazer, de frente para ela, tentando imaginar isso.

— E Russell tem que tomar antidepressivos. Você sabia?

— Eu me sinto igualmente mal, Matilda.

— Não estou dizendo que você não esteja. Isso não é uma *competição*. Só estou dizendo... Não sei como é que isso um dia vai melhorar. Só isso.

Chris desenterrou a voz de algum lugar.

—Vai melhorar porque... porque tudo melhora. O tempo...

Matilda sentou-se do lado dele e pegou sua mão, quase com aspereza. Ela a apertou com uma fúria que ele nunca tinha conhecido antes. Ele podia sentir todo o corpo dela tremendo.

—Você vai ter que se mudar daqui — disse ela.

— O quê?

— Eu não aguento isso.

—Você acha que *eu* aguento isso?

Matilda engoliu e olhou para ele, e ele reviveu, em poucos momentos, os últimos vinte anos, tudo, desde o sangue escorrendo do nariz para o chão de azulejos.

— O ponto é, Chris, que você não está podendo falar com eles. Certo? Você não pode ajudar porque você não pode nem falar com eles. *Eu* posso. Então eu tenho que ser capaz de ajudar de corpo e alma. Isso significa que...

— Significa que você escolheu eles, não a mim?

— Não ajuda ninguém colocar as coisas desse jeito. Não se trata de "escolher". Não sei mais o que fazer.

— E eu? O que eu tenho que fazer?

Não houve resposta.

— Eu preciso de você — disse Chris. — Pra conseguir enfrentar tudo isso, eu preciso de você.

Ela não negou nada, mas também não aceitou. Em menos de vinte e quatro horas, ele já estava começando a se mudar.

Ninguém sabia como ajudar Chris. Seu pai havia morrido uns dois anos antes, de câncer de pulmão. Sua mãe estava começando a se recuperar disso, graças aos esforços coletivos dos três filhos, e de qualquer forma a morte do pai era de se esperar, eles estavam preparados. Mesmo assim, era pedir demais, ao que sobrou da família, que se juntassem e enfrentassem outra crise, tão cedo. E esta era muito mais difícil de entender. Rick e Steve puseram suas mãos enormes no ombro de Chris, resmungaram qualquer coisa sobre azar e sobre não ficar se culpando, que coisas acontecem, mas você segue em frente, que os seus amigos teriam outro bebê. Chris assentia, mudo, para tudo que eles diziam. Sentava num canto, vendo o que acontecia na casa com o distanciamento confuso com que agora via tudo.

Rick tentou conversar com ele uma noite depois de um jantar tranquilo, animado apenas pela bagunça constante de seu filho de cinco anos, Jayden.

— Não deixe a mamãe perceber que você está assim, hein? Tente ajudar um pouco na casa, em tudo que puder. Só que ela não precisa ver você nessa... você sabe, nessa batalha toda. Não depois do papai, e tudo mais.

Chris sabia que era verdade e tentou fazer isso. Ofereceu-se para decorar, pintar, fazer todo tipo de serviço na casa, serviços que nem precisavam ser feitos, em alguns casos, mas que sua mãe encorajava ansiosa, com a esperança de que isso significasse que ele estava melhorando. Trabalhou em bares, de vez em quando, por uns dois meses, numa casa mexicana na City, um ambiente reconfortantemente anônimo. Mas um único momento ainda podia estraçalhar sua tranquilidade, fazendo com que ficasse pálido, tremendo.

Uma vez, foi uma conversa num bar, três caras, umas provocações de brincadeira — "Puta, cara, alguém te deixou cair de cabeça quando era criança?" — e risos. Outra vez foi a mera visão de um bebê, e, depois, uma noite, ele deixou o misturador de bebida cair enquanto fazia *piña colada*, e, vendo a sujeira escorrendo no chão, começou a chorar.

Depois dos primeiros incidentes, o gerente, um imigrante grego, foi paciente com ele:

— Aguenta aí, cara — disse ele com um tapão amigável nas costas —, não é o fim do mundo.

Mas depois das lágrimas, chamou Chris em seu escritório nos fundos do bar, uma sala praticamente do tamanho de um armário.

— Para o seu próprio bem, cara, estou achando que é melhor a gente deixar pra lá — disse ele. Chris concordou.

ONZE

Aguenta aí. Aguenta aí. Foi o que Rick e Steve disseram também. Era o lema australiano para tempos difíceis. Até Matilda usou essa frase uma vez. Ela fez força para manter contato depois que ele se mudou. Eles se falavam umas duas vezes por semana, depois uma vez por semana, e depois os intervalos aumentaram até que o principal ponto de contato entre os dois era a gravação de sua calma voz: *Você está ligando para Matilda, por favor, deixe uma mensagem.* "Mas eu *não estou* conseguindo ligar para ela, estou?", ele pensava. Às vezes deixava uma mensagem, pedindo educadamente que ela retornasse, e, às vezes, ela telefonava. Mas, para pessoas que tinham passado a maior parte da vida juntos, esse contato frio e formal parecia pior do que uma separação total. E, portanto, começaram a rumar para uma separação total.

Chris fez três sessões de terapia, certificando-se de escolher uma clínica em que não cruzasse com Bec e Russell por algum toque maligno do destino. Quando descreveu o incidente, ele derrubando a criança, o terapeuta ficou anuindo com a cabeça, muito convincentemente, mas Chris tinha certeza de que ele já conhecia a história: todo mundo em Melbourne conhecia, aparentemente. O homem disse que culpar a si mesmo o levaria a uma "espiral de vergonha". Ele tinha de ser gentil consigo mesmo. Chris tentou explicar mais uma vez que ser gentil não era o ponto. O ponto era que ele havia machucado o bebê e perdido os amigos, e a sua vida tinha tomado um rumo que ele não sabia como recuperar. O terapeuta disse que as coisas podiam parecer diferentes em um ano.

Aguenta aí. Seja gentil consigo mesmo. Chris foi levando tudo isso por mais uns dois meses. O verão chegou e Melbourne estava quente e febril. A grama tornou-se amarela nos parques, havia racionamento de água, o ar cheirava a churrasco todas as noites. Chris via grupos de colegiais, estudantes, amigos em toda parte, indo para a praia de St. Kilda, festivais de música, longos feriados junto ao mar. Começou a tomar remédio para dormir à noite. Seu mundo, que havia se limitado à casa de sua mãe, era agora do tamanho de seu quarto. Lia livros sem absorver nada. Uma ou duas vezes arranjou coragem de ligar para Matilda, mas as pausas eram agora mais compridas que os trechos de conversa. Uma vez ele até telefonou para Russell, e para sua surpresa, ele atendeu, soando culpado e apressado, como se a qualquer momento a ligação pudesse ser brutalmente cortada.

— Chris, olha, você sabe que eu... eu ainda sou seu amigo e tudo o mais. Só que é uma situação muito ruim, e é melhor se a gente, se a gente não se falar por enquanto, sabe?

— É por causa da Bec?

— Olha, a Bec sofreu, cara. Ainda está sofrendo.

— Ela me odeia?

— Chris, não faz isso, por favor. Escuta, eu ligo pra você.

E desligou o telefone.

A vida abruptamente diminuída de Chris poderia continuar desse jeito por um tempo indeterminado, mas, talvez por sorte, dois incidentes num espaço de vinte e quatro horas o persuadiram a deixar Melbourne.

O primeiro foi Lisa, uma velha amiga da faculdade, que entrou em contato: ela tinha passado alguns anos na Inglaterra e estava planejando uma grande festa para comemorar sua volta. Tinha obviamente sido avisada do acontecimento. Seu tom era cuidadoso e afetuoso. Seria ótimo se Chris pudesse passar e dar um alô. Ela entenderia se ele não achasse boa ideia, mas sentia falta dele. Chris não tinha tido nenhum contato significativo com ninguém durante meses, e a ideia de alguém sentir sua falta, e fazer um esforço genuíno para ter sua companhia, o atingiu num ponto vulnerável. Ele decidiu encarar isso como um momento de virada, o mais recente de uma série de momentos que ele tentou encarar dessa forma. Um momento de virada era tudo que ele precisava, disse a si mesmo, uma mudança. Cortou os cabelos, fez a barba, que tinha deixado crescer por desleixo, comprou uma boa camisa. No espelho, treinou dizer o tipo de coisa que as pessoas dizem em festas. "É, sabe como é, tive uns altos e baixos." "Isso e aquilo." "Como está o seu irmão?" "Bom falar com você."

Durante a primeira meia hora tudo correu bem. Achou um lugar tranquilo no jardim e Lisa se esforçou para deixá-lo à vontade, devotando sua atenção quase exclusivamente a ele, contando tudo sobre Londres: tudo tão divertido, mas tão caro. Então ele ergueu os olhos e viu Matilda no alpendre, com um novo corte de cabelo e um novo namorado. Ele a agarrava e fazia carinhos nela de maneira ostensiva, e ela, claramente percebendo

ONZE

a presença de Chris ali, o afastava com uma resistência que foi entendida como encorajamento brincalhão para continuar. Os olhos de Lisa pulavam de Matilda para Chris enquanto percebia o erro terrível que havia sido convidar os dois. "Como diabos ela pôde não ter pensado nisso?", pensou Chris. "Depois de todo esse esforço pra me fazer vir pra cá?" Mas talvez ela não soubesse que Matilda ia trazer alguém, ou a história toda do rompimento. Em todo caso, não importava. Ele esperou até que Matilda entrasse com o sujeito, que parecia um jogador de *rugby*, ombros largos e cabelo curto, e foi embora o mais cedo possível. Afastando-se pela rua, passando por casas velhas e bonitas de tijolo, pintadas de amarelo, desbotado pelo tempo, e com varandas de ferro trabalhado, ele percebeu a piada visual cruel representada por um avião ao deixar uma mensagem que cortava o céu naquele momento, quase como se fosse inevitável.

Na noite seguinte sua mãe fez uma tentativa corajosa, mas num péssimo momento, de falar do assunto sem subterfúgios.

— Sabe, Chris — disse ela, intercalando nervosamente os dedos de uma mão na outra, e encarando o anel de casamento. — Quando eu era um pouco mais nova que você, e estava fazendo o plantão da madrugada no hospital, a gente tinha um paciente de quem eu gostava muito, e...

— Mãe, não quero falar sobre isso.

Ela engoliu.

Rick e Steve se entreolharam.

— Eu só estou falando — ela persistiu — que tudo acontece por um motivo.

— Mas que porra isso quer dizer? — disse Chris, muito mais agressivamente do que queria, ou mesmo percebia que era capaz.

— Vamos deixar pra lá, ok? — Rick começou, lançando um olhar firme de ameaça para Chris. Mas Chris ignorou o aviso, porque pela primeira vez na sua vida a opinião dos seus irmãos não fazia a menor diferença para ele.

— Qual o sentido de dizer "tudo acontece por um motivo"? Eu causei lesão cerebral num garoto, mas tudo bem, porque deve haver um motivo! É pra eu ficar contente com isso? E se o "motivo" é que tudo é uma merda?

— Ok, já chega, cara — disse Rick num tom que Chris só o tinha ouvido usar pouco antes de socar a cara de alguém. Steve segurou o braço de Rick, mas Rick continuou mesmo assim. — Não se fala assim com a sua mãe, cara! É melhor você dar uma volta e pensar bem se é isso mesmo que você quer fazer!

— Está tudo bem, Richard. — Essa era a situação que sua mãe mais temia, ver os filhos brigando um com o outro. — Não tem importância. Eu só estava tentando... Desculpa.

— Não vai pedir desculpas? — Rick, um metro e noventa e cinco, com bíceps enormes e tensionados, inclinou-se por cima da mesa.

— Eu vou pedir desculpas pra ela quando eu quiser. Não vou pedir desculpas pra você. Não se mete.

— Ah, não me meto! É pra não me meter no fato de você estar vivendo à custa da mamãe aqui, se refastelando no seu sofrimento? Não contribui em nada para a porra da...

— Não vale a pena, cara — Steve murmurou.

— Não estou sendo incompreensivo nem nada, mas isso está demorando demais! — disse Rick. — E quer saber de mais uma coisa? Eu te digo mais uma coisa!

—Vamos parar, *vamos parar*, vocês todos.

Ela estava chorando. Steve passou um braço em volta dela. Rick nunca disse a Chris o que era aquela "mais uma coisa". A mãe deles saiu da sala, levando os pratos, ajudada por Steve, e a cena se dispersou num silêncio pesado, sombrio.

Chris soube na hora que nunca ia ser capaz de se livrar da memória de sua mãe chorando daquele jeito: que essa imagem iria suplantar à força muitas outras memórias dela, mais felizes e representativas. Também soube que tinha de partir imediatamente.

Xavier observa a manhã de segunda começando, um breve borrão cor-de-rosa dando lugar a um céu nublado, e ouve o motor da semana ligando de novo lá fora. Tamara desce as escadas aos pulos, do outro lado da porta. Jamie, abaixo deles, tem um acesso de tosse. A caneca de chá ainda está na frente de Xavier. "Não me mexo há três horas", ele pensa, levantando-se

ONZE

devagar. A libertação dessas memórias, presas por cinco anos, parece ter custado a ele um esforço físico. É como se, depois de ter andando incansável por uma estrada, ele parasse para olhar para trás pela primeira vez.

Faz mais ou menos trinta e seis horas desde que Pippa saiu. Xavier deita na cama e redige com dificuldade uma mensagem na cabeça. *Estou muito arrependido* é muito melodramático. *Por favor, aceite minhas desculpas*, muito formal. O que é preciso é uma explicação para o fato de ela ter tocado em algo crucial, mas violento, de ela, de algum modo, o ter feito confrontar o que vinha evitando havia anos. Em outras palavras, não uma mensagem de texto, mas uma conversa de verdade, o que é algo que ele ainda não ousa tentar. No final ele digita *Foi tudo minha culpa. Por favor, entre em contato. Desculpe. Xavier.* Os cinquenta e tantos caracteres lhe custam quase vinte minutos. Ele olha para o telefone por alguns minutos na esperança vã de uma resposta imediata, e depois cai num sono pesado e livre de sonhos sobre a Austrália ou qualquer outra coisa.

Um som estridente e monótono interrompe seu sono. Xavier sente como se tivesse de puxar as pálpebras para cima, individualmente. Até ele despertar por completo, o telefone parou de tocar. Logo começou de novo. A esperança faz que seu coração bata mais rápido por um momento, mas o visor diz MURRAY.

— Só pra saber como você está.

— Bem melhor, obrigado, cara.

— Então vo-vo-você vem esta noite? Que boas novas.

Tão incapaz de sutileza no telefone quando em pessoa, Murray trai um certo desapontamento na sua voz insegura.

—Vou, sim. Como foi ontem?

— Ah, nada mal, nada mal mesmo. Tive algumas boas respostas.

Combinam que Murray vai pegar Xavier na hora de sempre. Só quando a conversa acaba é que Xavier, com uma súbita pontada dos nervos, se lembra de ver se Pippa respondeu a mensagem. Não respondeu.

Há alguns *e-mails* de ouvintes perguntando sobre a saúde de Xavier, muitos manifestam a esperança de que Murray não fique mais sozinho apresentando. Xavier tenta responder a esses e resolver várias outras tarefas, em vão: mesmo a pobre lembrança de Pippa ocasionada pela visão das prateleiras arrumadas no escritório expulsa tudo o mais de sua mente. Há também o problema de ter de lidar com a sobrecarga repentina de lembranças previamente proibidas: ele sabe que depois de algum tempo vai ser um alívio, mas por enquanto se sente grogue, confuso.

À medida que a noite avança, fica impossível explicar a falta de resposta de Pippa, imaginando que ela esteja ocupada, ou que esteja pensando no que dizer. Ele está irritado consigo mesmo por essa bobagem de adolescente, toda essa indecisão, e decide ligar para ela. O simples apertar de um botão é muito mais enervante do que devia ser.

— Vai se tratar, cara —, resmunga Xavier.

Mas a chamada não é atendida, e ele não tem nem mesmo a oportunidade de deixar um recado. "Sua chamada não pode ser estabelecida", uma voz altiva zomba dele. "Tente de novo mais tarde."

As semanas se arrastam no mesmo andar letárgico, e com a mesma sensação de inércia confusa na cabeça de Xavier. Ele envia mais mensagens a Pippa, o tom submisso, mesmo súplice. *Gostaria muito que você entrasse em contato. Eu nunca explodiria com alguém, mas você mexeu com a minha cabeça por algum motivo. Você passou a significar muito para mim.* Fica surpreso com essa frase — tanto por ser verdadeira quanto por estar preparado para dizê-la — mas não a apaga. Não há resposta, e cada mensagem infrutífera parece um fracasso humilhante. À noite, Xavier flutua para dentro e para fora de sonhos cinzas, ameaçadores.

Na tarde de quarta ele encontra Tamara no patamar do lado de fora de seu apartamento. Eles sorriem receosos um para o outro, cada um consciente de que o outro pode ter ouvindo barulhos potencialmente incriminadores nos seus respectivos apartamentos durante o final de semana. Tamara usa óculos escuros, Xavier percebe com um choque. Não é isso que as pessoas com relacionamentos violentos fazem para esconder os olhos roxos? Ele tenta se lembrar da campanha publicitária que eles passaram no *show* por algum tempo. Quais eram os outros sinais de relacionamento abusivo? Só consegue se lembrar das palavras: *Se você conhece alguém que é vítima de violência doméstica, não fique calado.* Ele olha para ela tão atentamente quanto ousa.

— Então, sabe aquele abaixo-assinado? — pergunta Tamara.

ONZE

— Desculpa?

— O da segurança da rua, aquele que a gente assinou. Sobre colocar as lombadas nesta rua.

— Ah. Sim.

— Ele passou de mão em mão até chegar no escritório central, e sabe o que aconteceu?

— Hm?

— Eles vão fazer uma reunião pra decidir em um mês. Um *mês*!

— Muito tempo pra esperar — Xavier concorda. Ele realmente não consegue pensar em nada melhor para dizer.

— Então tudo está parado até lá. Essa burocracia. A maldição da minha vida.

Carregando a pasta ao lado do corpo, a bolsa na outra mão, Tamara está de saída.

—Vou manter você informado se houver desenvolvimentos.

— Sim, por favor — Xavier concorda, sem entusiasmo.

Pippa estava certa, claro. Ele não sabe nada sobre os seus vizinhos mais próximos. Ouve os saltos altos de Tamara no patamar de cima, ouve a porta dando entrada a uma sala onde nunca esteve. Talvez algo de bom surja disso tudo — talvez ele se esforce mais com todo mundo, de agora em diante — mas, por enquanto, já é esforço suficiente pensar nesta noite: o estúdio gelado, as canecas de café pela metade e Murray com seus fones gigantescos de ouvido, arrastando-o até as quatro da manhã.

Na metade do *show* desta quarta — tipicamente para uma quarta, um *show* sonolento, que Xavier em seu atual estado de espírito não consegue reviver — Murray se volta para ele durante o segmento de notícias e meteorologia.

— O que co-conta?

— Nada, nada pra contar. Ainda não estou cem por cento.

— Qual a porcentagem então? — Murray tosse. — Desculpa, piada ruim.

Xavier tenta sorrir.

— Estava pensando nas quartas — Murray continua. — A gente podia talvez mencionar o fato de que todo mundo parece um pouco puto da vi—vida. A gente podia fazer de modo diferente, de algum jeito. Tentar dar uma melhorada geral.

— A gente podia chamar de "Quarta Quente" — diz Xavier, sem inflexão.

As sobrancelhas desiguais de Murray levantam.

— É uma grande ideia!

— Eu não acho que... Não sugeri a sério...

— Mas, imagina! Que-que-que-que-que é isso! É a Qua-qua-qua-quarta que-que-que-que...

— Talvez eu tenha que apresentar — Xavier observa baixinho.

Depois de rirem disso, Murray levanta da cadeira e, sem aviso, põe as mãos nos ombros de Xavier.

— Você está tenso pra caralho.

— Não sinto mais tensão em mim do que de costume.

— Relaxa esses músculos aí.

Murray começa a massagear os ombros, o pescoço e as costas de Xavier. Suas mãos grossas viajam pelo terreno como veículos enormes tentando avançar numa estrada de montanha.

Xavier suspira de desconforto, mas Murray entende isso como alívio.

— Bom por tudo pra fora, né? Não sabia que eu sei fazer isso, sabia?

— Não.

Murray faz círculos aproximados nos ombros de Xavier, subindo e descendo a coluna, seus dedos tentando, sem sucesso, exprimir alguma ternura.

— De volta ao ar em um minuto — ele diz, finalmente voltando à sua cadeira. — Algum *e-mail?* Vamos ver. Aposto que está se sentindo melhor agora. Sábado é dia de *Scrabble.* A esta altura ficou claro para Xavier que Pippa não vai responder nenhuma mensagem sua, e parece óbvio o suficiente que ele estragou o que havia brevemente surgido entre eles. Mesmo assim, algo o faz deixar um bilhete na cozinha, caso ela venha. *Duvido que você leia isto, mas se ler: aceito a responsabilidade completa pelo que aconteceu.* Responsabilidade completa é horrível, soa como um político. Ele risca a frase toda e escreve apenas "DESCULPA" em letras que ocupam metade da folha. Deixa dinheiro num envelope a uma distância discreta do bilhete e as chaves no vaso de flores do lado de fora do número 11 da rua Bayham Road. Tudo isso parece a Xavier um abaixamento tolo de suas defesas, e ele caminha rápido morro acima para fingir que isso não tem nada a ver com ele.

Não fica surpreso ao perceber que está longe de sua melhor forma. Depois da confusão mental dos últimos dias, seu cérebro tem pouco interesse em voltar a lidar com anagramas e sufixos, e ele não tem força para estimular em si a competitividade necessária quando se joga contra oponentes, mesmo de um nível moderado. Mal e mal vence alguns perdedores habituais antes de ser derrotado pelo astro *pop* semiaposentado, que Vijay destrói sem dificuldade na final. Mais uma vez ele arrisca tudo numa troca seguida de letras, e embora só uma em cada quatro ou cinco valham a pena, o impacto de cada troca bem-sucedida é tão grande que isso não importa.

Como sempre, Vijay gasta parte do que ganhou pagando bebida para todo mundo no *pub*. O organizador conta uma história comprida sobre um micro-ônibus que ele dirigiu até Torquay no último final de semana. Atravancada com detalhes desnecessários, a história só consegue alguns risos educados. Há uma breve conversa sobre futebol, o verão quente previsto, crime juvenil. O astro da música tenta convencer as pessoas a beber um segundo *round* de bebidas, mas o casal de caiaqueiros tem de ir — irão viajar para a França amanhã —, e isso tira a energia do encontro. Pouco depois, Xavier vai para casa.

Sentindo nos músculos o peso da semana — "ridículo", ele pensa, "eu quase não fiz nada" —, entra num ônibus e senta perto da porta. Depois de algumas paradas ele se torna consciente do olhar hostil de uma mulher como um facho de luz voltado para o seu rosto. Ele faz contato visual esperando que ela desvie os olhos, mas no lugar disso suas feições se espremem de desprezo e ela sacode a cabeça.

— Não vai me oferecer o assento? Quanto tempo vou ter que ficar aqui em pé?

Xavier se ergue cheio de culpa.

— Desculpa, eu... Eu não percebi que você estava...

Ela se senta no lugar vago, ainda sacudindo a cabeça. De lado, Xavier consegue ver que ela está grávida, mas não é evidente, certamente não o suficiente para justificar essa grosseria com ele. Ou é? Xavier se pergunta se não sofreu uma perda de perspectiva por causa desta longa semana revivendo o passado e, principalmente, porque não tem dormido bem. Talvez ele *esteja* falhando ao se aproximar das pessoas, talvez seja muito óbvio para todos no ônibus que ele devia ter oferecido o lugar. Ele olha para os outros passageiros, erguendo uma sobrancelha como pedindo uma opinião, favorável ou contrária, mas ninguém o encara.

O acontecido é suficiente para fazê-lo lembrar da irmã de Pippa, também grávida, o que o faz pensar em Pippa. Enquanto desce a Bayham Road, ele se vê forçado a considerar a questão: ela veio? É claro que parece bem improvável, eles não tiveram nenhum contato. Ela teria lido o bilhete e ligado ou mandado uma mensagem a esta hora. Deve ter coisas melhores para fazer, provavelmente. Mas o grão de uma dúvida está preso em seus dentes. Ela pode ter vindo e feito faxina só para provar alguma coisa, para envergonhá-lo, ou algo assim. Ou pode ter vindo, toda disposta a fazer as pazes, e deixado um bilhete em resposta. Mas também é verdade — seu cérebro aos pulos cai em outra direção — que ela pode ter vindo, sabendo que ele deixaria as chaves para ela, e se vingado de alguma maneira, feito algum estrago, roubado alguma coisa. "Quer dizer, eu mal conheço essa mulher", Xavier pensa. "Eu a empreguei, a beijei, depois fiz com que se sentisse humilhada e praticamente a expulsei do meu apartamento. Se ela *fizesse* algo assim, eu mereceria".

Mas ele não acredita realmente nisso, e em todo caso também não acredita que ela tenha ido ao apartamento. E está certo: dá pra ver de longe que as chaves estão no lugar em que as deixou. E Pippa está em qualquer outro lugar, mas não lá.

Para o espanto e horror de Xavier, lágrimas chegam aos seus olhos. Pego de surpresa, ele fica lá chorando por talvez quarenta segundos, pela primeira vez desde que deixou Melbourne, explodindo quando tenta conter a torrente. Um garoto com uma cicatriz feia no lado direito do rosto passa na rua e olha para ele com curiosidade, como se estivesse observando um animal esquisito. Xavier, reconhecendo-o de algum lugar, encolhe-se como um criminoso pego em flagrante e corre para dentro, sentindo vergonha de Mel, com Jamie nos braços, que o observava pela janela com preocupação.

ONZE

Junto à janela de um dos muitos bares italianos do Soho, Maggie Reiss está sentada com sua amiga Stacey Collins na ponta crepuscular de uma sessão de bebedeira que começou antes do cardápio do almoço ser oferecido a elas, e durou o dia inteiro. Stacey é jornalista. As duas se conhecem há vinte anos. Maggie ligou para Stacey ontem à noite para convidá-la para sair, disse que tinha uma coisa para contar. Elas tropeçaram até ali fazendo um zigue-zague pelas ruas cheias. Esta é a quarta parada.

Stacey tem uma expressão estranha no rosto, como se não conseguisse decidir se está horrorizada ou encantada.

— Olha, tem certeza sobre isso?

— Nunca tive tanta certeza. Como eles dizem nos filmes...

— Você sabe que, se você me contar alguma coisa que eu possa usar, eu vou *ter* que usar. Não serei capaz de resistir. E não vai poder negar, você sabe, depois que já estiver espalhado. E você nunca sabe quais serão as consequências, quem isso vai afetar.

— Mas esse é o propósito. Depois de eu ter contado essas coisas pra você, tudo vai ficar de pernas pro ar. As pessoas vão me odiar — Maggie ri, achando graça. — E eu vou estar fora daqui! Vou estar pouco me fodendo!

— Não é tão simples assim, Maggie. As pessoas vão guardar ressentimentos. Para um psiquiatra revelar os segredos dos clientes... Quer dizer, isso não acontece. *Ninguém* faz isso.

— Ninguém faz isso porque eles têm medo de acabar com a carreira deles. Não é por respeitar os clientes. Tá, talvez seja, em alguns casos. Mas é principalmente medo. E eu não tenho esse medo. Porque eu não quero fazer mais isso. Mais do que isso: eu não *vou* fazer mais isso. Acabou.

— Você deve ter alguns clientes que você... sabe, pelos quais você se importa de verdade, ou...

— Claro. Mas *desses* eu não vou contar nenhum segredo pra você. Só vou contar os segredos dos filhos da puta. Aqueles que, se não tivessem uma psicoterapeuta para legitimar... — Ela pausa, momentaneamente surpresa com sua eloquência, por conta da bebida. — Se eles não me tivessem lá pra dizer "tudo bem, você tem esse problema, você tem aquele problema", eles teriam que *admitir* que são uns filhos da puta, traindo a mulher, mentindo pra todo mundo, machucando as pessoas. Então não precisa se preocupar com o aspecto moral, Stacey. Você é uma jornalista.

— Eu sei disso. Não é o aspecto moral que está me preocupando, é você. Você percebe isso?

— Sim. Mas não precisa.

Stacey solta um longo suspiro e encolhe os ombros resignada.

— Tudo bem. Só me diz mais uma vez: quando você decidiu que ia sabotar sua carreira inteira?

— Literalmente quando eu estava cagando.

Maggie ri. As duas gargalham, com o abandono dos bêbados, até que algumas pessoas se viram para olhar.

Uma loira numa capa de chuva folgada passa na frente do bar e olha com antipatia para Maggie e Stacey, por um momento. Sua expressão desaprovadora faz que as duas riam de novo. É Pippa, a caminho de um trabalho de garçonete numa cerimônia de entrega de prêmio de uma revista *gay* na rua Charlotte. Quando ela olha feio para Maggie e Stacey pela janela, ela não está — como elas imaginam — sequer enxergando as duas, mas vendo seu próprio reflexo exausto e pensando se não devia entrar em contato com Xavier. Pensar nisso — o risco de mais infelicidade, todo o esforço emocional — redobra a sensação de exaustão, e ela abandona a ideia.

— Tudo bem. Começa, então.

— Ok — Maggie descansa o queixo nas mãos, uma pose que, por muito tempo, serviu como sua expressão *sou toda ouvidos* para imbecis ingratos. — Quer começar pelo político que está comendo a artista de TV casada, a modelo que gasta vinte mil de cocaína toda semana ou o atleta famoso que é *gay* e tem que subornar garotos de programa pra eles não dizerem nada?

— Uau. — Stacey está curiosa, embora relutantemente. — Certo. O político e a artista de TV, acho.

Maggie se inclina para a frente e diz um nome, o que força a boca de Stacey a se abrir no comprimento de uma unha.

— Tem certeza?

— Se eu tenho certeza? Ele me contou tudo sobre essa merda toda! Toda semana durante dois anos!

— E a estrela de TV, quem é?

Desta vez, Maggie encosta seus alcoolizados lábios no ouvido de Stacey para murmurar, e a boca de Stacey se escancara tanto que quase caberia uma mão dentro.

Xavier está sentado na cozinha com um copo de vinho, exatamente uma semana depois de ter aberto uma garrafa com Pippa, lembrando de sua partida da Austrália.

Quase na mesma hora em que ele tomou a decisão, as coisas começaram a melhorar, mesmo que só marginalmente. Sua mãe parecia aliviada; não como poderia ter ficado sob outras circunstâncias, chateada por ele estar indo embora. Perceber isso só o forçava a ir em frente. Falou com Matilda, rapidamente, num café. No final eles se abraçaram com força durante algum tempo. Ela disse que Bec e Russell estavam bem. O próprio Russell telefonou para se despedir. Também disse que Bec estava bem, assim como Michael. Foi a primeira vez em meses que Chris ouviu aquele nome. Não conseguiu falar durante alguns segundos. Russell disse: "Deus te proteja, cara", no final da chamada. Não era o tipo de coisa que ele costumava dizer.

Alguns dias antes de partir, Chris estava passeando na Brunswick Road quando viu o homem de oitenta anos na parada do bonde. Como antes, o velho usava um boné gasto de beisebol e agarrava uma lata de cerveja que já estava provavelmente vazia havia algum tempo. Chris ficou surpreso quando o homem o reconheceu.

— Quanto tempo, cara! — ele berrou para Chris. — Como vai a vida?

Exibiu os dentes, estranhamente preservados.

— Hm, ah, está boa — Chris disse baixo. — Altos e baixos.

— Altos e baixos! — O octogenário gargalhou. — Altos e baixos, é assim mesmo, eu acho. Sabe, lembra só disto. — Ele limpou os lábios e tossiu. — O que for pra acontecer, acontece. Certo?

— Eu... — Chris começou, mas seu novo amigo não estava querendo corroboração.

— O que for pra acontecer, acontece. Faz o que você quiser. Tem umas coisas que vão acontecer. Um monte de outras coisas não vão. Certo?

Não dá pra evitar! — O homem fez um gesto indicando tudo à sua volta. — A gente acha que consegue, mas não consegue! A gente é só uns... uns burros, garoto!

Pediu a Chris um cigarro. Chris lhe deu dez dólares e, para a leve surpresa de ambos, os dois homens apertaram as mãos. Chris continuou em seu caminho, além da entrada da rua que ele não pegava mais para a casa de Bec e Russell, sabendo que não havia chance de que ele voltasse a ver o homem de novo.

Na escala no aeroporto de Dubai, a dois terços do caminho para a Inglaterra, Chris ficou por um minuto no alto de uma grande escadaria, observando a multidão atravessando o chão brilhante lá embaixo, indo de loja em loja. Era reconfortante pensar que ele não sabia o nome de uma só pessoa, e eles não sabiam o dele. Do lado de fora, ao lado de uma esteira, estavam pilhas de caixas marcadas com os nomes de companhias de transporte: CHINA SHIPPING, MAERSK SEALAND. Ele não conseguia imaginar o que havia dentro de qualquer uma dessas dúzias de caixas, para quê serviam, nada. E mais uma vez a ignorância era reconfortante.

Chris Cotswold virou Xavier Ireland duas semanas depois de pousar em Heathrow. Tinha um novo nome, uma nova casa e — tão cedo, surpreendentemente — um emprego. Tudo isso formava uma nova personalidade. Nunca foi uma condição específica dessa identidade deixar a vida passar por ele o mais distante possível, ou não se envolver na vida dos outros, mas tem sido o seu pacto não formalizado com o mundo, ele percebe agora, desde que pôs os pés na Inglaterra. Enquanto a noite de sábado se transforma numa manhã de domingo — o escuro escoando do céu, como se com relutância —, ele tem apenas a consciência muito vaga de que as últimas semanas começaram a quebrar o pacto.

VIII

EDITH THORNE, UMA CONHECIDA apresentadora de televisão de 38 anos, que tem uma relação adúltera com um importante membro do Parlamento, acorda na segunda às sete da manhã em sua casa de Notting Hill, a três ruas de onde Maggie Reiss está prestes a desfrutar de sua primeira manhã na cama como mulher ociosa. Phil, o marido de Edith, já está no chuveiro, já pensando no trabalho. Ela lhe dá um beijo rápido no alto da escada. Depois que ele se foi, ela senta na cozinha americana, vestindo um roupão de algodão e comendo mingau com amoras. Vê o telejornal da manhã. Mais tarde, Edith planeja fazer uma hora de *yoga* e ir à academia, depois almoçar e ir gravar seu programa às quatro horas. Um carro virá pegá-la às três e quinze, como sempre.

Edith costumava temer, até talvez a idade de 30 anos, que todas as suas vantagens — beleza, boa saúde, progresso profissional tranquilo, dinheiro, popularidade — teriam de ser pagas no final, escritas num lado da folha de balanço, o outro lado do qual teria em detalhes os problemas ainda pela frente. Quando sua autoconfiança cresceu, ela percebeu que isso era uma mera superstição. Algumas pessoas, ela aprendeu, estão simplesmente destinadas ao sucesso, e outras ao fracasso. E também, dessas destinadas ao sucesso, algumas trabalham duro para fazer jus ao próprio destino, outras não se incomodam. Edith percebeu que havia chegado aonde estava por uma combinação de sorte e diligência. Era muito mais razoável pensar que ela continuaria a prosperar pelos mesmos métodos, do que temer que algum realinhamento arbitrário das placas tectônicas do destino a derrubariam do alto do seu pódio.

Sua autoconfiança sempre foi justificada, mas quando Xavier não conseguiu salvar Frankie naquele dia nevado, as coisas começaram a mudar.

O telefone de Edith pulsa em cima da mesa. Sua agente, Maxine, está chamando. Edith pega o telefone.

— Nossa, meio cedo na manhã pra isso, né?

A animação na voz de Maxine nesta manhã é perceptivelmente artificial.

— Edith, não é nada pra se preocupar, mas preciso falar com você sobre uma coisa.

Ao ouvir o "não é nada pra se preocupar", a coluna de Edith enrijece de medo premonitório.

— Que foi?

— Uma jornalista me ligou aqui agora de manhã. Ela mandou um *e-mail* também.

O corpo de Edith ainda está alguns segundos à frente do cérebro. Mãos invisíveis passeiam sobre ele, aplicando pequenos apertões aqui e ali. Ela sente a garganta fechar.

— E...?

— Ela está fazendo umas... alegações sobre você, sobre você estar... — Maxine tosse. — Tendo um caso.

Como se um objeto grande tivesse sido derrubado no *hall*, Edith imagina por um momento que consegue ouvir a queda da torre precária que construiu.

— Edith?

A voz de Maxine parece vir de muito longe.

Edith engole.

— E como ela, como ela...?

— Eu não sei, Edith.

A voz normalmente suave de Maxine tem agora uma nota aguda, inédita, que Edith reconhece depois de alguns momentos como sendo medo. Essa é a primeira situação, nos nove anos em que trabalham juntas, na qual o repertório de truques e seduções de Maxine, suas habilidades persuasivas e argumentativas, não serão suficientes.

— Ela vai publicar alguma coisa amanhã.

Edith inspira e expira duas vezes, e só na segunda expiração ela consegue falar.

— A gente não pode fazer nada?

— Isso depende, Edith. É verdade?

Se a semana de Edith Thorne começa com o choque mais violento de sua vida, a de Xavier começa como era de se esperar. Há uma atmosfera de desânimo que o apartamento parece absorver de Xavier e refletir de volta nele. Além disso, nesse curto período sem Pippa, o apartamento já entrou em declínio físico. A pia está cheia de copos, o banheiro parece sujo, camadas de pó se acumulam no alto de uma estante aqui, no parapeito de uma janela acolá: coisas que ele nunca teria notado antes da primeira visita dela. Todas as tentativas que Xavier faz de arrumar ou limpar parecem pateticamente inadequadas, dado o padrão que foi estabelecido, e causam saudades adicionais da mulher com quem, ele tem cada vez mais consciência, não tem como entrar em contato.

Perto das onze, Xavier sai para pegar as correspondências e entregá-las às suas duas vizinhas. Ele hesita por um furtivo segundo do lado de fora da porta de Tamara, mas é claro que não há som vindo de dentro: ela saiu cedo para o trabalho como sempre, os saltos altos tamborilando no andar de cima, na periferia da atenção de Xavier. Entre as suas cartas há um pacote em papel marrom marcado com as palavras ESTRITAMENTE CONFIDENCIAL. Do lado de fora de seu próprio apartamento ele é parado por um berro estridente de Jamie, seguido de um incomumente fraco: "Por favor, Jamie, para", de Mel. Ela irrompe numa série crescente de tosses abruptas que são dolorosas de ouvir. Jamie grita e bate em alguma coisa. "Porque a mamãe *não está bem*", responde Mel. Jamie oferece um contra-argumento. Mel explode em tosses de novo.

Xavier, depois de um segundo de dúvida, desce as escadas e bate na porta. Ela abre quase na hora. O cabelo de Mel cai sobre seu rosto como uma cortina velha. Há vincos fundos debaixo dos olhos.

Ela sorri cansada para Xavier.

— Oi. Desculpa, está o caos aqui.

— Eu só estava... Eu só achei que você podia estar com gripe. Você precisa de alguma coisa?

Jamie aparece do lado da mãe, puxando as dobras da blusa dela com força.

Os olhos apagados de Mel piscam de gratidão.

— Isso foi muito... Obrigada. O que você tem?

— Tenho xarope pra tosse e, hm, coisas pra dor de cabeça.

— Paracetamol?

Xavier sorri.

— É. "Coisa pra dor de cabeça" é o nome científico dele.

Ela ri e funga o nariz.

— Tudo bem se eu...?

— Bom, claro. Você está visivelmente mal. Eu estou bem, vou pegar.

É fácil achar o que ele quer no armário do banheiro, que Pippa reorganizou sem dificuldade. Xavier junta um pacote de paracetamol, duas cartelas de pastilhas para garganta, uma garrafa de xarope para tosse e uma variedade de coisas úteis numa sacola e leva tudo para baixo. Mel, ainda segurando a porta aberta com o cotovelo, olha para ele com apreciação, seus olhos úmidos ficando ainda mais marejados. Quando doente ela se torna embaraçosamente sentimental, e pouco antes chorou por causa de uma música numa propaganda. Jamie sai correndo de debaixo do seu braço e vai na direção da porta da frente, esmurrando-a várias vezes com suas mãozinhas.

—Volta, Jamie. VEM PRA CÁ, JAMIE.

Com o grito a sua voz se encolhe, sucumbindo a mais tosses.

Xavier, subitamente ousado, se agacha para ficar na altura do menino, que está vestindo um macacãozinho vermelho e amarelo, trocado esta manhã, mas já emporcalhado.

— Ei, Jamie. Vem cá um pouco.

Depois de pensar alguns momentos, Jamie volta para os adultos e pega um punhado da camisa de Xavier na mão.

Mel apanha o filho e o solta dentro do apartamento. Jamie, cujos planos foram frustrados pela intervenção de Xavier, não reclama.

— Obrigada. Ele está ficando cada vez pior com isso de sair correndo. Digo, está ficando melhor. Você sabe o que eu quero dizer. Ele conseguiu sair pra rua duas vezes na semana passada.

— Se houver mais alguma coisa que eu possa fazer — diz Xavier. — Enquanto você está resfriada. Ou, bom, você não *tem* que estar resfriada.

Eles sorriem um para o outro e Mel fecha a porta devagar. Xavier, revigorado, sobe até seu escritório para responder *e-mails*. Na metade da tarefa, para refrescar o cérebro, vai até a sala, que ainda parece fria e pouco aconchegante, cheia da memória de Pippa. Ele gostaria que ela tivesse visto o que aconteceu.

Parece patético sofrer por alguém que mal esteve ali, em primeiro lugar, e absurdo por ser provável que — como está cada vez mais óbvio — ele nunca mais fale com ela. Londres é tão pequena em certos sentidos: a menor das grandes cidades, ele ouviu alguém dizer. E, no entanto, pensa Xavier com pessimismo, é grande o suficiente para que duas pessoas nunca mais se encontrem. Especialmente se é isso que ao menos uma delas, quer que aconteça.

Ele olha pela janela e se lembra do menino da cicatriz, que ele viu por entre as lágrimas repentinas no dia anterior. "Meu Deus", Xavier diz para si mesmo, lembrando-se com clareza, "era o garoto que eu vi sendo espancado na neve. Ele ficou com uma cicatriz, então. Eu podia ter impedido isso".

Com esse pensamento entrando e saindo de sua mente, Xavier volta a responder os *e-mails*. Ele aconselha um estudante de economia a relaxar e ser ele mesmo, no lugar de continuar mandando um presente diário à garota que ele ama sem ser amado. Recomenda hipnose a um homem que tem medo do escuro, assegurando que é um medo comum. Ele não abre, no entanto, o *e-mail* mais recente de Clive Donald, que neste momento está na metade de uma aula avançada de matemática na turma do módulo 11.2, sua pior turma, e está calmamente observando enquanto eles se xingam e fazem barulho, pensando que logo não vai mais haver matemática avançada com esta turma, ou com a do módulo 13.1, a turma de Julius, e logo não haverá mais segundas.

Na quinta à noite, a infidelidade de Edith Thorne é matéria de conhecimento geral, mantendo os experimentos da Coreia do Norte com armas nucleares fora das primeiras páginas de três jornais nacionais. Tão falado é o assunto que Murray o inclui no "Pensamentos do Murray" daquela noite, com Xavier forçado a fazer o papel do político. Eles leem um pequeno esquete que Murray rabiscou em seu papel pautado amarelo.

— E se mais alguém aí estiver dormindo com a Edith Thorne, é melhor dizer agora — diz Xavier secamente, enquanto Murray gargalha. — Podem telefonar.

A casa de 1,2 milhões, que até alguns dias atrás Edith considerava um refúgio contra o mundo externo, fora agora rudemente invadida. Um fotógrafo acampa do outro lado da rua, dormindo no carro. A sala de visitas maior é o palco do que os jornais chamam de *conversas críticas* entre a estrela e seu marido transtornado. Igualmente transtornado está Alessandro Romano, o *barman* italiano do outro lado da cidade com o qual ela vinha conduzindo um caso paralelo, e que pensava que ela o amava e estava prestes a deixar o marido por ele. Ele enche *pints* de cerveja sem olhar nos olhos dos fregueses e espera, em vão, por uma mensagem de texto. O político com quem Edith vinha dormindo já pediu desculpas formais ao líder do partido e aos seus eleitores, como se fossem as vítimas reais da situação.

Às duas da manhã de sexta, muitos dos notívagos londrinos estão acordados. Julius Brown ainda sonha que é preso pelo assalto, mas começou a compreender que os próprios sonhos já são sua punição. Ele ainda não sabe como vai conseguir os outros £67 para a próxima mensalidade da academia, mas — ironicamente, talvez — o estresse dos últimos meses fez que seu peso diminuísse um pouco. Clive Donald, que deu uma aula de trigonometria para Julius mais cedo, está acordado na cama com o rádio ligado, imaginando o anúncio de seu suicídio em assembleia na escola. "O que eu tenho para dar a vocês são notícias muito tristes, notícias terríveis." Uma vez na vida, silêncio na sala.

A secretária de segurança do trânsito do Conselho de Haringey, Tamara Weir, se revira na cama, desejando que tivesse alguém além do namorado para conversar. Ela está cheia de preocupações, é tão difícil fazer com que as pessoas se interessem pela campanha das lombadas sem ter mais ajuda... Talvez se ela conseguisse uma celebridade para falar do assunto, mas é difícil encontrar energia... Nada deu certo desde que seu pai morreu. Ela não acredita que não estava lá.

Do lado de fora do estúdio de Xavier, acima do estacionamento, as nuvens passam rápidas na frente da lua.

— Agora, os prazeres da bebida num sábado à noite — diz Murray, enquanto passa o segmento de notícias e meteorologia.

Anthony, um dos diretores da companhia que possui a estação de rádio — o chefe do chefe deles —, está abandonando o cargo depois de trinta e três anos e eles vão beber daqui a pouco num *pub* decadente, logo atrás da torre da British Telecom, na rua Tottenham Court. É o tipo de evento que ninguém vai de bom grado — provavelmente nem o cara que está indo embora —, mas o sucessor de Anthony, um jovem brilhante chamado Paul Quillam, cheio de ideias para "dar o passo seguinte", estará lá, e a ausência deles seria mais notada que a presença.

— Mal posso esperar — diz Xavier.

— Que-que-quer fazer alguma coisa antes? Tomar uns goles antes de começar?

— Boa ideia. Acho que a gente devia ficar pelo menos dois copos na frente de todo mundo.

— De vol-volta ao ar em trinta segundos. Tem uma ouvinte que diz que tem uma coisa muito importante pra dizer pra você. Íris?

"Conheço esse nome", pensa Xavier.

— Ou talvez a gente devia começar um novo assunto? Ela pode ser um pouco... — Murray faz uma espiral com o indicador perto da têmpora.

— Não, deixa ela falar.

Assim que ouve sua voz fininha e animada, Xavier lembra quem é.

— Eu sou a velha de Walthamstow. Liguei a coisa de semanas atrás...

— Sim, claro. Então, como vai o *Declínio e queda do Império Romano*?

— Ainda declinando, infelizmente.

— É verdade — concorda Xavier. — Bom, esperemos que eles consigam arranjar um jeito de melhorar. Mas então, Íris, da última vez que você telefonou você contou a história de um cavalheiro chamado Tony. Ele havia sido o amor de sua vida, mas se distanciou por... quanto tempo foi. Cinquenta anos? E daí vocês se encontraram de novo.

— Foi. Você me encorajou a fazer uma tentativa e encontrar com ele de novo. Na verdade, você pediu a ele para aparecer, se ele estivesse ouvindo.

— Então, Iris, não nos mate de curiosidade. Aconteceu mais alguma coisa?

Xavier a imagina num apartamento térreo no leste de Londres, enrolando o fio de seu telefone antiquado em volta dos dedos ossudos.

— Bom, Xavier, não aconteceu nada durante semanas. Ele não entrou em contato, não. Eu cheguei a pensar: "Ai meu Deus, ele não ouve o programa"...

— Bom, eu acho *isso* difícil de acreditar — diz Xavier, sério. — Tanto quanto a gente saiba, todo mundo em Londres ouve a gente.

— Era o que eu gostaria! — Íris ri. — Então eu passei a ficar *dando um rolê*, acho que é assim que vocês chamam, perto do lugar onde a gente tinha se encontrado antes. Vou dizer uma coisa, não é fácil, se você é uma senhora de uma certa idade, ficar dando um rolê. Todo mundo que passa pergunta se você está passando mal. Dois rapazes diferentes até se ofereceram pra me ajudar a atravessar a rua.

Murray: — Bom saber que o ca—ca—ca—ca...

— O cavalheirismo não está morto — Xavier concorda.

— É bom *mesmo* — diz Íris —, mas no meu caso, um pouco inconveniente. Mas, enfim, eu quase perdi a esperança. Mas eu lembrei do seu encorajamento, Xavier, e pensei comigo: "Mas que raios, eu não vou me deixar derrotar assim fácil". Eu lembrei que da última vez que vi o Tony, ele estava comprando um remédio para a esposa, e era uma sexta-feira. Então, toda sexta-feira eu arrumava uma desculpa pra ir na farmácia. Esta sexta agora, eu entrei, fingindo que queria comprar um guarda-chuva — também não adianta uma mulher da minha idade fingir que está interessada em maquiagem — e ele estava lá! E pra ser honesta, bom, ele pareceu encantado de me ver lá. Nós fomos tomar chá e comer alguma coisa!

ONZE

— Que tremenda notícia, Íris. — Xavier sorri, genuinamente satisfeito. — E vocês vão continuar se vendo?

— Bom, é claro, ele é casado e eu sou uma viúva e coisa e tal, algumas coisas não são apropriadas...

— Não, não vão fugir pra Barbados ou coisa assim?

— Minha nossa, não. — Íris ri de novo, e não há diferença, Xavier pensa, entre a mulher jovem que conheceu Tony em 1950 e a que está falando agora. A versão cheia de vida de 1950 ainda está atendendo as pessoas na lojinha, mesmo se a loja não está mais onde costumava; de algum modo, cada momento individual continua a existir, em algum lugar.

— Mas vão continuar se vendo? E você vai continuar a ligar pra cá pra contar pra gente?

A voz de Íris, mais uma vez, tem um traço de molecagem.

— Talvez a gente continue. Talvez a gente peça, como aquela tal de Edith, que você respeite a nossa privacidade...

Xavier e Murray riem.

Murray já começou a preparar a próxima ligação quando Íris completa:

— Eu preciso agradecer a você, Xavier. Sozinha eu nunca teria... Sem você, eu... Bom, obrigada.

Xavier não consegue deixar de sorrir enquanto eles se despedem. Antes que ele perceba, permitiu a melhora do seu humor ao ditar suas próximas, surpreendentes palavras.

— Então, ouvimos agora a história bonita de um reencontro no *Linha da Madrugada*, e agora eu vou tentar iniciar um outro. Pippa, se por acaso você estiver ouvindo, por favor, entre em contato. O que aconteceu foi inteiramente minha culpa. Eu gostaria muito de ver você de novo.

— E agora, aqui está... uh, aqui está outra música — Murray resmunga.

Tão logo os acordes de abertura sobem de volume, ele fala:

— O que-que-que foi isso?

Xavier se mexe em sua cadeira giratória e fita as camadas de sedimento no fundo de sua caneca de café.

— Estava na minha cabeça.

— Mas quem é Pippa?

— Uma garota.

— A garota com quem você teve um encontro, a australiana?

— Não, outra. A, hm, minha faxineira.

Murray o encara, puxando uma mecha cacheada de tanta perplexidade.

—Você está comendo a faxineira?

— Não é esse tipo de situação, na verdade. Só aconteceu uma vez.

—Você trepou uma vez com a sua faxineira?

— Não fizemos nada. Eu estraguei tudo.

Murray sacode a cabeça devagar.

— Eu mal me acostumei com a ideia de você *ter* uma faxineira, quanto mais trepar com ela.

— Eu também. — Xavier tosse. — Mas, enfim, não fizemos nada. Isso não.

Durante a hora restante eles recebem uma quantidade excepcional de chamadas, *e-mails* e mensagens de texto dos ouvintes. "Quem é Pippa?", as pessoas querem saber. "Conta mais pra gente." "O que aconteceu?" "É um relacionamento sério?" Mas não há nenhuma correspondência da única pessoa que Xavier queria provocar, e no final da noite a excitação do seu atípico apelo desapareceu, substituída pelo mal−estar de ter revelado muito de si mesmo, tão facilmente. Murray e Xavier voltam de carro para casa sem falar, emaranhados nos próprios pensamentos.

Quanto a Pippa, ela acorda duas horas depois que Xavier foi para a cama. Seu primeiro serviço começa às nove, no apartamento da mulher rica em Marylebone. Ela está morando lá com seu companheiro e seu filho enquanto não encontra um novo inquilino, e quer mantê−lo, como ela diz, "tinindo de novo". O rádio está ligado quando Pippa desce para o café da manhã: Wendy parece que nunca aprende a desligar as coisas, a fazer essas pequenas economias. Estão falando sobre o Campeonato Mundial de Atletismo em Berlim, para o qual Pippa, se as coisas fossem diferentes, estaria se preparando agora. "Talvez Xavier esteja certo, no final das contas", profetiza uma voz bem no fundo da mente cansada de Pippa, "talvez fosse bom se todo mundo aceitasse o que lhes acontece".

Pippa passa quatro horas raspando manchas de tapetes, espanando vasos, contornando com o aspirador um adolescente que não a olha nos olhos e se recusa a recolher suas roupas, revistas, sacolas ou os vários objetos jogados no chão como refugo trazido pela correnteza. A senhora faz vários bules de chá, mas não oferece nada a Pippa. No final da sessão, Pippa tem de levar cinco sacos de lixo até uma caçamba no final da rua, seus joelhos estalando cada vez que ela se abaixa para pegar um deles. "Estou deixando de entender alguma coisa", Pippa se pergunta, sentindo o chuvisco na parte de trás do pescoço, "ou nasci mesmo para fazer isto?".

Clive Donald também ouviu a matéria sobre as esperanças britânicas de medalha enquanto se preparava para deixar a casa de manhã, mas não ficou interessado. Enquanto Pippa esfrega e espana, Clive insinua várias vezes na sala dos professores que pode "não estar aqui por muito mais tempo" e que "uma notícia pode chegar em breve". Ele tem colecionado pílulas para dormir em casa, tem frequentado páginas na internet onde umas pessoas, a maioria mais jovem, discutem assuntos como quantas pílulas são necessárias para morrer. Todo mundo está preocupado com a inspeção escolar iminente, e as insinuações não causam nenhuma conversa.

Durante o almoço, Pippa compra um sanduíche no posto de gasolina do outro lado da rua. Vai ter de fazer outras quatro horas de limpeza esta tarde, em Bayswater, não muito longe, e depois vai trabalhar de garçonete em Surrey. Terá de pegar o trem na estação Victoria ou algo assim. Até já consegue ver os corredores estreitos do trem suburbano, o garoto com fones de ouvido zumbindo, encostado nela, e o olhar de superioridade das pessoas com bons salários, indo para suas casas nas cidades-satélites.

No sábado de manhã, Xavier — depois de procurar em vão na caixa de entrada de *e-mail* alguma mensagem de Pippa — está fervendo água numa chaleira quando ouve a voz desgastada de Mel lá embaixo e os sons usuais de pancadas de Jamie sendo arrastado contra a vontade. Ele desce.

Jamie está gritando, sacudindo as pernas com fúria como um polvo preso numa rede.

— Não! Não! Não! — Jamie protesta.

Ele se livra de Mel e corre de volta para a porta da frente, e está prestes a escapar, mas Xavier desce as escadas aos pulos e estende o braço por cima de seu vizinho de três anos para fechar a porta bem na hora. Jamie berra de desapontamento. Os dois adultos trocam um olhar de triunfo pela vitória milimétrica contra o pequeno oponente.

— Obrigada. — Mel tira uma mecha da frente dos olhos, cansada. — Já está virando um hábito.

— De nada. — Xavier vê suas sacolas de compra. — Eu podia ter feito as compras por você.

—Ah, não, você já foi bem... — Mel começa a tossir. —Você deve ter a impressão de que eu mal consigo tomar conta de mim mesma.

—Você toma conta de si mesma *e* de uma criança. É mais do que eu conseguiria.

Mel sorri. É a segunda conversa bem-sucedida entre eles nos últimos dias. "Estou indo bem", Xavier pensa.

Ele prepara o almoço para si mesmo e pensa em como passar a tarde, antes do evento noturno. A única vez que encontrou Anthony foi depois de poucos meses de parceria com Murray, quando o velho, ansioso para conhecer o novo talento, o convidou para um "almoço líquido" em Holborn. Xavier se lembra do rosto vermelho de Anthony, as narinas se abrindo a uma largura impressionante.

Está quase decidido a sair para um longo passeio quando a campainha toca. Ele vai lá embaixo de novo. Consegue ouvir Mel explicando: "Não, é para o homem de cima... para Xavier, isso". O volume da tevê está alto. Xavier abre a porta e ali, em sua capa de chuva grande demais e com seu saco amarelo e azul de roupas sujas aos seus pés, está Pippa.

Xavier tem de resistir ao seu impulso inicial de agarrá-la. Consegue sentir seu coração pulsando freneticamente no pescoço, consegue escutá-lo no ouvido.

— Não vai me convidar pra entrar?

Ela passou por ele e já está subindo as escadas antes que Xavier possa reagir. Enquanto segue seus passos, ele percorre o apartamento mentalmente para verificar a ordem e limpeza dos quartos.

— Não posso ficar muito, tenho que estar em Kentish Town em uma hora, eu sei que nem é muito longe, mas não dá pra confiar nos ônibus daqui, e tem um monte que nem deixa você entrar, ou algo pode dar errado, enfim, não posso me atrasar, mas achei que podia dar uma passada porque parece que a minha irmã ouviu você falando de uma mulher no rádio que talvez seja eu.

No *hall*, ela vira em sua direção, e eles ficam lá, olhando um para o outro. Pippa desvia os olhos para baixo. Xavier encosta uma mão na dela. Percebe suas unhas lascadas.

— Achei que não ia mais ver você.

—Você me deixou chateada.

Os olhos de Pippa vão de um lado para o outro, predatoriamente, à procura de sujeira.

— Eu sei. Eu mandei umas mensagens, liguei...

— O meu telefone — diz Pippa, imperiosamente — está prensado nas costas do seu sofá desde aquela noite.

Xavier olha incredulamente para Pippa enquanto ela o conduz até a sala e casualmente tira as almofadas do sofá, expondo sua estrutura abandonada e triste. Ela enfia o braço na abertura e retira de lá o celular, que estava ali enfurnado desde que ela saiu do apartamento duas semanas atrás, incapaz de receber mensagens, já que sua bateria havia acabado, e despercebido por Xavier, que mal esteve naquela sala desde os acontecimentos daquela noite.

—Você ficou duas semanas sem telefone?

— Eu tenho em casa um desses conhecidos como telefones fixos — diz Pippa com altivez. — Eu dou aquele número para todos os meus clientes.

— Mas todos os números *deles* e tudo o mais...

— Bom, sim, foi inconveniente.

Ele está prestes a perguntar por que ela simplesmente não comprou um novo, mas percebe que esse é o tipo de pergunta que alguém com uma quantia confortável de dinheiro pode fazer sem pensar.

— É por isso que eu voltei pra pegar. Levei uns dias pra dar pela falta, e depois tive que lembrar onde tinha deixado — ela conta nos dedos, ele nota com um arrepio interno de familiaridade —, e *daí* tive que arranjar tempo pra vir pegar, e daí tive que pensar bem se queria mesmo falar com você.

— E...?

— E queria.

Ela se apoia no braço do sofá e Xavier pega sua mão, como se fosse porcelana.

— Eu realmente lamento.

— Você já disse isso.

— Quer um pouco de chá?

— Não tenho muito tempo, querido.

Ela tosse.

— Mas obrigada por falar de mim no rádio.

Xavier sente o crepitar crescente de um fogo em seu estômago, espalhando-se para virilha, enquanto ele imagina os seios de Pippa, suas coxas por baixo dessa roupa que parece um saco. Ele volta no tempo para a meia hora que passaram ali, nos braços um do outro. Quase consegue invocar o gosto de sua boca.

— Posso encontrar você? Quando você quiser. Eu sei que você tem muita coisa pra fazer. Mas a qualquer hora.

Ela pisca algumas vezes.

— Gostaria, sim. Me liga.

— No celular ou no fixo?

Pippa ri.

— Onde você quiser.

Outra olhadela no relógio e ela se foi, escada abaixo, porta afora. Xavier acena para ela quando ela sobe no selim da bicicleta, e depois a observa subindo até o alto da ladeira, seu casaco de chuva balançando dos lados, pernas forçando os pedais adiante.

Quando chega no seu encontro pré-drinques com Murray, Xavier está envolto por um estado de espírito tão próximo da euforia que parece que já bebeu uma garrafa de vinho. No metrô, ele olha com benevolência para um grupo estridente de garotas, dispersas pelo vagão, cujos gritos quicam como bolinhas de tênis sobre as cabeças dos espectadores presos no meio delas.

No bar-restaurante onde se encontram, ele não se encolhe diante do garçom antipático que pergunta se planejam comer alguma coisa, e depois diz: "Só bebida não dá, é sábado à noite. Vão ter que comer".

— Ok, eu como alguma coisa.

— É muita má-educação — lamenta Murray, que aproveitou a situação para pedir um prato enorme de lasanha com porções de batata frita e azeitonas, além de uma cesta de pão de alho.

— Acho que eles têm que ganhar a vida — diz Xavier, mansamente.

— O que foi que te deixou nesse bom humor todo?

— Sei lá. Acho que ultimamente tenho andado de muito mau humor. Isso é meio que um ciclo.

— Quando você fala "ultimamente"...

— Uns cinco anos.

Eles riem. Murray não insiste no assunto logo de cara, mas Xavier sente vontade de falar nisso. Talvez haja algo nesta rua que inspira confidências, foi a poucas portas dali que Maggie Reiss revelou o caso secreto do seu cliente político com Edith Thorne.

Murray escuta, seus dentes de cima encostando no lábio inferior numa mordida que sugere uma dose considerável de inveja.

— Mas voltaram agora? Vocês vão...?

— A gente combinou de se ver semana que vem.

— Mas é, tipo, um namoro de verdade?

— É muito cedo pra dizer isso. Mal escapou de ter sido um desastre de verdade.

Mas Xavier olha para Murray como se estivesse mais confiante do que isso. Desconcertado, Murray estraçalha a lasanha, como se fosse comida que ele mesmo caçou, e estuda o amigo, tentando pensar em maneiras espirituosas de provocá-lo. Não lhe ocorre nada, e no tempo que Xavier leva para fazer o pedido, Murray já terminou uma taça quase cheia de vinho, encheu a taça de novo, e bebeu a maior parte desta também.

No *pub* decadente, eles se separam em circuitos diferentes de socialização. Xavier não presta atenção em Murray, que vai direto para a floresta de cotovelos no balcão. A estação de rádio pagou uma conta de £200 que ele imediatamente começa a gastar.

Xavier aperta a mão de Anthony, cujas narinas são ainda tão exageradamente largas quanto antes.

— Excelente o *show*, excelente — ele elogia, sacudindo a mão de Xavier como alguém tirando água de um poço, sua aliança pressionando com força o dedo de Xavier.

Xavier não consegue descobrir se Anthony realmente ouviu o *show* nos últimos anos, mas isso não importa. Logo ele é apresentado ao novo ocupante do cargo, Paul Quillam, que tem quarenta e poucos anos, covinhas juvenis quando sorri e um cabelo elegantemente desordenado. Paul se apresenta como um "grande admirador" de Xavier e, com a desenvoltura de alguém acostumado a arranjar conversas, o conduz a uma sala vazia adjacente ao salão principal do bar.

— Espero que você não fique bravo comigo por falar de trabalho num sábado à noite, que coisa chata — diz Paul Quillam, sem se esforçar para soar sincero.

— Não, tudo bem — responde Xavier.

— Agora, o problema é este. Sou um grande fã do seu trabalho, como eu já disse. Acho que posso falar por todo mundo aqui quando digo que estamos todos muito impressionados com o que você tem feito. Você transformou o horário da madrugada, que era praticamente um cemitério, em uma coisa bastante especial.

— Obrigado.

Xavier nunca sabe ao certo como reagir aos elogios costumeiros que são ditos antes que uma conversa deste tipo chegue à parte que importa.

Por sorte, Quillam está disposto a ir direto ao ponto.

— O que eu me pergunto, o que já venho conversando com umas pessoas a respeito, é se a gente não consegue aproveitar o seu talento e trazê-lo para um público maior. Eu sei que você provavelmente está muito feliz onde está — ele diz, erguendo uma mão para rebater objeções antecipadamente. — Eu sei que você está muito bem no horário da meia-noite às quatro. Só digo o seguinte: eu sei que alguns outros adorariam roubar você da gente, mas a gente encara você como um patrimônio muito valorizado, e eu quero que você tenha um *status* que reflita isso. Faz sentido pra você? Você se incomoda se eu fumar, aliás?

Sem esperar pela resposta, Paul Quillam leva Xavier para uma área externa de chão de cimento. Acende um cigarro, protegendo-o com uma mão curvada. Xavier sabe que no final dessa conversa fiada vai haver provavelmente uma proposta séria.

Depois de um par de tragadas satisfeitas, Paul Quillam exibe um sorriso para ele, joga cinza no chão e fala.

— O que a gente quer, o que *eu* quero, é que você pelo menos considere — ele diz, esticando-se um pouco para descansar uma mão no ombro de Xavier — um horário do tipo oito a meia-noite, nove a uma; um *show* noturno. No horário de pico. Obviamente o salário vai refletir isso. Mas também, você provavelmente já sabe, estamos otimizando o modo com que a estação é organizada. Você seria ouvido não só em Londres, mas nacionalmente.

— Nacionalmente?

— E com um componente *on-line* muito mais forte, e aí por diante. Você alcançaria muito mais ouvintes, o que nós achamos que você merece.

O pensamento de Xavier vai até Íris, em Walthamstow, e Clive Donald, o professor deprimido, e os caminhoneiros, poetas, pessoas doentes ou com problemas, todo o pessoal da "meia noite até as quatro" que, por algum motivo, passou a gostar da companhia de sua voz.

— Sempre pensei com muita relutância em trocar de horário — diz Xavier.

— Você fuma, aliás? Que rudeza a minha...

"Foi mais rude me interromper", pensa Xavier. Ele continua.

— Hm, não, obrigado. Porque ... o negócio é que muita gente que telefona para o programa, eles meio que... eles são um público leal e...

Quillam assente.

— Claro, com certeza. Mas tem duas coisas. Primeiro, acho que você vai ver que os seus fãs vão seguir você no novo horário. Talvez eles até consigam dormir mais, assim. — Sua boca se retorce num sorriso bonito, que dura um segundo, e Xavier tenta imitá-lo. — Segundo, sempre há a opção de manter o *show* da madrugada, mas talvez só umas duas noites por semana. Você pode apresentar o grande *show* cinco noites, e o *Linha da Madrugada* na quarta, quinta... o que preferir.

Xavier passa a língua nos dentes. O aumento de pagamento não é importante, embora não seja ruim, também, mas a ideia de alcançar uma audiência muito maior estimula alguma coisa em seu cérebro recarregado, toca em alguns pequenos pontos sensíveis de ambição ou desejo que até então ficaram submersos.

— E mais uma coisa — Quillam continua, percebendo que conseguiu uma pequena vantagem —, nós temos duas pessoas fantásticas que acabamos de contratar, gente com quem acho que você vai gostar muito de trabalhar, e que podem... podem fazer você brilhar mais.

Xavier leva um momento para entender o significado real disso.

— O Murray é, hm, ele sempre foi muito importante...

— Com certeza. Eu sei que vocês dois têm uma relação muito boa — Quillam diz com respeito calculado. — Mas me pergunto se isso não pode continuar com duas noites por semana no *Linha da Madrugada*, enquanto você constrói relações novas com, com outros talentos na estação.

Xavier sabe para onde isso está indo: a voz de Quillam contém o mesmo tom de delicado bom-senso que muitos outros adotaram em conversas parecidas antes. Falando sério, esse tom diz: "Murray é ótimo, e é seu amigo e tudo o mais, mas ele não está realmente à altura. Você precisa seguir em frente".

— Eu não gostaria — Xavier começa —, eu teria relutância em trabalhar menos com o Murray.

— Bom, talvez o Murray possa continuar ajudando você a escrever e preparar o *show* — sugere Quillam, com diplomacia.

Mas Xavier faz uma careta, imaginando Murray reduzido a rabiscar suas ideias num papel pautado — ideias que logo serão descartadas — e a ver um locutor mais jovem e mais eloquente sentando na cadeira de coapresentador. Talvez outra pessoa vire produtor e o papel de Murray diminua mais e mais, até que sua única função acabe sendo, essencialmente, levar Xavier de casa para o trabalho e do trabalho para casa de novo.

— Eu realmente não acho que gostaria de...

Quillam olha diretamente para Xavier com uma súbita expressão decidida, um vislumbre de instinto assassino — o olhar que passa momentaneamente pelo rosto do seu rival de *Scrabble*, Vijay, quando ele se prepara para dar o golpe final.

— Para ser franco com você — diz Quillam, segurando o cotovelo de Xavier por um momento como se estivesse prestes a dar más notícias —, muita gente se preocupa com o Murray. Isso não pode ter escapado à sua atenção.

Eles ficam lá em silêncio por um instante, Xavier juntando energia para dar uma resposta. Dentro do *pub*, uma garçonete derruba uma bandeja cheia de copos, que se espatifam e molham o chão de pedra, causando o tradicional grito de comemoração irônica dos fregueses. Ela sorri com esportividade e vai pegar uma pá de lixo e uma escova. Do outro lado da cidade, em Chelsea, um copo manufaturado na mesma fábrica em Stoke-on-Trent foi quebrado minutos atrás pelo *barman* que estava apaixonado por Edith Thorne. Ele ainda espera que ela entre em contato, e não consegue se concentrar em mais nada.

— Olha, eu sei que você é muito leal ao Murray e a todos os seus ouvintes, mas, bom, as coisas têm mesmo que mudar às vezes. As coisas têm que continuar progredindo.

O aspecto de Quillam ainda é amigável e respeitoso, mas agora há uma leve camada de ameaça em suas palavras.

— Não posso deixar o Murray na mão — reitera Xavier.

Quillam tosse, joga fora a bituca, assente e dá um tapa nas costas de Xavier. Já conseguiu o avanço territorial que queria.

— Claro, claro. Eu admiro a sua... bom, o seu enfoque todo. Mas pensa nisso. Tenho certeza de que a gente encontra um jeito.

Eles voltam ao *pub*. Quillam para abruptamente alguns passos depois da porta, há algum tipo de confusão lá dentro. Xavier olha também, e enrijece de consternação. Murray, que vinha circulando bêbado pela última hora, está agachado para fazer comentários, obviamente mal recebidos, para a garçonete enquanto ela recolhe os cacos de vidro. Pessoas trocam olhares de zombaria e desprezo.

— Mas tem certeza que não quer ajuda com isso? — Murray oferece numa voz que é como música *pop* tocada alto demais. — Tem certeza de que não quer... um toque masculino?

— Deixa quieto, cara — alguém o avisa.

Trêmulo, Murray mostra o dedo do meio para o estranho, cujos amigos rompem numa gargalhada espantada. A garçonete vira o rosto, deixa de lado a escova e começa a recolher fragmentos minúsculos de vidro com os dedos.

— Pelo menos me permita o privilégio de... a *oportunidade* de carregar a, carregar a sua pá de lixo — Murray fala enrolando a língua.

Mais risadas. Xavier sente seu rosto queimar de vergonha empática por Murray, mas também, ele nota, por si mesmo. Percebe que Paul Quillam está fazendo um visível esforço, por sua causa, para não ver a cena.

Xavier suspira por dentro e — preparando-se fisicamente, como se fosse ter contato com água fria — anda até o meio do *pub*, fazendo que Murray se levante, quase com força. Os olhos de Murray começam a mostrar uma consciência de efeito retardado da própria estupidez, mas suas reações de bêbado ainda se arrastam muito atrás de seus instintos.

— O q-q-que você está fazendo?

— Vamos sair daqui, cara.

Xavier guia seu trôpego amigo para longe da garçonete agradecida, dos bebedores gargalhantes e do olhar condescendente de Paul Quillam, apoiado no balcão com um gim-tônica. Antes que Murray entenda bem o motivo, ele e Xavier estão do lado de fora. O vento está começando a ficar forte, a placa de madeira com o nome do *pub* range ao seu efeito, passando despercebida em meio ao zumbido e pulsar das ruas.

Xavier sacode a cabeça. O que se pode dizer? Murray o encara, o cabelo se agitando como espaguete ao vento.

Xavier pega o braço dele.

— Vamos.

— Eu... — Murray gesticula aflito. — Eu devo ter bebido só um tiquinho a mais.

— Por que é que você sempre faz essas coisas no exato momento quando eu estou tentando...

— Qua-quando está tentando o quê?

Xavier falou demais, e Murray — mesmo tendo de atravessar uma camada pegajosa de bebedeira — consegue entender.

— Merda. Ele estava me observando? O cara novo? Quillam?

— Não importa. Vem, vamos sentar em algum lugar. Algum lugar tranquilo.

— Ah, merda. Achei até que estava ca-ca-causando uma boa impressão nele. Mandei umas coisas, umas ideias. Puta que pariu. — Os dedos grossos de Murray agarram sua testa úmida com desespero. — Agora estou de volta à estaca zero.

Xavier conduz o amigo por uma ruazinha escondida, passando por um par de latas de lixo fedorentas nos fundos do Chico's, o restaurante espanhol, e também pelos fundos de uma *megastore* de lojas esportivas, onde canos despejam água lamacenta num ralo.

— Você só precisa ter cuidado. Como diabos você conseguiu ficar bêbado tão depressa? Você já estava bebendo antes de a gente se ver?

— Não. — Murray olha para o ralo com concentração exagerada quando eles passam, como se estivesse tentando entender como ele funciona exatamente. Arrota. — Não, eu co-co-comecei a ficar um pouco alto quando você falou da garota lá, a faxineira, Pippa.

As palavras ficam lá, pesadas como sacos de areia, no ar entre eles.

— Por que eu não contei antes? Ou por que ... o quê?

Murray encolhe os ombros como se isso não importasse. A passagem os leva através da ponta leste da Tottenham Court Road, onde uma fila comprida de caras usando boás e meias arrastão espera a admissão em um clube, chegando a outra passagem estreita onde Xavier conhece um clube bem menos vagabundo.

— Vamos só dar uma entrada, beber uma... um café ou algo assim, e a gente conversa.

Antes que Xavier possa apertar o botão minúsculo do intercomunicador junto à placa de bronze com o nome do clube na parede, Murray tosse e agarra um punhado de cabelo encaracolado em cada mão.

— É que eu fui pego meio de surpresa — ele explica, olhando para o chão — porque a gente nunca fala muito sobre namoros, bom, não sobre os *seus* namoros.

— Eu sei.

— E eu pensei... — Murray passa a mão pelos lábios molhados. — Eu pensei, sei lá, passou pela minha cabeça que vo-vo-vo-vo-vo-vo-vo-vo-vo-vo-vo-vo-vo-vo-vo.

Xavier olha sem poder fazer nada enquanto, dentro da garganta de Murray, a palavra desejada se sacode, resistindo à expulsão, como uma criança rque não quer sair do banco de um carro.

Murray enche as bochechas de ar.

— Achei que talvez fosse possível que vo−vo−vo−vo−vo−vo−vo−
−vo−vo−você fosse *gay*.

Xavier quase ri. Daí o seu estômago se revira quando Murray olha para o outro lado, com as mãos na cintura. Depois de uma suspensão de vinte segundos do que parece ser qualquer atividade em Londres, ele dá um passo na direção de Murray e põe a mão em seu ombro. Murray olha para ele. Seus olhos estão úmidos, seu rosto, rosado.

— Eu tenho sido idiota — diz Murray. — Desculpa, esta noite foi estúpida. Vamos pra casa.

— Tem certeza? — Xavier aponta, sem convicção, para o clube, com sua placa modesta de bronze, e dentro, com seus garçons correndo em coletes pretos, que conhecem a clientela pelo nome. Entre eles, o membro do Parlamento que tinha um caso com Edith Thorne.

Murray assente e enterra suas mãos carnudas nas mangas. De repente parece mais velho, mais calmo; não há mais traço da gagueira.

Ele assente de novo, resignado.

— Sim. Esquece o que eu falei. — Ele já está indo para a rua, correndo os olhos à procura da luz de um táxi vazio se aproximando. — Vamos pra casa. Vamos pra casa.

IX

SEGUNDA SEMANA DE ABRIL, uma manhã amena de terça, amena tanto no tempo quanto, até agora na Bayham Road, em incidentes. Os ônibus costuram pelo trânsito, trabalhadores vão para seus escritórios. Xavier atende a porta da frente, assina por um pacote em nome de Tamara, do andar de cima, que ele não tem visto já faz alguns dias, e recolhe uma pilha de cartas, catálogos e propagandas variadas das mãos do carteiro, cuja filha vai, mais tarde no mesmo dia, competir na Mathdown, a Olimpíada de Matemática das Escolas de Londres, contra Julius Brown.

Xavier bate na porta de Mel. Há uma curta espera antes que seus papéis tradicionais sejam assumidos: Mel, com os olhos fundos, abrindo a porta e espremendo o rosto cansada para ver quem é que está lá; Jamie partindo agilmente para o corredor e Xavier, quase como em uma rotina, bloqueando o seu caminho e o guiando de volta para a mãe. Xavier e Mel sorriem, como colegas de time.

— Está melhor?

— Ah, bastante, bem melhor mesmo. — Mel pisca, contente. Atrás dela o apartamento está uma bagunça, brinquedos por toda parte, pilhas enormes de louça, a TV tagarelando numa tentativa de pacificar o hiperativo Jamie.

— Ele vai começar numa creche logo. Só umas duas manhãs por semana. Daí isso vai me dar um pouco de, hm... — Mel aponta para a porta, para o mundo lá fora, com toda a aparência de quem não o visita faz muito tempo. — E o pai dele vai ficar com ele neste sábado e no outro também. — Mas este pensamento causa mais desconforto que satisfação e seus lábios se espremem num sorriso irônico. — Ele certamente terá as próprias opiniões sobre o meu desempenho.

— Bom, qualquer coisa que você precise... — Xavier dá as cartas para ela, ou, na verdade, contas, pela aparência, os olhos dela batem desencorajados em um envelope marrom muito proibitivo. — Você sabe onde me encontrar — ele completa.

Mel avança, como se para dar um tapinha em seu braço, ele imagina, mas Jamie encontrou alguma coisa de que ela não gostou na sala, e seu berro a chama de volta ao seu lugar. Xavier a observa enquanto ela recua e fecha a porta com delicadeza.

Ele e Pippa têm se comunicado por mensagem de texto, Xavier tomando a iniciativa, Pippa respondendo depois de um intervalo de tempo suficientemente desesperador. Ele não sabe se atribui essa demora à sua rotina incessante de trabalho ou a uma campanha proposital para deixá-lo perturbado, como castigo pelo que aconteceu antes. Se a intenção é a última, tem sido bem-sucedida. Ele tem se pegado olhando para o telefone um número demasiado de vezes, sentindo estranhas pontadas de desapontamento quando o visor não mostra sequer uma mensagem nova, seguidas de uma reação embaraçosamente forte às suas respostas, que, quando acabam chegando, nunca concordam com o que ele propõe. *Eu gostaria de vê-lo durante o final de semana, mas talvez não seja possível. Na tarde de terça também não dá porque eu tenho que fazer limpeza para uma mulher horrorosa em Marylebone.* Talvez ele sempre tenha se sentido assim quando ela entra em contato com ele, quase desde o início. Agora é difícil dizer.

Nos dois programas desde o final de semana ninguém falou do que aconteceu, além de uma referência muito passageira da parte de Murray, quando veio pegar Xavier na noite de domingo.

— Já saiu de vez da minha corrente sanguínea, você vai ficar contente de saber.

— E você está... tudo bem com você? — Xavier arriscou.

— Estou em excelente forma — respondeu Murray, batucando no volante com seus dedos deselegantes e acidentalmente buzinando para um homem assustado que atravessa a rua. E, de fato, os programas de domingo e segunda se passam tranquilamente, com "Suas Férias dos Sonhos, sem Limite de Dinheiro", no domingo, e "Superpoder que Você mais Gostaria de Ter", causando muitas ligações na segunda. Eles já usaram esse tópico antes, mas ninguém pareceu se incomodar: às vezes ouvintes de velha data chegam a pedir por *e-mail reprises* de discussões antigas.

Mesmo o "Pensamentos do Murray" — cujos temas eram o rumor de uma pandemia e o assunto do mês, a infidelidade de Edith Thorne — foi muito bem nessas duas últimas noites. Xavier tem a esperança de que, se isso continuar, e se Murray evitar falar sobre o final de semana por um pouco mais de tempo, talvez todos os problemas iminentes possam ser adiados até sumirem de vista. É uma esperança covarde, ele sabe, e provavelmente ingênua, mas também é verdade que ela funcionou bem em muitas outras situações.

Xavier toma banho, faz a barba e se examina no espelho. Ele perdeu um pouco de peso recentemente, embora não de propósito. Ocorre a ele que devia telefonar para casa, para sua mãe. Talvez mais para o fim da semana. Faz muito tempo, certamente. Ou ele pode esperar para ver se acaba conseguindo marcar um encontro com Pippa no final das contas. Ela iria gostar de saber disso.

Em outras partes da cidade incansável, Julius Brown franze o cenho com fúria diante de uma equação enrolada no Mathdown, enquanto seus competidores, igualmente concentrados, não prestam atenção nele. Vijay, campeão de *Scrabble*, perde metade de um dia de trabalho quando o sistema de computador da universidade cai. Ele ergue as sobrancelhas, sacode a cabeça e sai para pegar um sanduíche. Na Frinton, Ollie Harper — que finalmente tem um novo celular — fica sabendo que Sam tem um namorado novo e é por isso então que ela não vem respondendo suas mensagens de texto. Ele se sente irritado por ter ciúmes. Roger, o chefe de Ollie, está experimentando um novo detergente bucal. Ele decidiu não procurar outro terapeuta: o ramo inteiro está claramente tomado por charlatães. A cicatriz de Frankie Carstairs está finalmente começando a sumir.

Em sua casa em Notting Hill, a três ruas de distância de Maggie Reiss, Edith Thorne recebe o ultimato, que foi ansiosamente previsto pelos jornais, de seu marido, Phil. Ela deve jurar que nunca mais irá traí-lo ou dizer adeus ao casamento agora mesmo. Ele sabe que dois terços do dinheiro, da casa, de tudo, são dela, mas ele pode abrir mão disso tudo, se ela achar que não pode prometer. Edith diz não, ela quer ficar com Phil, nada mais importa, ela fará qualquer coisa. No final de uma conversa de uma hora, estão os dois chorando. Mais tarde, Edith tentará ir direto da porta de casa para um carro que a está esperando, suas janelas escuras como uma confissão de culpa, mas mesmo no espaço de dez metros entre a porta e o carro, ela é pega: o som suavemente acusatório de um obturador abrindo e fechando, o fotógrafo agarrando sua pilhagem em forma de fotografias. Ele grita o nome dela quando ela bate a porta do carro. O chofer, profissionalmente indiferente, age como se não tivesse notado.

Clive Donald está dando uma aula de função quadrática para vinte e nove alunos de habilidades variadas. Seis deles, desejosos de estudar matemática no nível suplementar avançado, concentram-se e tomam notas; dez ou doze pelo menos olham para a frente, mesmo se nada do que ele diz seja do interesse deles; o restante é abertamente subversivo, jogando coisas uns nos outros, escrevendo bilhetes — DONALD É GAY —, gritando, comendo salgadinhos, contando os minutos para o fim da aula. O sacudir exausto da campainha é um alívio para todos. Clive vê seus alunos se dispersando. Não é culpa deles. Lembra-se de quando ele próprio era aluno, pegando o ônibus para casa depois da escola, não querendo nada além de ir para longe dos invariáveis edifícios quadrados de tijolo, os aquecedores com a tinta descascada. Não está claro para ele — "talvez nunca tenha sido claro", ele pensa enquanto liga seu Peugeot cinza, com um aceno desanimado para um colega — por que, depois de treze anos inteiramente medíocres na escola, permitiu que sua vida se tornasse um amontoado sem forma de dias em uma instituição quase idêntica. E para quê? Para fazer mais professores. Cinco dos garotos em sua sala de avançado vão se tornar professores de matemática, do mesmo jeito que ele é um professor de matemática formado pelo seu próprio professor de matemática. É como uma sequência que se replica infinitamente, do tipo que o deixaria entusiasmado se ele fosse um matemático de verdade, e não um formador de inúmeros futuros educadores.

ONZE

Na rotatória que desemboca no anel rodoviário que vai acabar expelindo-o no novo conjunto habitacional onde ele mora, Clive Donald freia abruptamente para evitar uma batida e tem um leve nojo de seus instintos de bom cidadão: mesmo enquanto fantasia sobre sua própria morte, não consegue deixar de ser prudente. Não há indiferença genuína nele. "Talvez eu não consiga fazer nada", ele pensa, "talvez eu seja muito covarde. Que tipo de coitadinho ridículo precisa se convencer de que está à altura da tarefa de acabar consigo mesmo?". Ele vê seu reflexo no espelho do *hall* — barrigudo, branco como papel, exatamente o que ele tinha medo de se tornar. Se você o visse cometendo um assassinato, sofreria muito para conseguir descrever um único detalhe para a polícia — e nota com desdém o jeito com que pendura o casaco. Ainda a mesma diligência na execução de tarefas sem sentido, sempre a mesma rotina. É como se uma metade de seu cérebro não levasse a sério os impulsos suicidas da outra.

Enquanto a noite cai, ou, na verdade, desaba, um roxo sem vida na rodovia duplicada, Clive continua a lutar para conseguir ter os *colhões* de fazer isso — não tanto a coragem, mas a simples consideração consigo mesmo envolvida no ato parece ser mais do que sua vida banal merece. Ele pensa na reação de cada uma das suas ex-esposas à notícia: Angie, tristeza genuína, talvez lágrimas; Polly, desprezo, exatamente o tipo de coisa idiota que ele faria; Marjorie, confusão, ela nunca foi capaz de sentir empatia por ele, ou por ninguém. Mas Angie, sim, sua primeira mulher, essa era o amor de sua vida. Se ela não tivesse ido embora... Se eles tivessem tido filhos, talvez. Ela vai ficar triste quando souber, vai lembrar da lua de mel na região de Norkolk Broads, rindo de uma fileira de patos. Ela foi o amor de sua vida, esse tempo todo. Tudo o que aconteceu depois foi um engano horrível.

A meia-noite chega. Ir para a cama seria uma admissão de que não vai fazer nada, de que amanhã vai se levantar como sempre e fazer as coisas de sempre na ordem de sempre. Por força de hábito, Clive liga o rádio e se senta, com trinta cadernos de exercícios em sua frente, centenas de números rabiscados nos quadradinhos que os fabricantes dos cadernos preferem, inexplicavelmente, a linhas. Xavier Ireland introduz os assuntos da noite, abrindo uma discussão sobre, como o seu coapresentador irritante diz, "Os Prazeres do Politicamente Correto". Começa a primeira música.

A pequena torre de cadernos de matemática olha não muito impressionada para ele, enquanto Clive pega o telefone e aperta os únicos números, entre todos os outros em sua mesa de cozinha, que lhe podem ser úteis agora.

— Ele fica ligando — Murray, com seus fones de ouvido do tamanho de tampas de lata de lixo amassando suas orelhas vermelhas, segura o telefone como se fosse um utensílio defeituoso de cozinha. — Ele tentou quatro ou cinco vezes na última meia hora.

—— Bom, põe ele no ar.

Xavier pensa, desconfortável, nos *e-mails* de Clive que ignorou. A voz de uma mulher que eles nunca veem diz, com consoantes suaves, as notícias e a previsão do tempo.

— Mas ele sempre diz a mesma coisa. Ele é infeliz. As esposas o abandonaram. Ele acha que me–me–merecia mais da vida. Quer dizer, não sai disso.

— Mas ele provavelmente precisa falar comigo... com a gente, mais do que a maioria.

— Nós somos um *show* de rádio ou um instituto de ca–ca–caridade? — Murray resmunga, meio de brincadeira, enquanto se prepara para diminuir o volume no final da música. Xavier toma um gole da caneca do PODEROSO CHEFÃO.

— E agora — diz Murray, com um olhar zangado para Xavier — vamos falar com um dos nossos ouvintes habituais.

O ponto de Clive é mais relacionado ao debate da noite do que o costume. Depois de alguns comentários apressados, ele volta ao terreno familiar de seu sofrimento.

— Eu tenho que dizer, Xavier, estou me sentindo muito mal hoje.

— Alguma razão específica esta noite? — pergunta Xavier.

— Ah, não, nada específico sobre esta noite. Eu só sinto que, sabe, já deu. Basta. Nada deu certo. Não consigo ver um bom motivo para... você sabe. Continuar me esforçando desse jeito.

— Eu falei — dizem os olhos de Murray para os de Xavier.

— Você já conversou com mais alguém sobre isso?

— Eu não vejo realmente um motivo.

ONZE

— Porque não é bom pra você lidar com esses pensamentos sozinho, Clive. É por isso que você ligou pra *gente*, certo?

— Acho que deve ser tarde demais pra alguém... Quer dizer, eu vou voltar a me sentir deste jeito.

A conversa avança, com dificuldade, em pequenos passos, com Clive escapando de todas as tentativas de Xavier de melhorar seu ânimo, mas, mesmo assim, Xavier continua, até que Murray interrompe.

— Bom, foi ótimo falar com você de novo, Clive...

Clive, do lado distante de uma conexão ruim, soa como se fosse dizer mais alguma coisa, mas já foi embora.

Na próxima pausa comercial eles olham embaraçados um para o outro. Murray quebra o silêncio com uma encolhida de ombros.

— A gente não é responsável por tomar co—conta de todo mundo.

— Eu não disse que somos.

— Mas você obviamente acha que eu não devia ter me livrado dele.

Xavier faz um gesto irritado. No estacionamento, a raposa aparece rapidamente, cheirando um par de sacos pretos de lixo.

— Estava acabando com o programa — Murray persiste.

Está passando uma propaganda do supermercado no qual a mãe de Julius Brown trabalha.

— Nem sempre é ruim para o programa deixar as pessoas falarem.

— Neste caso era. — Murray não quer discutir. Ele levanta, fazendo um gesto de quem bebe café. Xavier assente.

Tão logo Murray está no corredor, Xavier toma uma decisão. Senta na cadeira do colega e vê a lista completa de quem telefonou — números e locais. Encontra o número de Clive e telefona. Depois de quatro toques, há uma resposta hesitante.

— Clive Donald.

— Oi, Clive, é o Xavier.

— Do rádio?

— Sim.

— Puxa. Eu...

— Escuta, Clive, eu estou preocupado com você, cara. Você parece um pouco desesperado.

— Pra ser honesto, Xavier, eu estou.

— Bom, eu não tenho muito tempo, preciso voltar ao ar, mas eu achei que eu podia passar aí e falar com você, se você quiser. Só pra conversar mesmo.

—Vir pra cá e... vir e conversar comigo?

— Eu posso ir amanhã, ou... se você me der o seu endereço por mensagem de texto. Eu posso dar o meu número.

"O que estou fazendo?", Xavier se pergunta, com uma careta sorridente.

Há uma pausa.

—Você pode vir esta noite?

— Só saio daqui às quatro.

—Vou estar acordado.

Eles estarão de volta ao ar em trinta segundos. Murray abre a porta com o ombro, com uma caneca de café transbordando em cada mão.

— Tudo bem — diz Xavier, às pressas — tudo bem, eu vou.

Xavier está no banco de trás de um táxi dirigindo-se ao norte, para fora de Londres. Disse ao Murray que tinha "uma coisa urgente pra fazer" e que não ia precisar de carona para casa. "Que coisa urgente poderia acontecer às quatro da manhã?", o rosto de Murray perguntou, mas ele não disse nada. De repente há uma barreira entre eles. Xavier sentiu o azedume de uma leve irritação, quase hostilidade, quando se separaram no estacionamento.

Ele olha pela janela enquanto o terceiro quarto da noite dá lugar ao último: a escuridão ainda presente, mas já tranquilamente resignada ao seu fim, pássaros nos galhos das árvores começando a aquecer as vozes. O taxista calado ligou o rádio, a mesma estação na qual Xavier e Murray estavam há pouco— há quase uma hora inteira de música *soul* e depois, às cinco, os seus sucessores, os irritantemente acordados apresentadores da manhã, começarão a tagarelar para as pessoas que acordam cedo. O táxi sai de uma rotatória e o deixa na entrada miserável de uma casa. Xavier paga o homem, que recebe o dinheiro sem dizer uma palavra, como o barqueiro no rio Estige. Pensa vagamente, agarrando-se a uma memória quase esquecida

ONZE

da escola. O ar nos minutos anteriores à manhã é gelado e parado. Xavier treme enquanto toca a campainha, desejando que estivesse em seu quarto agora, na Bayham Road, ou de frente para o canal 24 horas de notícias com uma caneca de chá. Um cachorro late, algumas portas adiante.

Quem abre a porta é um homem com entradas no cabelo, usando uma blusa de lã desfiada.

— Eu nem acredito que você veio mesmo.

Xavier entra.

— Encare como uma espécie de transmissão externa ou algo assim.

Xavier segue Clive pelo *hall* até a cozinha, onde há uma mesa com uma pilha deprimente de livros didáticos. A chaleira e a torradeira se entediam ao lado do forno de micro-ondas, que claramente prepara toda a comida por aqui. A janela da cozinha dá para um quintal malcuidado, cercado por urtigas que balançam nervosamente ao vento, como se estivessem esperando em vão pelo desafio das tesouras de um jardineiro, como um cachorro pedindo para ser perseguido.

— Este lugar está um pouco bagunçado — diz Clive, esfregando os olhos.

— Já pensou em arrumar uma faxineira?

Clive está surpreso, como deveria estar mesmo, pela franqueza do comentário.

— Não, bom, não, na verdade, não.

— Desculpe, a pergunta é estranha, talvez. É só porque, pra mim funcionou bem. — Com cuidado, Xavier pega um dos livros didáticos de capa cor laranja. — Você é professor de matemática? Eu era bem mediano em matemática.

— Eu também. — Clive sorri um pouco.

— Então, como você ouve o *show* se tem que estar de pé às, o quê, sete? Seis e meia?

— Bom, eu tenho muita dificuldade para dormir. Então eu comecei a ouvir pra...

— Pra pegar no sono. — Clive parece embaraçado, mas Xavier sorri. — Não se preocupe, sempre ouço isso. A maior parte do nosso público está exausta. É por isso que a gente pode ter as partes com o Murray.

—Você sabe, não quero falar o que não devo, mas o Murray não é...
— Eu sei.

Clive põe a chaleira no fogo. Enquanto está mexendo nos armários, procurando coisas com a hesitação de um homem pouco acostumado a receber gente em casa, Xavier olha para a pia e logo bate os olhos em um desenho familiar.

—Tenho uma caneca igualzinha, no estúdio. A do PODEROSO CHEFÃO.

— Hein? Ah, sim. Compraram essa aí pra mim quando virei chefe do departamento.

— Ah. Então você é mais do que um simples professor de matemática?

— Infelizmente, não deu certo. Eu tive que tirar dois meses de férias depois que a minha segunda mulher... depois que nos divorciamos. Eu não estava no estado de espírito apropriado. Então outra pessoa assumiu como chefe de departamento e fez um bom trabalho e, bom, acabou ficando.

—Você não tem dois meses de férias no verão? É uma pena que ela não tenha esperado por essa época.

Clive ri alto. Pelo que ele se lembra, é a primeira vez que ri alto, especialmente em sua cozinha, nos últimos meses.

— Não, os papéis saíram em março. Nem no feriado do meio do trimestre foi. E isso diz tudo que você precisa saber sobre o meu segundo casamento.

— Fale sobre os outros.

Clive conheceu a primeira, Angie, de um modo tão simples e delicioso que tem de fazer força para acreditar que realmente aconteceu, parece uma história que se encaixaria melhor na vida de outra pessoa. Quando ainda era estagiário, estava passando pela imigração no aeroporto de Heathrow depois de uma semana em Creta com colegas do curso. Seu cabelo era loiro naquela época, estava usando o que se costumava chamar de paletó esportivo, e estava em melhor estado do que quase todos os seus amigos, que tinham bebido muito durante o voo. Uma garota verificou seu passaporte. Ela olhou para ele duas, três vezes, alternando o olhar entre ele e a sua versão em preto e branco. O coração de Clive falhou um pouco, ele sempre tentava evitar problemas.

— Não é uma foto muito boa...

— Não, não, é boa — disse a garota, cujo crachá dizia *Angela Pickering*. — Eu só estava pensando que você é muito bonito.

Nada no mundo poderia tê-lo preparado para isso, e ele não tinha ideia de como responder, mas, por sorte, Angela Pickering continuou:

— Você pode se encontrar comigo daqui a duas horas, quando eu terminar?

Naquela época tudo era mais simples, ou é assim que Clive se lembra, de qualquer forma: eles saíram durante um ano — foram ao cinema, dançar, passear em parques, museus, sempre ideia dela — e depois se casaram. Quando ela tirou o véu, seu rosto brilhava de lágrimas e ele a beijou quando instruído pelo vigário. Cortaram o bolo e foram para Norfolk.

Talvez não fosse verdade que tudo era mais simples "naquela época", talvez tudo fosse mais simples com Angie por perto, porque sua impulsividade atravessava decisões que teriam detido qualquer outra pessoa. Eles compraram a casa depois de ter dado só uma volta em torno dela. Ela pulava de emprego em emprego e depois, deixando a ele a tarefa de ganhar dinheiro, de *hobby* em *hobby*: escultura em vidro, *jazz*, piano, ponto cruz. Uma vez ele chegou em casa e ela havia comprado duas chinchilas. Ela riu quando ele recuou do cercadinho com horror.

— Pra que diabos você comprou dois... disso aí?

— Eu não podia comprar só uma, elas se sentem sozinhas.

Os opostos se atraem, dizem, e pode ser verdade, mas durante a longa jornada de um relacionamento, as similaridades são muito mais úteis. Os impulsos de Angie e os planos meticulosos de Clive se acompanharam numa harmonia improvável durante alguns anos, mas eles logo começaram a se irritar mutuamente. Eles nunca brigavam — apenas derraparam, conscientes, mas sem poder impedir a queda, para dentro do pântano que só no último ano tinha submergido três ou quatro casais de conhecidos. Clive detestava ver Angie infeliz, a emoção não combinava com ela, e se sentiu quase aliviado quando, impulsiva como sempre, ela foi para a cama com um homem que conheceu no supermercado, e depois com um homem no escritório de triagem do correio. Com pouca amargura, eles começaram as negociações que terminaram com Clive ficando com a casa e Angie começando uma vida nova em algum lugar da África. Clive, que mal havia acreditado no quanto era fácil se casar, agora ficava espantado ao escrever *divorciado* em formulários.

O segundo casamento foi ainda mais tradicional nas formas de seu declínio. Começou com ambas as partes, Clive e Polly — outra professora de matemática, eles se conheceram numa conferência —, solitárias, divorciadas, ansiosas por companhia. Progrediu depois de poucos dias para um cartório, daí para um ano e meio de desavenças e terminou com os dois solitários e divorciados de novo, ressentidos por causa de um acordo que de algum modo os dois consideraram um insulto. De repente, Clive tinha quarenta. Havia perdido muito do seu cabelo, muito do seu entusiasmo pelo trabalho, e dois casamentos, ambos parecendo em retrospecto coisas que haviam acontecido com ele, e não que ele mesmo tivesse feito.

Na altura em que chegou ao terceiro casamento — com uma mulher chamada Marjorie, que propôs casamento a ele seis meses depois de se conhecerem numa festa, mas se cansou logo, e agora vive numa comunidade lésbica —, Clive havia quase chegado a sentir que sua vida podia, de modo geral, ser resumida como um processo a que ele tinha sido submetido, um truque que haviam pregado nele, e não uma cadeia de acontecimentos dos quais ele tivesse o mínimo controle. Foi ideia de outra pessoa, certamente, não dele, de acabar virando professor de matemática com uma sequência de relacionamentos malsucedidos nas costas, vivendo numa casa geminada sem estilo algum em Hertfordshire, que foi a menos má de todas as opções. Não que ele se sentisse azarado, ou de forma alguma vitimado, só estúpido, como se ao embarcar na vida ele tivesse almejado demasiadamente alto e tivesse tido suas inadequações expostas na hora.

No decorrer dos últimos anos, olhando para os rostos vazios ou desdenhosos nas carteiras, aplicando canetadas em tinta vermelha em volta de pequenos erros em livros, atravessando com dificuldade na sala dos professores as mais insignificantes conversas moles, vazias e estúpidas, a indignação confusa de Clive por ter sido enganado, por ter fracassado em entender as regras da vida antes que fosse tarde, se transformou em uma coisa mais sombria e mais permanente: sofrimento.

ONZE

Na altura em que Clive Donald chega ao fim da história resumida dos seus desapontamentos, a luz começa a surgir, fracamente, como se estivesse vazando por um buraco no céu. É uma dessas manhãs em que é difícil dizer se elas estão demorando para começar, ou se é o início de um dia deprimentemente escuro. Xavier olha de relance para o relógio, e os olhos de Clive o seguem automaticamente.

— Meu Deus. São quinze para as sete.

Xavier está na cozinha de Clive há mais de duas horas, mas nota o horário sem alarme.

Clive parece agitado.

— Eu prendi você aqui...

— De modo algum — diz Xavier. — Eu vim porque quis, se você se recorda. Foi bom falar com você.

— Eu devia, eu devia — murmura Clive —, eu devia ir meio que me preparando para o trabalho.

— Então, quando você me convidou pra vir pra cá, você estava pensando em ir trabalhar depois de duas horas de sono, ou... ou o quê, exatamente?

Clive suspira.

— Eu estava pensando em, uh...

Mas soa estúpido demais para dizer em voz alta.

— Eu tenho estado muito deprimido, como você sabe — Clive tenta de novo —, e eu estava pensando...

Xavier assente, já ouviu esse tipo de coisa com muito mais frequência do que a maior parte das pessoas.

— E mesmo assim você está preocupado em talvez chegar atrasado no trabalho? — Clive faz uma careta. — Você chegaria bem atrasado, pelo que você está dizendo, se...

— Fiquei embaraçado, agora. Soa ridículo falar sobre isso.

— Se eu estivesse num estado de espírito profissional — Xavier diz, secamente —, eu iria sugerir que embaraço em relação aos seus sentimentos é parte do seu problema mais do que parte de sua defesa contra eles. Mas como não estou, vou só sugerir que você não vá trabalhar.

— O quê?

— Diz que está doente. Dá uma desculpa qualquer.

— Tenho aulas pra dar.

— Bom, claro que tem. Você é professor. Mas é um dia só.

Clive hesita. Corre o dedo pelo cenho.

— Você nem gosta do seu trabalho.

— As pessoas não podem simplesmente não fazer o trabalho delas porque não gostam. O país pararia na hora.

Xavier sorri.

— Está bem, talvez. Mas *você* pode não fazer o seu, só hoje.

Clive hesita de novo e depois assente.

Eles andam em pequenos círculos no gramado encharcado de orvalho, isso deixa uma marca de umidade na borda da calça de veludo cotelê de Clive. Além da cerca que protege o jardim, o trânsito acelera, rugindo para mais uma manhã.

— Eu, honestamente, acho que falar com você foi — diz Clive, olhando seus sapatos escurecidos pelo orvalho —, sabe, é muito parecido com o seu *show*, digo, um problema compartilhado...

Xavier pensa em Murray, que às vezes faz uma piada sobre esse clichê e diz que um problema compartilhado torna duas pessoas infelizes, o que por sua vez, já é outro clichê.

— Na verdade eu não fiz nada.

— Bom, eu estou... Eu estou muito agradecido. Não quis ficar enchendo você, como enchi, ligando toda hora para o programa. E todos os *e-mails*, e tudo o mais. Eu só não sabia mesmo o que fazer.

— Fico feliz de ter ajudado.

— Você deve estar habituado a este tipo de conversa.

— Na verdade, não. — Xavier empurra a grama com a ponta do sapato. — Até bem recentemente eu costumava pensar que nada do que eu dizia tinha efeito algum. Ou, pelo menos, que era uma espécie de... exercício teórico. Você sabe. Deixei de acreditar na ideia de que eu podia fazer mesmo uma diferença. Era só o meu emprego.

— E o que aconteceu pra você mudar de ideia? — É uma história comprida. — Xavier coça o nariz. — Tem a ver com a faxineira.

ONZE

A história poderia acabar aqui, mas não acaba, a vida não é tão certinha. As milhares de pequenas consequências da não intervenção de Xavier no espancamento de Frankie Carstairs, mais ou menos oito semanas atrás, continuam a se ramificar em outras milhares, que se ramificam em outras milhares, que correm sem controle por Londres. Mesmo assim, por enquanto, Clive Donald se sente melhor sobre o seu relacionamento com o mundo. Um completo estranho, que ele conhecia só como uma voz no rádio, veio pessoalmente para ajudá-lo. Sem absorver isso diretamente, ele percebe que cada pessoa é conectada com todas as outras, e, portanto, que cada aula que ele dá — todos esses gráficos idiotas, essas reprimendas cansadas ao garoto de pescoço gordo comendo batata frita no fundo — tem consequências. Tudo tem uma oportunidade de ser importante.

— Como você vai...? — Clive começa a perguntar para Xavier, quando finalmente voltam para dentro, batendo o orvalho no capacho. Já são quase nove, muito tarde para ele chegar à escola mesmo se tivesse um ataque de consciência de última hora. Essa irreversibilidade é reconfortante. A esta hora o *playground* já deve estar cheio de uniformes e gritos, xingamentos enérgicos, acusações de homossexualidade e jogos de futebol que acabam virando luta greco-romana. Julius Brown, que secretamente atribui o seu sucesso a Clive Donald, vai caminhar mais ereto que de costume pelos portões, a mochila pendurada no ombro e um troféu de matemática, com seu nome inscrito, na sua escrivaninha em casa.

Xavier chama um táxi. Os dois homens, que nunca irão se ver de novo, apertam as mãos no *hall*.

— Entra em contato. Manda *e-mail*, telefona. Não precisa ligar pro *show*. Mas entra em contato.

— Eu vou.

Clive acena enquanto Xavier abre a porta do carro e a fecha atrás de si. Há um latido do cachorro três casas adiante, como se marcando propositalmente o final da visita com uma repetição do início. O taxista é o mesmo homem quem trouxe ele aqui. Xavier dá a ele o código postal do seu apartamento. O carro entra no trânsito, logo depois do horário de pico, afundando-se lentamente no sistema digestivo da cidade. A neblina de antes se foi, e a luz do dia parece, aos olhos de Xavier, artificialmente forte, como a luz que recebe os frequentadores vespertinos de cinema quando eles saem da sala escura.

Como acontece com frequência, uma noite sem dormir não deixou Xavier exausto, mas cheio de uma energia confusa e sem foco. Em casa ele pensa nas horas que acabaram de passar com uma estranha mistura de incredulidade — "Eu realmente fui para a casa de um desconhecido, e agi como conselheiro?" — e uma sensação quase eufórica de ter feito algo concreto de bom, o tipo de coisa que ele redescobriu o prazer de fazer. Ele sente dificuldade em se concentrar em outra tarefa qualquer, mesmo uma tão simples quanto pensar no que vai dizer para Murray, hoje à noite, como explicação. Vai até a lojinha da esquina e termina conversando com o indiano por quase vinte minutos, curioso para saber detalhes do casamento próximo, a grande riqueza dos pais do noivo, que têm uma casa em Surrey com "três carros e uma garagem fabulosa". Embora vá trabalhar até as quatro da manhã de novo, Xavier não quer ir dormir, quer compartilhar o que aconteceu ontem à noite, não só a história, mas a sensação que ela produziu. "O que eu realmente quero", ele percebe, "é estar com Pippa".

— Então esse cara que você nunca viu está deprimido, e você vai pra casa dele?

— Bom, foi um pouco mais complicado que isso...

— A ligação não está muito boa, querido. Eu estou no ônibus.

Quando Xavier liga para Pippa ela está, claro, a caminho de um trabalho, ou, na verdade, saindo de um trabalho às pressas para ir para mais um em outro lugar. A cliente rica de Marylebone foi esquiar com o namorado e o filho, e Pippa deve fazer a faxina habitual de três horas na ausência deles.

— Hein, mesmo se eles nem estiveram em casa? O que ela espera que você faça? Que suje tudo pra poder limpar depois?

— Bom, se ela pode pagar, por quê não? — Pippa ri. — Sabe, ela provavelmente poderia comprar uma casa nova cada vez que a velha fica bagunçada.

ONZE

— Como ela conseguiu esse dinheiro, essa mulher? — pergunta Xavier, inconscientemente imitando sua mãe. Ele ouve, do outro lado da linha, o suspiro irritado de Pippa, na opinião dela é perda de tempo querer saber de onde vem o dinheiro dos outros, algumas pessoas simplesmente têm e outras têm de fazer coisas para tirar esse dinheiro delas.

— Deve ser um saco você ter que arrumar se ela nem esteve por lá, não?

Ele disse isso para ser simpático, mas de novo isso não tem o efeito desejado.

— Não é *um saco*. Eu tenho sorte de ela ser tão estúpida que vai me pagar por isso. Estou precisando.

O "P" de "estúpida" desaparece na zanga do seu sotaque.

No correr da conversa, conduzida sobre um pano de fundo sonoro de barulhos de ônibus — vozes irritadas, ranger de portas se abrindo, o suspiro do motor, como um par de pulmões envelhecidos —, fica claro que Pippa não tem tempo de ver Xavier hoje e não pode garantir nada para amanhã. Ele sente que está perdendo terreno desde que digitou o número dela e sente que a euforia do dia está passando.

É hora de outra tentativa.

— Por que eu não vou com você?

— O quê?

— Me diz onde você está indo trabalhar e eu vou também e ajudo.

— Acho que não quero que você me veja trabalhando, querido.

— Eu já vi você trabalhando, lembra? Você trabalhou no meu apartamento.

Mas a memória ainda é embaraçosa por algum motivo, e ele se cala. Então:

— Tudo bem. — Pippa suspira, deixando claro que só faz isso para agradá-lo, e de repente Xavier se sente encorajado de novo. — Tudo bem. Se você é burro a ponto de vir pra essa porra de — o volume de sua voz se abaixa um pouco — de Marylebone, só pra me ver parecendo um cocô, ajoelhada segurando uma pá de lixo e uma escova, então você que sabe.

Xavier sorri.

— Ótimo. Vejo você lá.

— Então, ele liga para o *show* de rádio tantas vezes que você acha que ele pode ser perigoso, e ele fala de se matar...

— Ele só sugeriu isso.

— Sugere que vai se matar e você decide que a melhor maneira de lidar com isso é ir até a casa dele no meio da noite?

— Bom, eu não sabia se era a melhor maneira, mas pareceu... pareceu que funcionou.

— Segura isso.

Pippa sacode as chaves na fechadura, murmurando palavrões para si mesma: "Porra de fechadura dupla, porra de porta". Xavier fica lá, com o saco azul e amarelo na mão ("Como diabos ela carrega isto para todo lado?", ele se pergunta), achando que teria sido melhor contar a história quando ela não estivesse distraída: foi um desperdício. A porta se abre e eles entram em um saguão enorme e opulento, com uma escada de carvalho subindo à direita, e acima de suas cabeças um candelabro gigantesco e brilhante.

— Bom, é isso aqui.

Eles ficam no saguão, Pippa examinando o forro de madeira, o vasto chão de azulejos e os arcos altíssimos sobre as portas com algo parecido a afeição — a estranha afeição do caçador pela presa.

— Certo. Vou começar pela sala de estar, então. Dar um jeito logo nisso.

— Eu falei sério sobre ajudar, você sabe. O que você quer que eu faça?

Ela olha para ele, seus pálidos olhos azuis zombando e desdenhando.

— Você honestamente acha que possui o nível de habilidade que esperamos nesta empresa?

— "Nesta empresa" quer dizer você?

Pippa dá um soquinho de brincadeira em seu braço que, pegando bem no osso, dói só um pouco menos do que um soco de verdade.

— Lembra como estava o seu apartamento antes de eu aparecer?

— Sim, eu lembro sim, porque está ficando do mesmo jeito de novo.

— Exatamente. *Imundo*. Você acha que eu vou arriscar deixar um centímetro desse lugar imundo? Essa mulher é uma cliente importante.

— Pelo menos me deixa passar o aspirador, ou algo assim. Passar aspirador qualquer um sabe.

— Nem todo mundo sabe, muito pelo contrário. É como dizer que todo mundo sabe tocar piano.

— Me dá um período de experiência.

Pippa sacode a cabeça com desespero.

— Está naquele armário lá. Tenta aquela sala. Você tem dez minutos.

Enquanto puxa a máquina rangente pelo tapete verde e pesado, Xavier lembra de quando tinha nove anos, durante um feriado qualquer, e deixaram que ele, no banco do passageiro, segurasse a direção do Holden velho da família, dirigindo por uma estrada no campo.

"O que papai acharia disto?", ele pensa, encaixando o tubo do aspirador em um canto formado pela borda de uma estante antiga, com livros antigos que nunca são lidos. "Mudei para a Inglaterra — quase cinquenta anos depois que o papai, como ele enxergava a coisa, salvou a mamãe deste lugar. Não tenho carro. Para ele, isso seria tão impensável quanto não ter um teto em casa. E estou aqui passando aspirador no apartamento de uma mulher rica, só para impressionar outra mulher."

— Pode parar, pode ir parando aí. — Pippa, seus cabelos quase brancos de tão loiros, presos atrás com clipes de cabelo que parecem desconfortáveis, entra na sala e o arranca desses pensamentos. Ela se abaixa e aperta um botão para silenciar a máquina. — Está vendo o que eu quis dizer? Olha. Você pulou esta parte *ali*. — Lá vêm os dedos indignados para a contagem. — Uma parte *ali*. Você nem chegou perto de *lá*. Assim não vai dar. Eu podia ter limpado melhor esta sala com os meus pés.

— Mas eu passei ali. E ali.

— Então está fazendo alguma coisa errada, querido. Vem cá. Olha. — Ela devolve o tubo do aspirador para as mãos de Xavier, e põe as dela por cima das dele, como alguém ensinando os primeiros golpes do tênis para uma criança. — Devagarinho, pra você aprender.

Ela aperta o botão de novo com o dedo do pé, e o aspirador ruge para o grosso tapete. Xavier sente Pippa se apertando contra ele por trás, o volume dos seus seios contra as suas costas, as mãos delas nas dele. Ela fala algo que ele não entende por causa do barulho.

— O quê?

— Eu disse — ela fala mais alto — que você tem sorte de ser treinado assim. Eu devia cobrar por isso. Olha. Faz força pra baixo. Obriga ele a puxar a sujeira. Não confia nele, não. Obriga.

— Dá pra você repetir isso, "Obriga ele a puxar a sujeira"?

— Por quê?

— Ficou bonitinho, com o seu sotaque.

—Você se acha muito superior — Pippa resmunga em seu ouvido, e o contato é tão súbito que parece ser íntimo demais.

Xavier gira e a beija. Ela fecha os olhos, suas mãos procuram os botões da camisa dele.

Na casa de desconhecidos pela segunda vez em vinte e quatro horas, Xavier, nu, olha para a mulher em cima dele. Suas mãos se esticam para alcançar as costas dela, a curva no alto do traseiro. Seus dedos, como se estivessem equipados com sensores, procuram sardinhas, pintas, cada pequeno detalhe da pele dela. Ele sente, com um prazer selvagem, o peso dela em cima dele. Nunca, antes, ele se sentiu vulnerável durante o sexo. Começa a dizer alguma coisa, mas Pippa se inclina e o silencia com um beijo. Suas mãos fortes estão em seu peito. Ele olha para os ornamentos no teto, de estuque, acha que é um nome. Seu cérebro se concentra no que consegue.

Ela range os dentes e suspira fundo quando, dentro dela, Xavier se move. Ele está tremendo. Seu corpo inteiro parece um saco de papel prestes a explodir. Ele sente como se ninguém jamais tivesse feito algo tão bom quanto isso.

Edith Thorne nunca mais vai fazer sexo com outra pessoa além do marido. Ela sabe que não há desculpas para o modo com que agiu e que pôs tudo em risco. Rompeu na hora com o político: era o melhor para ele também, na verdade, era a única maneira de ele continuar a ter uma carreira, e ele quer entrar para o Gabinete em cinco anos. Edith e sua agente Maxine conseguiram ganhar, com subornos e ameaças, o silêncio de mais duas pessoas que sabem de coisas. Mas ainda há o *barman*, Alessandro.

Ele não vai aceitar o fim. Telefonou e mandou mensagens de texto quase sem parar nos últimos cinco dias. Ela teve de bloquear seu número no telefone, mas as mensagens ainda chegam, e se Phil desse uma olhada em seu celular — o que é bem provável que faça, tendo em vista os acontecimentos recentes —, haveria mais um desastre.

Eles se conheceram no bar, durante a festa de despedida da minissérie que Edith apresentou, sobre pessoas obcecadas por celebridades. Alessandro, com um metro e noventa de altura, bronzeado, estava fantasiado de Clark Gable com um bigode falso e gravata-borboleta, seu cabelo brilhando de gel. Era dez anos mais jovem que Edith, pelo menos, e tão logo ela o viu, tentou imaginar como seria ir para a cama com ele, mesmo estando um pouco ridículo com aquela fantasia. Mais tarde, voltando do banheiro, ela passou na frente da sala dos empregados e o viu batendo ponto, tirando a camisa por cima da cabeça e revelando um peito musculoso e depilado, e ficou imaginando ainda mais. Percebeu que seria muito bom, extraordinariamente bom, naquela noite e em muitas outras noites, e sim, talvez ela tivesse dito a ele que o amava.

E, portanto, embora ela venha adiando esse momento, deve a ele pelo menos uma despedida. No porão da casa de £ 1,2 milhões — cujo valor deve ter caído um pouco, conforme os vizinhos resmungam com amargura, já que a área está infestada de fotógrafos —, ela disca o número bloqueado, prendendo a respiração e torcendo pela caixa postal. Mas não, ela devia ter esperado até de noite, quando ele trabalha.

Ele atende na segunda chamada.

— Edith, até que enfim. Graças a Deus, porra.

O inglês dele é bom, mas muito influenciado pelo cinema norte-americano, e como resultado — especialmente por causa do sotaque —, frequentemente soa como um ator num filme feito para TV.

— Alessandro, escuta...

Mas se explicar é ainda mais difícil do que ela esperava, o silêncio do outro lado da linha é ainda mais enervante. Preparada para uma discussão — ela tem prática nisso —, tem de se justificar para uma parede de gelo. "Eu tenho que pensar na minha família. Não devia ter dito que amava você. Não devia ter dado a impressão errada. Foi uma aventura incrível. Acho que na vida você tem que deixar as coisas acontecerem, às vezes." Ela fala durante dois longos minutos sem ser interrompida.

— Então... então estou dizendo adeus.

— Não vem com essa.

A voz de Alessandro é brava, de uma braveza calma, controlada, o que é ainda pior — pensa Edith — do que histeria.

— Eu sei que agi da pior maneira.

— Sim. Você agiu da pior maneira.

Pausa.

— Desculpa.

— Edith, eu preciso de você.

Ela não estava preparada para isso. Esse cara tem vinte e dois, pelo amor de Deus, se encontraram num bar e fizeram sexo casual.

— Bom, eu não posso ser sua.

Sons abafados de choro vêm pela linha.

— Alessandro...

— Por favor, Edith, se você mudar de ideia...

Ela não vai mudar de ideia. Termina a conversa e promete a si mesma ignorar o telefone pela próxima hora.

Edith parte para o programa se sentindo um tanto perturbada, esquece de trancar a porta da frente da casa e, daí, ao voltar, percebe que deixou metade das roupas de ginástica numa mala perto da lavadora de roupa. Ela senta no banco de trás do carro — o motorista profissionalmente calado, de novo — e pensa em Alessandro. Estava familiarizada com os riscos de dormir com outros, o escândalo e a vergonha que a atingiram, mas ela nunca havia esperado que alguém, meu Deus, *se apaixonasse* por ela. E de todas as pessoas, um italiano alto e viril que parecia a caricatura perfeita de um cara que iria para a cama com você e depois iria embora antes de você acordar, e, no entanto, agora está passando a tarde aos prantos. Ela sente pena dele por alguns instantes, depois tira um espelho, passa batom e tira as anotações para o programa de sua mala. É uma pena, mas ela não pode ser responsável pelos sentimentos de todo mundo. "Sério, você não pode ser responsável pelos sentimentos de *ninguém*", pensa Edith, aprovando o próprio rosto no espelho. "Você não pode ser responsável pelo que acontece com outras pessoas. Cada um tem que viver a sua vida."

X

ENQUANTO A VERSÃO noturna de Londres dorme, lancha, anda pela casa, sua, defeca, briga e respira em mais esta noite da semana, impiedosamente, os acontecimentos afetam uns aos outros como peças de dominó.

Numa quitinete alugada em Tottenham, o *barman* italiano Alessandro Romano está com o coração partido ao voltar para casa do trabalho, às duas da manhã, porque foi abandonado por sua amante Edith Thorne, porque ela tinha de salvar o casamento, porque foi denunciada pela jornalista Stacey Collins, porque sua amiga Maggie perdeu a fé no emprego e decidiu espalhar os podres de seus clientes, porque um corretor imobiliário chamado Roger foi rude com ela, porque ele recebeu acidentalmente uma mensagem desagradável de seu colega Ollie, que estava usando um celular provisório, porque o seu BlackBerry foi roubado por um garoto gordo, Julius, porque o garoto precisava de dinheiro para a mensalidade da academia, porque ele foi despedido pelo dono do restaurante egoísta Andrew Ryan, que estava reagindo a uma crítica destrutiva, que foi escrita por Jacqueline Carstairs, que estava de mau humor porque o filho dela, Frankie, foi espancado, porque Xavier não impediu os agressores. Alessandro, a décima primeira pessoa na cadeia que começou naquele dia frio, olha para o seu apartamento minúsculo com um sentimento a meio caminho do desgosto e do desespero.

Xavier já esqueceu, a esta altura, o incidente original. Às duas da manhã, está deitado com Pippa na cama onde passaram uma larga porção de seu tempo desde aquele primeiro, desajeitado, maravilhoso sexo, na casa de uma das mais proeminentes mulheres de negócio da Inglaterra.

Uma boa quantidade desse tempo foi, é claro, passada fazendo mais sexo. Xavier adora fazer sexo com Pippa. Ele ama a força corporal dela, superior e quase intimidante, e o modo com que ela às vezes fica completamente nua antes de eles começarem, junto à cama, olhando direto para ele, desafiando-o a olhar de volta para ela. Ele adora o fato de que ela é a amante mais faminta, mais visceral que já teve, e, no entanto, o seu peculiar senso de decoro, seu vagamente antiquado apego ao bom-senso e a não fazer cenas sempre emergem. Ela cora numa cor deliciosa, parece um pouco horrorizada quando se pega gritando muito, e depois que acabou proíbe qualquer menção ao que aconteceu. Não há rememoração, tudo é bruscamente arquivado com o resto das tarefas cumpridas do dia. "Realmente", Xavier pensa com ironia, "sexo é uma das poucas coisas sobre as quais ela *não* fala sem parar" — embora ele se sinta culpado só de pensar, quanto mais de vocalizar, essa brincadeira. Eles quase sempre fazem sexo durante a tarde entre os compromissos de trabalho dela, antes de passar a noite na companhia de Murray e dos seus ouvintes, e da volta dela para o lado de sua carente, e agora grávida, irmã Wendy.

Ainda mais do que para o sexo, Pippa tem usado a cama para dormir. Desde que ela passou a gastar o seu parco tempo livre no apartamento dele, Xavier tem percebido o quanto Pippa está exausta, e de quanto precisa de descanso. É uma dívida assumida nos últimos cinco anos, e agora os juros se acumulam mais rapidamente do que podem ser pagos. Mesmo quando ela consegue dormir decentemente, isso só parece lembrar ao seu sistema dos seus direitos reais, e ele aumenta a exigência de acordo. Xavier está ficando melhor em persuadir Pippa a descansar direito entre os serviços, tirar cochilos ou só fechar os olhos, deixar que ele faça chá e torrada, e até mesmo ignorar pequenas bagunças e imperfeições.

— Eu não sou uma inválida.

— Mas vai ficar se continuar desse jeito. Esse é o ponto.

Ao tentar conquistar o tempo de Pippa para si, Xavier tem dois grandes oponentes: a tendência dela de assumir muito trabalho e a lealdade a Wendy. Tocar em qualquer um desses assuntos parece tão precário quanto

ONZE

andar em bolinhas de gude. Quanto à irmã, ele vai aguardar até ter coletado mais provas, mas sobre carga de trabalho ele começou a organizar, embora com cuidado, negociações de concessão alguns dias atrás, num café perto de seu apartamento.

— Escuta, você tem que me deixar... me deixar tirar um pouco desse peso das suas costas.

— Eu preciso trabalhar, Xavier. O que, eu vou só ficar deixando você pagar as contas pra mim? Você acha que eu não tenho orgulho? — Seus olhos azuis descem para olhar a mesa.

Ela fala sobre o próprio orgulho com seriedade suficiente para que seja um assunto arriscado. Mas ele persiste, embora dinheiro tenha sido um dos fatores que causaram a briga naquela noite terrível.

— Eu não estou dizendo pra você não fazer nada. Estou dizendo... Vamos ser práticos. Eu tenho algum dinheiro. Você não tem muito. Você está se desgastando e a longo prazo isso vai te custar mais serviços, porque você vai ficar...

— Então está sugerindo o quê? Da próxima vez que eu puder ganhar vinte e cinco paus eu só venho e te peço vinte e cinco paus?

— Não...

— Ou você vai me pagar pra ficar com você?

— Não. Só... ah, sei lá. Só me deixa fazer algumas coisas boas por você, de vez em quando, sem reclamar.

— Estou deixando você me levar pra tomar chá, não estou? Em um *café*. — Ela sacode a cabeça. — A minha mãe nunca ia me perdoar. "Indo para um café! Para que você acha que eu compro chá em pacotes?"

Ela já havia deixado que ele comprasse um casaco para ela: um casaco verde com padrão de flores, bonito, que ia até o chão — grosso, quase um manto —, que ela viu numa loja em Soho seis meses antes.

— Cada vez que eu passo perto, meu coração dispara, com medo de ele não estar mais lá. Eu sei que é bobagem.

Xavier entrou na hora e comprou o casaco.

— Isso já está resolvido. Ia ser uma pena você ter um ataque cardíaco por causa desse casaco.

Ela corou, agradeceu e o beijou na boca.

Na semana passada, para animá-la depois de uma semana difícil, ele comprou uma caixa de chocolates. Eles vão ao cinema, comem comida chinesa, passeiam. Eles se falam ao telefone duas, três ou quatro vezes por dia. Dali a duas semanas ele planeja comprar para ela um vestido novo e levá-la a uma exibição de arte com uma festa elegante antes.

Ele se lembra de como, até recentemente, parecia absurdo dizer, até para si mesmo, que ia "levá-la" a algum lugar. Ele não sabe ao certo se ela se suavizou um pouco, ou se ele é que ficou mais ousado.

Esta noite ele observa o rosto adormecido dela, as pálpebras que desceram como portas de garagem quase no instante em que ela deitou na cama, a expressão de seriedade absoluta. Mais cedo eles jogaram *Scrabble*.

A velha caixa verde chamou a atenção de Pippa enquanto ela vasculhava um armário.

— Ei, a gente podia jogar isso!

Xavier, com uma taça de vinho na mão, tirou os olhos da TV e levantou uma sobrancelha.

— Estamos tão desesperados?

— Nem vem. Eu gosto de *Scrabble*.

— Acho que não vai gostar de jogar comigo.

— Ah, é? E por quê não? — Ela já estava tirando o tabuleiro da caixa.

— Porque eu sou um jogador de nível competitivo.

— Ah, é mesmo? — Ela tirou o saquinho de veludo e, de brincadeira, desarrumou seu cabelo. — Bom, e *eu* era a porra da melhor lançadora juvenil de disco da Inglaterra e não uso uma medalha por isso, uso?

E, sem dúvida, ele a deixou furiosa, com 58 pontos por MÓ, RÁ e UR na mesma jogada.

— Não pode pôr essas! Não são nem palavras!

Xavier enfiou a mão na caixa e tirou casualmente um livrinho gasto.

— Por sorte eu tenho um dicionário de *Scrabble* exatamente para esse tipo de dúvida.

— MÓ é gíria!

— Se você olhar no dicionário, vai ver que é pedra também.

— RÁ? Tipo uma risada?

— É um deus egípcio.

— Mas como é que eu vou ganhar — ela perguntou, um pouco depois —, agora que você está tudo isso na frente — ela contando nos dedos — *e* eu tenho essas bostas de letrinha *e* eu sei que as suas são boas, pelo jeito que você está sorrindo?

— Não é pra você ganhar. Eu é que vou ganhar. Eu falei logo no início. Ela encheu o copo de vinho dela de novo.

— Eu não sirvo pra você.

— Se você quer um conselho meu — Xavier continuou — você precisa contra-atacar com uma palavra com "X" ou "Z"...

— Não dá porque eu não tenho nem "X" nem "Z".

— Nunca revele suas peças. Ou, se livra de todas as sete, faz bingo, ganha os 50 pontos de bônus. Daí você fica... — Ele examinou a coluna meticulosa de números desenhados a lápis em sua frente. — Bom, com menos de 120.

Pippa deu uma cotovelada nele, bastante forte.

— Palavras muito curtas ou muito compridas são o segredo do *Scrabble*. O resto é enrolação. Você percebe que quando você me bate de brincadeira dói tanto quanto se fosse de verdade?

— É claro que eu percebo.

— Então, considerando tudo, eu aconselho você a trocar peças.

— Mas daí eu perco a vez.

— Não é *perder* a vez. A troca é uma jogada em si mesma. Às vezes o único jeito é se arriscar.

Xavier ouviu o som suave das peças batendo umas nas outras enquanto ela vasculhava a sacola com um resmungo resignado. Ele se perguntou como Pippa iria reagir quando ele formasse a palavra dzô, um híbrido de vaca e iaque mais comumente encontrada no Tibete.

Na sexta seguinte, Xavier leva Pippa para ver um filme e depois para um restaurante caro, onde bebem duas garrafas de vinho. Ocasionalmente, Pippa ri tão alto que as pessoas nas mesas ao lado, as cabeças inclinadas sobre cardápios encadernados em couro, como ministros examinando as minutas de uma reunião, interrompem suas deliberações e olham incomodadas. Andam tropegamente do metrô até em casa, de mãos dadas, traçando diagonais malfeitas pela Bayham Road acima. Pippa, repetindo-se, falando em círculos e contando listas com os dedos, descreve suas objeções ao enredo intrincado do filme.

— E como é que ele ia conseguir *pagar* uma mensalidade de academia, um cara que trabalha entregando *pizza*? Como ele consegue dinheiro pra ficar lá num lugar modernoso cheio de máquinas?

— Eu não sei. Vai ver ele roubou.

— Mas o que você vai dizer na sua crítica? Duas estrelas?

— Três, eu acho.

Ela soca seu antebraço.

— Não *vale* três estrelas.

—Vale. Foi feito com competência. Tinha umas partes boas.

—Você vai falar dele no seu *show de rádio*? — Ela usa a voz pomposa com que gosta de zombar dele. — Vai fazer comentários divertidos sobre ele com o seu amigo Murray?

A menção do nome de Murray provoca alguma preocupação, a natureza exata dessa reação Xavier não consegue entender.

— Como vai indo o programa, afinal?

—Você devia saber. É uma das nossas mais prezadas ouvintes.

— Eu geralmente pego no sono antes do final.

Ele devolve o soco no braço.

— O programa vai bem, obrigado, pra responder a sua pergunta.

Murray tem estado animado durante o *show*, mas a atmosfera entre os dois é ainda de algum modo tensa e desconfortável. Durante as pausas comerciais e o boletim do tempo, eles conversam pouco. Xavier olha para o estacionamento e Murray puxa e torce punhados do próprio cabelo.

Logo antes da metade do programa, às duas da manhã de ontem, Murray comentou:

— Nenhum sinal daquele cara recentemente.

— Que cara?

—Aquele coitado que sempre ligava pra ca-ca-ca-cá.

— Clive?

— Isso. O sujeito das esposas.

ONZE

— O cara *sem* esposas, — Xavier murmurou. — Não, ele tem estado quieto.

— Melhor assim, provavelmente. — Murray descruzou as pernas, coçou o testículo esquerdo com seu dedo grosso e fez uma careta. — Aquilo ali era um beco sem saída.

— Hmm. — Xavier ergueu uma sobrancelha e deixou o assunto morrer sufocado na sala quente.

Agora, com a mão de Pippa na sua, ele deixa Murray desaparecer de forma similar da sua mente.

Mesmo durante o sexo ela tem uma queda pela zombaria.

— *Caro Xavier, por favor, arruma a minha vida. Caro Xavier, não posso viver sem você.*

— Este não é o momento apropriado... — As mãos de Xavier, escorregadias de suor, agarram as laterais do corpo dela. — Este não é o momento apropriado para por em questão a minha reputação profissional.

— *Caro Xavier, eu estou no momento fazendo sexo com você e gostaria de saber o que você quer que eu faça em seguida.*

Por causa do hábito de uma vida inteira de dormir em um horário estranho, Xavier frequentemente continua acordado por algum tempo depois que Pippa pegou no sono, o que ela parece sempre fazer imediatamente depois do sexo. Esta noite, como nas noites anteriores, ele observa seu rosto e gentilmente acaricia seu braço, admirando as sardinhas vistas à luz suave da lua cheia. Ela respira devagar, cada expiração um pouco mais comprida do que Xavier esperava.

Ele dormiu só por alguns minutos quando ambos sentam rápido em reação a um barulho enorme no andar de cima.

— Que foi, que foi? — murmura Pippa, quase sem acordar.

Ele segura sua mão e passa os dedos por entre os dela.

— Está tudo bem. Foi só... lá em cima.

Ela se estica e acende a luz de cabeceira. Eles ficam lá sentados, segurando uma respiração compartilhada. Do outro lado do teto chegam vozes zangadas, que Xavier e Pippa não podem evitar ouvir, como o som de um filme chegando à sala ao lado. Os gritos furiosos de Tamara são respondidos pelos berros nasalados do namorado. Há uma série de pancadas, gritos, outro som de algo quebrando e, finalmente, silêncio. No andar de baixo, Jamie chora. Eles conseguem ouvir Mel saindo com dificuldade da cama e indo para o lado dele. O silêncio continua. Xavier sente como se todo mundo em Londres estivesse ouvindo com a respiraçãoo presa como eles; mas não, ninguém mais tem consciência do que está acontecendo. Essa consciência é subitamente assustadora. Xavier ainda segura a mão de Pippa. Ele se lembra de ter gritado pela mãe depois de um pesadelo, aos oito anos, passando férias no interior.

— Está tudo bem agora! — ela disse, enquanto seus braços vasculhavam os lençóis freneticamente à procura de cobras. — Elas já foram! Quer dizer, elas nem estiveram aqui! — Ela se corrigiu.

Bem quando parece que o silêncio vai engolir o que quer que tenha acontecido, a porta do apartamento de Tamara pode ser ouvida abrindo com violência, seguida de mais uma troca de gritos.

— Vamos subir lá. — Os olhos azuis claros de Pippa brilham no escuro.

— Hã?

— Vamos subir lá e ver se a gente pode ajudar.

— Mas...

— Alguma coisa está errada, Xavier.

Xavier começa a reclamar de novo, mas daí se lembra da briga que tiveram sobre isso antes. Pippa já está quase chegando na porta da frente. Está vestindo uma camiseta comprida, de um evento atlético antigo, e calcinha — ela nunca dorme sem roupa.

— Não dá — ela explicou para Xavier, depois que eles dormiram juntos na cama dele pela primeira vez. — Nunca se sabe o que pode acontecer.

Agora, ele pensa ao mesmo tempo que procura alguma coisa que vestir na gaveta, ela provou que tinha razão. Ele a segue até o patamar, onde os dois, semivestidos, veem o namorado de Tamara descendo as escadas pesadamente, uma mochila no ombro e com a camisa, como a sua mãe diria, "abotoada tudo errado". Ele encara os dois.

Xavier o encara de volta. Ele tem uma marca de machucado roxa perto do olho, que as suas mãos sobem tarde demais para esconder. Há um corte mais antigo no lábio de baixo. Xavier aspira devagar e com algum tremor e sente seu estômago se revirar.

— Você está bem? — Pippa pergunta para o homem, em voz baixa.

Ele olha para Pippa, parece pronto a dizer algo agressivo, mas depois decide que não.

— Ah, tudo bem, tudo bem! — ele se contenta em dizer, a amargura em sua voz deixando os dois desconcertados. — Gentileza sua perguntar, finalmente!

Xavier tosse.

Pippa pergunta:

— Como assim?

— Bom, vocês não podiam em algum ponto ter subido pra ver o que estava acontecendo? Não podiam ter se interessado um pouco?

— Nós nos interessamos sim — Pippa começa.

— Sou eu, não ela — Xavier protesta. — Ela não mora aqui. Sou eu que moro aqui.

— Bom, tudo o que posso dizer é que seria bom ter tido alguma espécie de apoio — diz o homem, um tanto incoerentemente. Não está claro se ele sabe bem o que está dizendo. — Teria sido bom se alguém tivesse aparecido pra dizer: "o que é que está acontecendo aqui"? Daí talvez não tivesse sido tão fácil pra ela ficar me batendo. O que vocês acham?

Xavier e Pippa ficam lá, mudos, nem olhando para ele, nem um ao outro.

— É, eu sei o que vocês estão pensando — o homem continua —, então por que é que eu sempre volto? Porque eu sou a porra de um... porque eu amo essa mulher. Bom, nessa eu não caio de novo. Vou arranjar alguém que não bata na porra da minha cara!

Xavier e Pippa o veem descer o resto das escadas em passadas ineficientes. Ele escancara a porta de entrada, que deixa entrar um jato de ar frio no andar de baixo. Instintivamente ambos lançam um olhar escada acima no caso de haver um vislumbre de Tamara, mas não há nada para ver, e nada para ouvir, só o mais pesado dos silêncios, e o choramingo cada vez mais baixo do tranquilizado Jamie no apartamento do térreo.

Na manhã seguinte Pippa vai embora cedo — ela quer ir para casa e ver como Wendy está antes do primeiro serviço. Os acontecimentos da noite ainda assombram a conversa. Pippa parece distraída quando se despede com um beijo. Xavier não consegue se concentrar enquanto se prepara para o programa. Ele reprisa em sua mente as muitas vezes, pelo menos meia dúzia nos últimos três meses, em que ouviu barulhos no andar de cima. Será que isso tudo podia ter sido evitado? Não parece mais satisfatório se consolar com o pensamento de que as coisas se resolvem sozinhas.

Jamie está num estado de espírito briguento — se é que ele tem outros — e parte o ar com um uivo zangado, enquanto Xavier recolhe a correspondência do lado de fora e bate na porta. Mel parece não ter dormido nada, e ele nota como ela está magra pois sua malha cai com folga sobre os ombros.

— O que aconteceu ontem à noite?

Xavier olha culpado para o alto das escadas, como se a situação ainda estivesse se desenrolando ali.

— O sujeito... O namorado da Tamara saiu batendo porta. Eles brigaram... Digo, briga de verdade...

— TOMA CUIDADO, JAMIE. Desculpa. Briga de verdade? Ele bateu nela?

— Ela... ela bateu *nele*.

— Nossa.

— Acho que está acontecendo há algum tempo. — Xavier limpa a garganta.

— Nossa — Mel repete. — Você acha que a gente devia, você sabe, informar...

Ele está para responder quando Jamie passa correndo pelas pernas da mãe e vem para o *hall*, mirando os joelhos de Xavier com seu carro de bombeiro. Ele acerta um golpe preciso no joelho de Xavier com o pequeno veículo de emergência, cujo motorista pintado sorri enquanto Xavier dá um grito.

— Merda — Mel murmura para si mesma. — Jamie, volta aqui. Ah, mil desculpas. Eu fico... ele tem tanta energia...

Mel passa a mão na testa, angustiada.

— Você está bem?

—Tudo, tudo bem. Você deve achar que eu vivo doente. É só uma dor de cabeça. Você deve achar que eu sou uma... — Ela sorri com tristeza, seu rosto muito pálido. — Desculpa.

— Você gostaria que eu levasse ele pra passear? — Xavier se ouve perguntando.

— Levar...? Levar o Jamie?

— Só pra você poder descansar um pouco. Eu podia levar o Jamie para a trilha da mata por uma hora ou algo assim. Se você quiser.

Mesmo enquanto está dizendo isso, ele reza para que a oferta seja recusada. "Não dá pra confiar em você", diz uma voz no fundo do cérebro de Xavier. "Lembra do Michael, lembra do que você fez?" Mas ele empurra isso para longe com força.

Mel se agacha perto de Jamie.

— Quer dar um passeio com o Xavier?

Jamie faz que sim com a cabeça.

— Promete que vai ser bonzinho?

Ele assente, com a boca espremida, olhos reprovadores, como se a pergunta fosse um insulto.

—Você não vai fazer traquinagem e não vai correr do Xavier?

Jamie sacode a cabeça coberta por cabelos loiros escorridos, ainda com uma expressão de leve surpresa de que tais perguntas possam ser feitas.

Ele se volta e olha para Xavier.

— O Valentim pode vir?

—Valentim é o coelho dele — Mel explica. Jamie mostra um brinquedo branco e sujo para Xavier, como alguém declarando um item na alfândega. Xavier inspeciona gravemente o passageiro requerido.

— O Valentim vai ser bonzinho também?

Jamie conversa rapidamente com Valentim.

—Vai.

— Então, vamos.

— Muito obrigada, viu — diz Mel. —Você tem mesmo certeza?

"Bom, agora é um pouco tarde para desistir", Xavier pensa ao pegar na mão de Jamie. Eles andam pela calçada estreita no final da Bayham Road, onde os carros assumem uma velocidade perigosa. Depois que atravessaram a rua, Xavier solta a mão de Jamie com cuidado e permite que o garoto caminhe em sua frente na trilha. Pássaros cantam nos galhos de árvores que formam uma abóboda ao longo do caminho. É uma manhã acinzentada e bem fria. Um enorme cão vermelho-amarronzado, aparentemente levando o dono para passear e não o contrário, trota até eles e Jamie passa a mão na cabeça dele. O cachorro cheira Jamie deliciado, seu nariz brilhante na palma do menino. O dono do cachorro troca um sorriso com Xavier enquanto eles esperam pelos seus respectivos companheiros. Ele percebe que qualquer um passando assumiria que ele é o pai de Jamie.

Na ponte de trem, há muito abandonada, que marca a metade do caminho da trilha até Highgate, um adolescente numa malha branca com capuz está grafitando um muro de roxo. Ele olha para os dois sem interesse e volta ao trabalho. Jamie puxa a manga de Xavier.

— O que ele tá fazendo?

— Ele, hm... Bom, se chama *graffiti*. É como fazer uns desenhos no muro.

— Por quê?

— Bom, tem gente que faz isso. Eles gostam.

— Mas por que não desenham num papel?

— Bom, eles... eles querem que as pessoas vejam os desenhos deles quando passeiam.

— Por quê?

— Boa pergunta — Xavier admite.

Eles viram antes da ponte do trem e começam a voltar devagar para casa, os sapatinhos de Jamie procurando poças d'água deixadas pela garoa da noite anterior.

— Cuidado pra não se sujar de lama — Xavier diz. — A sua mãe não vai ficar contente.

— Não — Jamie concede.

—Você acha que podia deixar ela mais sossegada, cara? Se você fosse... se você não gritasse tanto, talvez?

Jamie considera a sugestão com aparente tranquilidade, mas dá um pequeno assentimento com a cabeça antes de sair correndo na direção de uma vareta promissora.

ONZE

Muito tempo depois disso, o passeio vai ser uma das primeiras memórias de Jamie. Ele vai se perguntar quem era Xavier e como eles acabaram andando ali, e o que sua mãe estava fazendo na hora. Isso vai nadar para dentro de sua mente enquanto ele fica acordado na cama certa noite, pensando sem parar nos resultados de uma experiência, a experiência que vai acabar abrindo caminho para o anticorpo que vai melhorar a vida de muita gente, incluindo a ainda não nascida neta do lojista indiano.

Xavier agarra o braço de Jamie enquanto esperam um carro subir penosamente a ladeira.

— Obrigado pelo passeio — diz Jamie, sério.

— Obrigado *você* — Xavier responde com igual seriedade. — Talvez a gente faça isso de novo.

— Talvez — o menino concorda.

Xavier devolve Jamie para Mel, que atende a porta de roupão, segurando um livro; é como se para ela a sua hora de liberdade tivesse durado um dia inteiro.

— Ele se comportou?

— Não podia ter sido melhor — diz Xavier, e Jamie calmamente vai para a mãe.

De volta ao seu apartamento, Xavier se sente muito cansado de repente. Ele desaba no sofá, percebendo que seu coração está acelerado. É claro, foi a primeira vez que ele teve a guarda de uma criança, ou de qualquer coisa, desde aquela noite em Melbourne. Ele fica sentado sem se mover, por bastante tempo, ouvindo os sons abafados da tevê lá embaixo.

É final de manhã em Londres, noite na Austrália, e uma hora depois de voltar do passeio, Xavier finalmente liga para a mãe. Ele quer contar sobre Pippa, há muito que contar, mas ele pressente que, seja quais forem as suas intenções, a conversa vai tomar o rumo habitual: as perguntas dela vão irritá-lo, eles vão de algum modo entender mal o que o outro disse, especialmente com a distância, a diferença de horários. Mesmo assim, já devia ter telefonado faz tempo. O telefone toca na casa da família a vinte mil quilômetros dali, seu toque lento e hesitante — parece cada vez mais lento, ele acha, como se estivesse envelhecendo com a mãe. Ela não atende.

Xavier se sente apreensivo — essa possibilidade nem lhe havia ocorrido. Onde estaria sua mãe, uma viúva de sessenta e oito anos, às dez da noite? Ele não sabe, porque não tem tomado conta dela. Provavelmente em algum lugar com Rick e Mike. Provavelmente tudo está bem. Ele conta trinta toques antes de admitir a derrota.

    Desligar depois de uma chamada inesperadamente não atendida lhe dá um sentimento desagradável, especialmente uma chamada de longa distância. Ele se sente ao mesmo tempo esnobado e incompetente. "Para com isso", ele resmunga para si mesmo. Depois, com os dedos tremendo muito delicadamente no teclado do celular, ele começa a chamar Matilda. Interrompe a chamada, tenta de novo, interrompe de novo. Isso continua por alguns momentos. Finalmente, ele deixa tocar. O toque desta vez soa quase incrédulo, como se a chamada estivesse sendo completada contra a vontade de todo mundo. Desta vez ele quase torce para ninguém responder, mas é atendido.

— Alô?

— Matilda?

— Sim.

    Ela está noiva agora, vive em Sidney, deve ter um corte de cabelo diferente, deve estar mais magra, ou mais gorda, e deve ter um guarda-roupa que ele nunca viu. Ela, Bec e Russell devem ter novos bordões e piadas, novos amigos sobre os quais conversar, novos filmes e bandas favoritos. Devem ir para novos clubes e bares. O Cine Zodiac, ele sabe por causa de um abaixo-assinado que recebeu por *e-mail*, foi comprado por uma empresa que arrancou os balcões e colocou uma outra tela. No máximo, Matilda deve dar uma olhada ocasional numa foto da Gangue dos Quatro, ou achar um cartão de aniversário velho e rememorar por um minuto antes de guardar de volta às pressas. É o passado e é lá que devia ficar, não se pode voltar para ele, isso é estúpido. Tudo isso passa pela cabeça de Xavier nos três segundos antes de ele falar de novo.

— Mat? É o... Desculpa incomodar. É o Chris.

— Chris! — Ela soa surpresa, claro, um pouco receosa, mas talvez, quem sabe, contente.

— Desculpa. Eu não telefono faz tanto tempo. Eu queria... eu não sei.

— Chris! Nossa!

— É uma hora ruim pra você falar? Eu sei que é tarde aí.
— Não, não, tudo bem. A gente só estava vendo TV.
— Você e o... seu namorado?
— Eu e Bec. Estou aqui na casa deles.
Xavier prende a respiração.
— Ah.
— Ei — ela diz, exatamente como sempre fazia, e ele consegue imaginá-la pulando alto na cama elástica, pulando para fora dela direto para os seus braços enquanto ele cai para trás. — Ei, você está no rádio por aí?
— Hein? Hm. Sim.
— Porra, Chris, que ótimo! Tinha um boato de que você estava. Não consegui achar. Alguém disse que ouviu *on-line*.
— Eu apareço com nome diferente. Hmmm... Xavier.
— Xavier.
— Eu sei, é meio idiota.
— Xavier! Porra! Você virou DJ! Que incrível!
— Bacana, né?
Por trinta segundos eles se falaram como se ainda se vissem regularmente, ou como se estivessem pelo menos na mesma cidade. Percebendo de repente que esse não é o caso, eles hesitam.
— E como é que você está? — pergunta Xavier.
— Bem. É, as coisas vão bem.
— E como... Como vai a Bec? E o Russell?
— Estão bem.
É difícil, mais uma vez, mas pelo menos eles chegaram até aqui. Ele respira fundo.
— Você acha que ela falaria comigo?
Matilda pensa nisso por alguns segundos. Xavier começa a se voltar atrás, mas ela diz:
— Espera.
Há passos e uma conversa distante que ele queria poder ouvir. O fone muda de mãos audivelmente um par de vezes.
— Oi, Chris.
— Bec.

— Como você está?
— Eu estou bem. Bom falar com você.
— E com você.

A voz de Bec mudou nos cinco anos que se passaram desde que ele a ouviu pela última vez, das muitas maneiras indescritíveis com que as vozes mudam com o tempo — o modo com que a experiência, acumulada dentro de uma pessoa, pesa nas cordas vocais. Os golpes minúsculos, cuidadosos, são o suficiente para abrir as primeiras rachaduras no gelo que congelou tudo. Ou quase o suficiente.

Xavier engole, mas não tem saliva.
— Como está o Michael?

Bec inspira fundo, e sua voz é frágil.
— Ele está bem.

Depois não há mais nada a dizer, e o momento é frio, e formal, mas era um momento pelo qual eles tinham de passar juntos. Bec devolve o telefone para Matilda e eles se despedem. Ele imagina Bec e Matilda mencionando a ligação para Russell quando ele voltar, e os três discutindo sobriamente sobre o velho amigo.

Ele sabe que a Austrália é passado e que essas pessoas estão no passado para ele, que a vida que ele tinha não pode retornar, mas que isso também não precisa mais torturá-lo. É assim que as coisas são. Xavier pousa o fone. Ele olha pela janela para um ônibus subindo o morro com esforço. Na Baía de Sydney, a luz que iluminou Pippa enquanto ela dormia ontem à noite lança agora uma luz fantasmagórica na água calma e ondulante. Matilda, na varanda de Bec, olha para ela e pensa em Chris por um momento.

Está chovendo quando começa a escurecer: mais uma vez, Londres parece estar usando a escuridão para contrabandear o tempo ruim. Às oito, a campainha toca. Jamie está quieto no apartamento de baixo, Mel está vendo TV. Comparados com os programas barulhentos que ela geralmente põe para Jamie, os gritos exagerados da novela são quase calmantes. Pippa está na soleira, com a sacola amarela e azul, que Xavier tira com delicadeza de seu braço. Em sua outra mão está um grande guarda-chuva preto.

— Pensei que você não gostava de guarda-chuva.
— Eu não queria estragar este casaco lindo que você comprou pra mim.
— Eu nem sabia que você *tinha* guarda-chuva.
— Comprei um por quatro libras. E agora você não pode dizer que eu nunca sigo o seu conselho. — Ela se espreme por ele para chegar nas escadas. — Raramente, mas não nunca.

Eles ficam deitados juntos depois de dez minutos de sexo que os aliviaram de oito horas de irritações e imperfeições. As notas de Xavier para o *show* desta noite estão na mesinha de cabeceira. Ele acaricia o ombro forte de Pippa com a mão esquerda. Ela está coberta pela colcha, ele está nu por fora do lençol.

— Isso foi bom.

Ela rola para o outro lado.

— Não sei a que você está se referindo — ela diz, com altivez.

Xavier sorri.

— Você vai ficar aqui hoje?

— Você nem vai *estar* aqui. Só vai voltar depois das quatro e meia da da madrugada, porra. Desculpa a linguagem.

— Mas é que eu gosto de dormir do seu lado. Eu gosto quando você está aqui.

— Eu preciso cuidar da Wendy.

— Você vai cuidar da Wendy pra sempre?

— Como assim?

A língua de Xavier corre pelos seus lábios.

— É só que, se você... se mudasse pra cá... se você morasse aqui... as coisas seriam bem mais fáceis pra você.

Ela não diz nada.

— Você ainda poderia trabalhar sempre que quisesse. Mas poderia descansar mais.

— E a minha irmã?

— Vocês ainda podiam se ver pela mesma quantidade de tempo.

— Ela odiaria isso.

— Ela pode se mudar pra cá também.

Pippa dá uma gargalhada.

— Não dá pra duas Geordies se mudarem pra cá da noite pro dia. Você ia ter um colapso nervoso, a gente faz muito barulho.

— Eu até gostaria de bastante barulho.

Ela senta na cama, juntando as cobertas à sua volta. Xavier olha para o seu próprio corpo nu.

— Ela precisa de mim por perto o tempo todo.

— Mas você acha que isso é saudável?

— Saudável. — Ela ri pelo nariz. — Este é Xavier Ireland na *Linha da Madrugada*.

— Eu sei que ela é... eu sei que vocês são irmãs. Mas eu não estou dizendo pra você abandoná-la, pra ela se virar sozinha. Eu só acho que seria bom pra ela ser mais, mais independente. Sei lá. Às vezes você tem que ter coragem.

Ela olha para ele e ele se pergunta se ela vai mencionar o caso da Tamara, ou qualquer outro dos muitos exemplos de sua covardia e passividade. Mas ela só esfrega as mãos suavemente contra as dele, depois passa as pernas para fora da cama e vai para o banheiro. Como depois de tantas conversas entre pessoas, é difícil dizer qual foi o resultado.

Depois que Pippa partiu para ficar com Wendy, Xavier pensa no que ele disse sobre a ideia de ser corajoso e agir, chegando à conclusão de que é muita cara de pau de sua parte dar uma aula a Pippa sobre isso.

Ele junta as notas para o programa e põe seu casaco, na mesma hora em que Murray buzina lá fora. Ele vai até a porta e vê o Escort e a cabeça encaracolada do amigo dentro.

Clive Donald não vai sintonizar esta noite, pois já está dormindo profundamente em antecipação a mais uma semana na escola. Ele foi ver seu médico, que lhe prescreveu um calmante leve para regularizar seu horário de dormir. No final da tarde, mandou um *e-mail* para Xavier explicando isso e agradecendo a ele por "ajudar a dar uma virada nas coisas". Enquanto esse ouvinte regular estará ausente, Alessandro Romano, o *barman* de vinte e dois anos ainda apaixonado por Edith Thorne, vai ouvir o *Linha da Madrugada* pela primeira vez esta noite. Ele vai ligar o rádio às duas da manhã, quando voltar ao seu apartamento sem aquecedor e começar a girar o dial em busca de companhia. Ainda num estado de sentimentalidade pura e concentrada, ele vai chorar quando ouvir a balada dos anos 1990, "It Must Have Been Love".

Xavier senta-se no banco de passageiro. O ar dentro do carro está terrível, como se Murray tivesse soltado gases ou comido algum tipo de *fast-food*. Há embalagens vazias de sanduíche aos pés de Xavier.

— Então, os prazeres de outro domingo — diz Murray.

Embora a esta altura ele ainda não perceba, uma ideia começa a ocorrer a Xavier, ainda não firme o suficiente para seus dedos mentais a tocarem e a arrancarem da pilha de pensamentos. Ela vai precisar de vários dias para se formar, juntando qualquer que seja o material do qual as ideias são feitas. Daí, de repente, ela vai se alojar firmemente no cérebro de Xavier, forçando-o a agir.

No domingo seguinte, 10 de maio, Xavier combina de encontrar com Murray durante a tarde, antes do *show*. Murray vem sugerindo há algum tempo que eles sentem "pra bater um papinho". Do jeito solene com que ele diz isso, Xavier deduz que "papinho" vai ter algo a ver com trabalho. Eles vão a um *pub* em Crouch End, não longe da Bayham Road. Pippa se desaponta ao saber que ele vai sair numa de suas tardes livres, e Xavier gostaria que ela ficasse no apartamento dele, tratasse o lugar como se fosse dela e estivesse lá quando ele voltar do *show*. Mas Wendy tem de vir em primeiro lugar. Escolhendo não reviver esse assunto desconfortável, ele vai embora num estado de espírito abaixo da média.

No *pub*, jovens famílias murmuram confusamente em volta de mesas compridas, com suas crianças bem-comportadas em malhas listradas da moda e pequenos *jeans* de marca, e casais sentam-se com canecas de cerveja estudando os jornais inchados de domingo, as seções guardadas dentro uma das outras como bonecas russas, escorrendo para fora quando o jornal é erguido, como se estivessem zombando da tentativa do leitor de entender como funciona o universo.

— Mas e aí, na próxima semana vai ter o aniversário do Qui-Quillam — diz Murray.

Xavier tinha esquecido disso, mas, de fato, o novo chefe requisitou o prazer da companhia deles — como diz o convite — em um restaurante dentro de um barco no Tâmisa, no sábado.

— A gente vai, né?

— Eu estava pensando... Eu não sei. Depende do que a Pippa for fazer. Se ela for trabalhar.

Murray faz uma careta.

—Você vai ficar cada vez mais chato só porque está com ela?

— Só o tempo dirá — responde Xavier.

— Mas olha. — Murray enrola um dedo nos cabelos, pensativo. — Eu não sei se a gente vai ter a chance de falar sobre trabalho com o Quillam, mas é bem provável.

— Da última vez que ele te viu, você estava bêbado, enchendo o saco daquela garota no *pub*.

Murray encolhe os ombros com impaciência.

— Isso tudo é passado. Esse é o ponto. Se você for ver o que a gente está ganhando e o que outros caras estão ganhando... andei falando com umas pessoas. Acho que a gente devia fazer pressão pra conseguir um salário melhor.

Xavier olha para a mesa. O pensamento que nasceu no carro várias noites atrás agora senta equilibrado no fundo de sua garganta, como comida esperando ser expelida.

— Eu só acho que a gente é uma das duplas mais po-po-po-populares do rádio e a gente devia dar um chute no traseiro deles de vez em qua-qua-quando.

Xavier, ainda olhando para a mesa, diz:

— Escuta, cara. O Quillam falou comigo recentemente, na festa. Ele está falando sobre um horário um pouco mais cedo.

Murray sacode a cabeça.

— Eu não acho que a gente ia funcionar mais cedo. Nosso forte é o contato com a turma da madrugada. Você sabe. A gente é muito pouco co-co-comum pra...

Xavier olha dentro dos olhos castanhos de Murray e consegue vê-los mudando, segundo a segundo, como se um produto químico tivesse sido posto ali gota a gota.

— Espera aí. Você que-que-quer dizer nós dois ou só... só você?

Xavier brinca com a manga da camisa.

ONZE

— Ele estava falando sobre mudar as coisas um pouco, me colocar com outras pessoas. Você sabe.

Murray não diz nada.

Xavier continua:

— As pessoas já me ofereceram coisas antes, e nunca parecia certo. Mas, você sabe. A gente está fazendo esse *show* faz muito tempo. Eu meio que sinto que chegou a hora de tentar alguma outra coisa.

Murray engole e o seu pomo de Adão visivelmente se enfia dentro da garganta. Ele toma um grande gole de cerveja e limpa os lábios com a mão.

— Quer dizer, eles manteriam você como produtor.

O rosto de Murray está um pouco vermelho.

— Não iam. Eles só fariam isso por sua ca—ca—causa.

— Eu vou exigir que você fique.

— Mas eu não vou poder apresentar. Eles não me que—que—que—que—que—querem como apresentador. Só vão ficar comigo por sua causa.

Xavier sente a vermelhidão do rosto do amigo se espalhando, como um germe, para o seu próprio.

— Eu não sou burro, Xav. Eu... — Ele pega impulso para dizer a frase seguinte. — Eu estaria completamente fora do rádio.

— A gente não pode ter uma amizade baseada em... baseada nisso.

— Nisso o quê?

— Em eu te fazer um favor. Não é justo pra nenhum de nós.

A cabeça enorme de Murray gira para olhar em volta do *pub*, como se procurando a intervenção dramática de uma terceira parte, alguma revelação de que tudo isso é uma brincadeira. Depois ele olha para Xavier.

— Isso foi ideia da namorada?

— O quê?

— Bom, é engraçado — diz Murray, mexendo a cabeça devagar para cima e para baixo —, engraçado que você a conheceu e você não tinha nenhum problema com o *show* antes, e daí, de repente, agora ela fica dizendo o que você deve fazer...

— Ela não diz o que eu devo fazer.

— Bom, você mudou desde que ela apareceu.

— Eu sei.

Murray bebe o resto do copo. Do lado de fora do *pub*, pessoas levam cachorros para passear, inspecionam sebos, fazem filas no supermercado, chamam as crianças.

— E você já se decidiu?

Xavier fica surpreso de ouvir isso anunciado dessa maneira, porque não houve nenhum processo de "decisão". Mas, nem por ser tão súbito, parece menos definitivo.

— Sim.

— Bom, não temos mais o que falar, então.

Mesmo assim, Murray parece por um instante ter todo tipo de coisas que ele pode dizer. Ele levanta e vai rápido para o banheiro, batendo o quadril numa cadeira ao passar por uma reunião familiar, e interrompendo a conversa deles. Enquanto ele continua, uma das crianças faz um comentário, os pais riem e depois olham com culpa em volta.

No bar em que apenas algumas semanas antes ele achou que havia se apaixonado por Edith Thorne, Alessandro Romano está bebendo com um amigo italiano desde pouco depois do horário de fechamento, a uma da manhã. Depois de ter dispensado todo mundo e trancado a porta, certificou-se de que o bar estava completamente vazio, telefonou para Marco e, a uma e vinte e cinco eles estavam pilhando o bar. Eles beberam uma garrafa de gim e um pouco de vinho. Alessandro até fez um coquetel, segurando e chacoalhando a coqueteleira de prata como um *expert*, batendo com ela no balcão e derramando quase tudo, enquanto seu amigo gargalhava no silêncio. Só foi assustador pela primeira meia hora, agora, está pouco se lixando com o que vai acontecer. Ele não quer o emprego, não quer ficar no país. Vai continuar bebendo e depois Marco pode levá-lo de volta para casa no carro de Alessandro, ou, se ele recusar, Alessandro pode dirigir ele mesmo aquela porcaria, "quem se importa?"

A viagem de volta para a Bayham Road depois do programa é feita em silêncio, mas quando o Escort se espreme numa freada junto ao meio fio, Murray diz:

ONZE

— Foi bom o *show* hoje.

— Foi sim — Xavier concorda, aliviado pelo silêncio ter sido rompido. Ele pigarreia. — Obrigado pela carona.

— Eu sempre te dou carona.

— Sim, mas... depois da... da discussão no *pub*.

A mão grandalhona de Murray se estica e vai bater pesadamente nas costas de Xavier.

— Sem re-re-re-re-ress...

— Sem ressentimento?

— Exato. Sem ressentimento.

Xavier sai, bate a porta, acena para Murray, que acena de volta. Tudo é silêncio no apartamento de Mel e Jamie. Quando abre sua porta, Xavier fica tenso. Algo está esquisito, o ar está diferente. Ele entra cautelosamente no quarto. Lá, debaixo das cobertas, dorme Pippa, com o rosto voltado para ele, fixo naquela expressão de solenidade absoluta que marca suas horas de sono. Seus lábios, abertos meio centímetro, admitem a entrada de uma respiração lenta, profunda e regular. Acima da linha das cobertas, seus ombros pálidos brilham à luz da lua quase cheia.

Na mesa de cabeceira há um bilhete.

> *Se você está lendo isto, é porque estou dormindo.*
>
> *Pensando no jeito com que você lidou com o caso do Murray, achei que era melhor enfrentar minha irmã de uma vez e ficar aqui. Algumas palavras que ela usou fariam um mineiro corar, eu acho. Eu escrevi maneiro da primeira vez que escrevi isso e tive que começar tudo do zero de novo.*
>
> *Eu estava planejando ficar acordada e estar aqui para dizer "oi" quando você voltar, mas aquela porcaria de chão de manhã quase me matou, e eu preciso acordar às oito. Então eu provavelmente vou deixar você dormir e sair de mansinho. Mas pelo menos a gente vai ter estas três horas, né?*
>
> *Com amor. Pippa.*
>
> *P.S.: Tomei a liberdade de afanar aquele pão.*

Xavier a observa dormir. O vento balança os ramos das árvores na pequena floresta atrás dos apartamentos, e do fundo do quintal vem um leve som de datilografia, o tamborilar de uma chuva fina no telhado do galpão.

XI

PIPPA DEVE TER SAÍDO por volta de quinze para as oito da manhã. Xavier se lembra de ter percebido confusamente uma mancha, que era o corpo dela ao passar pela beirada da cama. Quando ele volta propriamente à consciência um pouco mais tarde, Jamie está fazendo confusão lá embaixo, de modo que Xavier nem tenta voltar a dormir, senta na cozinha e lê os *e-mails*. Íris, em Walthamstow, acabou de descobrir como usar um computador, ela conta com orgulho. Ela vai ver Tony, o cavalheiro, para uma xícara de chá esta tarde. Ela assina *Sinceramente sua*.

Ainda cedo, a campainha toca. Xavier sai para as escadas, mas quando chega lá Mel já está falando com alguém na porta.

— Eu vim aqui umas duas semanas atrás — ele ouve a mulher dizer — e eu estava falando com um homem sobre uma ótima maneira de ajudar as pessoas menos privilegiadas que nós.

Xavier suspira e desce as escadas. Jamie está irrequieto atrás das pernas de Mel, dirigindo seu carrinho de bombeiro para cima e para baixo nos últimos degraus, agarrando as roupas da mãe, dizendo a ela que se apresse.

— Isso é pra mim, eu acho — diz Xavier.

Mel se vira agradecida, tirando seu cabelo meio sujo da frente dos olhos, e dá lugar a Xavier na porta.

— Oi de novo — cumprimenta a garota com a prancheta, um crachá pendurado no pescoço, um olhar de otimismo profissional. — A gente se falou algumas semanas atrás, quando...

Jamie aproveita a situação e consegue correr porta afora, passando pela garota, propelido para a frente por suas perninhas incansáveis.

— Volta aqui, Jamie! VOLTA AQUI, JAMIE! — Mel ordena, automaticamente.

Mas Jamie viu alguma coisa na rua — um pedaço de pau, ou uma pena, algo que ele quer muito — e desta vez ele não para.

— JAMIE, VOLTA AQUI! — grita Mel de novo, e sua voz se ergue em pânico estridente.

Xavier acompanha a direção de seus olhos. Mel solta um grito tão terrível que a confusa garota da prancheta dá vários passos também em pânico, como se tivesse sido jogada para trás pelo grito.

Alessandro Romano, muitas vezes acima do limite legal, e seu amigo Marco vêm rugindo implacavelmente pela Bayham Road abaixo no carro de Marco. Alessandro, ao volante, está tonto e nauseado, e perdeu por completo o controle do veículo. O motor chacoalha e eles passam com um estrondo por sobre um buraco minúsculo que lança os dois homens para cima em seus assentos.

— Devagar, porra, para, caralho — Marco berra, mas ele está inarticulado, as mãos de Alessandro tremem no volante, e eles passam em alta velocidade pelo lugar em que Xavier se afastou de Frankie Carstairs.

Alessandro, o décimo primeiro elo da corrente, vê um movimento em sua frente e aperta a buzina freneticamente. Na parte baixa da ladeira, o lojista indiano, voltando de uma consulta com o médico, fica parado, a boca escancarada de horror.

Para Xavier, há dois segundos de vida entre ver Jamie avançar para a rua e perceber que o carro, que parte para eles de repente numa mancha metálica, vai atingir e atropelar Jamie. No primeiro segundo sua mente pousa em vários pensamentos separados, visualizando-os todos de uma vez, como um jogador com um leque de cartas aberto à sua frente. Ele pensa em Michael, não caído no chão como da última vez que o viu, mas como deve ser agora, andando com suas perninhas. Ele registra o uivo animal de Mel, sente como se Pippa estivesse em seus braços de algum modo, e visualiza uma sacola de *Scrabble* dentro da qual ele vai colocar a mão para uma troca de peças. Ele se lembra de seu pai dizendo que ninguém realmente sabe o que está fazendo, e, como George Weir nas dores de seu ataque de coração alguns meses atrás, tem uma lembrança da escola: Russell rastejando de quatro, Matilda em suas costas, com o cabelo na frente dos olhos, e restos de sangue seco em volta do nariz.

No outro segundo, sentindo como se mãos o empurrassem para frente, Xavier corre a toda velocidade para a rua. Agarra Jamie e o empurra, com toda a força, para fora do caminho. Mel, com as mãos cobrindo a boca, e o lojista indiano, parado como uma estátua, assistem de seus diferentes pontos de observação enquanto Xavier é jogado para o ar pelo impacto do carro.

Pode parecer que os acontecimentos finalmente chegaram ao seu término, que este é o fim da corrente. Mas, para Xavier, flutuando por sobre o chão por alguns instantes, não é assim que parece. Talvez ele perceba que, quando seu corpo atingir a rua, esse não será o seu fim. Ele vai sobreviver, de alguma forma, porque apesar de toda a lógica fria do mundo, ele também é dado a conceder perdões de última hora, desafiando suas próprias regras. Talvez ele já esteja ansioso por outro tipo de vida, uma vida de consequências: novas oportunidades para Murray e Pippa, novos caminhos rumando ao futuro a partir do momento presente que ele ajudou a criar. Em todo caso, quando Xavier cai no chão, ele sente que uma quantidade inimaginável de coisas está só começando.

Este livro foi impresso pela Prol Gráfica
para Rai Editora Ltda.